ROBOTIC PROCESS AUTOMATION WITH PYTHON
파이썬과 함께하는 RPA

파이썬과 함께하는 RPA (ROBOTIC PROCESS AUTOMATION WITH PYTHON)

발 행 | 2024년 08월 09일
저 자 | 소 혜 민
펴낸이 | 한건희
펴낸곳 | 주식회사 부크크
출판사등록 | 2014.07.15.(제2014-16호)
주 소 | 서울특별시 금천구 가산디지털1로 119 SK트윈타워 A동 305호
전 화 | 1670-8316
이메일 | info@bookk.co.kr

BN | 979-11-419-0034-2

.bookk.co.kr
혜민(sohyemini@gmail.com 2024

ROBOTIC
PROCESS
AUTOMATION
WITH
PYTHON

파이썬과 함께 하는 RPA

소 혜 민 지음

목　차

Prologue

출장 중에 친한 선배로부터 전화를 받았습니다. 뜬금없이 강의를 해 달라는 내용이었습니다. 혹시 파이썬을 이용한 RPA에 대해서 강의를 해 줄 수 있을까?

사실 전화를 받을 당시에는 RPA에 대해서는 잘 알지 못했습니다. 찾아보니 Robotic Process Automation의 약자가 RPA랍니다. 인터넷에서 찾은 정보에 의하면 결국에는 반복적인 작업을 단순화 자동화하는 것을 일컫는 말이었습니다. 인공지능이나 소프트웨어 로봇을 이야기 하기도 하지만 결국엔 반복적인 작업의 자동화를 통한 업무의 효율화가 RPA의 본질이었습니다.

소프트웨어를 전공한 저로서는 RPA에 대한 정의는 잘 몰랐지만 알게 모르게 RPA를 사용하고 있었다고 생각을 했습니다. 업무에서 불편한 점을 프로그램으로 만들어 사용한 경험이 꽤 많이 있었습니다 물론 자동화를 포함해서 말이죠. 이것이 바로 RPA가 아닐까 싶습니다. 회사 내의 업무 프로세스 자체를 바꾼 것은 아니지만, 팀에서 시간이 많이 걸리는 불편한 단순 업무를 자동화한 것이 대표적인 예라고 할 수 있을 것 같습니다.

강의에 대해서 흥미를 가지고 있던터라 어떻게 강의 교안을 만들까 고민을 했습니다. 정말로 꽤 오랜 시간 동안 고민을 했습니다. 결론은 역시나 내가 스스로 만들어 사용하던 앱을 만드는 과정의 소개가 좋겠다는 결론에 이르렀습니다. 그만큼 불편했던 경험을 자동화 한 것이기 때문에 강의를 받는 분들도 쉽게 동의하고 관심을 가질 수 있을 것으로 생각했기 때문입니다. 그렇게 5일짜리 교안이 마련이 되었습니다. 이미 만들어 놓은 프로그램이라고 해도 교재로 만드는 것은 또 다른 일이라 생각보다 시간이 꽤 걸렸습니다. 정성과 시간을 들여 만들었습니다. 그런데 아쉽게도 강의가 취소되었다는 연락을 받았습니다. 고민 고민을 해서 최대한 유용한 교육이 되도록 만들려고 한 노력이 아쉬웠습니다. 그래서 책으로 엮어보면 어떨까? 하는 생각에 이르렀고 이렇게 프롤로그를 쓰고 있네요.

파이썬 프로그래밍의 입문서라고 생각하고 읽으시면 좋겠습니다. 파이썬으로 제가 해 봤었던 것들을 아주 간단하게 보여드리려고 합니다. 여기에 있는 내용들을 프로그램을 구상하기에 따라서 RPA와 관련이 되어 있습니다. 또한 요즘 한참 주가를 올리고 있는 ChatGPT도 활용해 보려고 합니다. 한번은 부담없이 그냥 읽으시고 시간이 된다면 한번쯤 따라서 코드를 만들어 보시고 필요할 때마다 찾아서 힌트를 얻을 수 있는 책으로 구성을 해 보고자 합니다. 부담없이 읽는다는 것은 하나씩 따라하는 것이 아니라 소설책 읽듯이 그냥 쭉 읽어보시고, 필요할 때 마다 찾아서 읽을 수 있도록 구성을 해 보겠다는 것입니다.

초보를 위해 파이썬 부터 필요한 사항들을 설치부터 하나하나 해보려고 합니다. 파이썬 문법은 별도로 정리하지 않고 차근차근 프로그램을 만들면서 필요한 내용만 그때 그때 살펴보겠습니다. 어떻게 만드는지 그 과정을 보고 관심을 갖게되면 문법은 어렵지 않게 찾아 배울 수 있을껍니다. 우리 모두 영어 문법에 질렸던 사람들인데 프로그램 언어를 배우면서도 문법에 갇혀 진도를 못나가는 상황을 만들고 싶지 않습니다. 필요하면 문법은 인터넷을 찾아보시면 됩니다.

프로그래밍 언어를 문득 영어와 비교해 봤습니다. 프로그래밍 언어처럼 영어도 우리가 마스터해야 하는 커다란 벽 중의 하나가 아닐까 합니다. 저는 업무의 50% 이상은 영어로 고객과 소통하는 데 사용하는 것 같습니다. 유학파가 아니기 때문에 영어가 유창하지 않기 때문에 짧고 쉬운 단어들로 소통을 하곤 합니다. 가끔은 단어가 떠오르지 않아 잠깐 긴장을 하기도 하고 간단한 단어가 생각나지 않아 에둘러 설명 하기도 합니다. 이에 반해서 프로그래밍 언어는 더 쉬운 것 같습니다. 물론 깊게 들어가면 다를 수는 있겠지만 일반적인 프로그램을 만드는데 있어서는 최소한 영어보다는 많이 쉽다고 생각합니다. 프로그래밍은 영어로 글쓰기와 비슷하지 않나 싶습니다. 하지만 더 좋은 것은 문법이 맞는지 틀리는지 고민할 필요가 없다는 장점이 있습니다. 틀리면 바로 알려주기 때문이죠. 문법적인 부분은 해결이 되지만 논리적인 프로그램의 흐름은 온전히 프로그래머의 몫입니다. 문법적인 부분은 영어 사전을 찾듯 인터넷에서 검색을 하면 다양한 정보를 쉽게 획득할 수 있습니다.

한 번 읽어볼 마음이 생기셨길 바라며 이제 시작해 봅니다. 주소록을 가져와서 자동으로 편지봉투 양식에 출력하는 프로그램, 두 개의 엑셀 파일을 비교해 보는 프로그램, 영문 뉴스를 가지고와서 제목을 번역하고 자동으로 메일을 보내주는 프로그램을 만들어 볼겁니다. 그 외에도 유튜브 동영상을 저장하기도 하고 문자 인식도 해 보려고 합니다.

소 혜 민

Welcome to Python World !

제1장 INTRODUCTION

Python, 파이썬에 대해서 알아봅시다. 그리고 실제 코딩을 하기 위한 준비를 할 것입니다. 이미 파이썬에 대해서 기본적인 지식을 알고 있다면 다음 장으로 넘어가도 좋습니다.

파이썬은 하루가 다르게 발전하고 있습니다. 파이썬 뿐만 아니라 파이썬으로 프로그램을 개발하기 위한 환경도 마찬가지입니다. 따라서 책에서 보여드리는 내용과 살짝 다른 버전이 있을 수도 있습니다만 어렵지 않게 진행을 할 수 있으리라고 생각합니다.

파이썬은 커다란 비단뱀을 의미하기도 하지만, 파이썬이라는 프로그래밍 언어는 사실 영국의 코미디 그룹에서 가져왔다고 합니다.

1. 왜 파이썬일까?

　프로그래밍 언어는 정말 많은 종류가 있는데 왜 파이썬일까요? 파이썬 책을 보고 계시니 미리 공부를 하셨거나 혹은 누군가에게 조언을 받지 않았을까 조심스럽게 추측해 봅니다. 아니면 회사에서 파이썬을 배우라는 권고를 받으셨을 수도 있겠네요.

　컴퓨터 프로그래밍 언어를 살펴보면 지금은 안쓰지만 기계어와 가장 가깝다는 어셈블리 언어를 시작으로 A, B, C, D, C#, C++, F#, 파이썬, 루비, 자바, 자바스크립트, 코틀린, 파스칼, 프롤로그, 포트란, 코볼, 리스프, 펄, R, 그루비, 스칼라, occam, Ada, Modula, Tcl, SmallTalk 등등등 정말 많습니다. 여기에 모바일용 프로그램을 만드는 언어 혹은 툴들을 추가로 살펴보면 코틀린, 스위프트, 자바, 리액트 네이티브, 플러터 등이 있습니다. 이렇게 많은 언어들이 있다보니　소프트웨어를 전공한 저도 사용해 보지 않은 언어 대부분입니다.

　그럼 이렇게 다양한 프로그래밍 언어 중에서 왜 파이썬이 인기가 좋은지 왜 파이썬을 배우라고 하는지 이야기를 시작해 보고자 합니다.

　첫번째로 꼽아야 할 이유는 쉽다는 것입니다. 다른 프로그래밍 언어에 비해서 쉽게 배울 수 있고 빠르게 프로그램을 만들어 볼 수 있다는 것입니다. 파이썬은 전 세계에서 가장 많이 사용하는 프로그래밍 언어라는 통계도 찾아볼 수 있습니다. 그런데는 이유가 있지 않을까요? 쉽고 강력하다는 것을 당장 증명하기는 어렵습니다만 믿고 따라와 주세요. 생전 처음 프로그래밍을 배우시는 분들도 따라오실 수 있도록 안내하겠습니다.

　두번째로 사용분야에 거의 제약이 없습니다. 너무나도 다양한 분야에서 파이썬은 사용되고 있습니다. 웹 프로그래밍, 인공지능, 머신러닝, 수치연산 프로그램, 데이터 분석, 데이터베이스, 이미지 프로세싱, 시스템 유틸리티, GUI 프로그래밍 (Graphic User Interface), 다른 언어와 결합, 사물인터넷, RPA라고 하는 업무 효율화 그리고 게임 등등이 있습니다. 이렇게 범용적으로 사용되는 프로그래밍 언어를 저는 본 기억이 없는 것 같습니다. 그러면 어떠한 이유로 파이썬이 이렇게나 다양한 영역에서 사용이 될 수 있는 것일까요?

　그것은 바로 위의 프로그래밍의 각 분야마다 다양한 패키지라는 것이 존재하기 때문입니다. 패키지 혹은 라이브러리라고도 부르는데요 각 분야의 기능이 어느 정도 미리 구현이 되어 있습니다. 그래서 프로그램을 만들 때에는 미리 구현된 기능을 가져다가 프로그래밍의 순서에 따라서 일종의 조립을 해 주게 됩니다. 패키지 또는 라이브러리라는 것은 이해하기 쉽게 레고블럭이라고 생각하시면 될 것 같습니다. 레고블럭은 특정 모델을 만들 수 있는 미리 만들어진 제품이 있기도 하고 범용적으로 사용할 수 있는 블럭들도 있죠. 이런 로고 블럭을 상상하시면 됩니다.

　인공지능 프로그램을 예로 말씀드리면 이렇습니다. 파이썬에는 인공지능과 관련된 다양한 레고블럭이 있는 겁니다. 인공지능 알고리즘에 따라서 또는 누가 만들었느냐에 따라서 다양한 인공지능과 관련된 패키지가 존재하는 것입니다.

이런 파이썬 레고블럭이 어디 있는지 보시려면 인터넷에서 "python + 원하는 기능"으로 검색을 해 보면 많은 레고 블럭들이 존재함을 알 수 있습니다. 그리고 이런 블럭들은 대부분 pypi.org에 등록이 되어 있습니다. 만약에 필요한 패키지가 있다면 pypi.org에 접속해서 검색해 보시면 됩니다. 너무 많아서 검색이 어려울 수도 있습니다. 그리고 한 분야에 많은 패키지들이 있어서 어떤 것을 써야할지 모를때도 있습니다. 그럴땐 오히려 인터넷에서 검색합니다. 그러면 같은 기능을 가진 다양한 패키지들 중에서 어떤 것이 많이 사용되는지 알 수 있습니다. 우리는 이렇게 필요한 레고 블럭을 찾습니다. 그리고 내가 원하는대로 레고 블럭을 쌓기만 하면 됩니다.

이런 방식으로 우리는 파이썬 레고블럭을 찾고 찾은 레고블럭을 어떻게 쌓아갈지를 배우게 될 것입니다. 이런 레고블럭을 가지고 혼자서 뚝딱뚝딱 뭔가 만들어보는 것은 100% 무료입니다. 파이썬에 대한 사용료나 라이선스 비용을 낼 필요가 없다는 말씀입니다. 나만의 프로그램을 얼마든지 만들 수 있습니다. 마음속에 생각해 놓은 프로그램이 있다면 관련된 어떤 블럭들이 있는지 찾아보는 것도 재미 있을 것 같습니다. 단 이 레고 블럭을 이용해서 상용 소프트웨어 그러니까 판매를 목적으로하는 프로그램을 만든다면 해당 레고 블럭에 라이선스를 확인해 봐야 합니다. 대다수의 패키지들은 무료이지만 유료도 일부 있습니다.

꼭 남이 만든 블럭을 이용해서 프로그램을 만들 필요는 없습니다. 당신께서 직접 원하는 레고 블럭을 만들어 사용할 수도 있고 pypi.org에 올릴 수도 있습니다. 공짜로 나눠주기 싫다면 유료 라이선스로 올려서 로열티를 받을 수도 있습니다.

세번째는 한번 만든 프로그램을 윈도우, 맥 그리고 리눅스에서도 사용할 수 있도록 만들 수 있습니다. 운영체제별로 따로 배울 필요가 없다는거죠. 프로그래밍을 하는 과정 중에서 맥에서 프로그램을 실행하는 부분을 보여드리도록 하겠습니다.

아직도 파이썬이 왜 인기가 좋은지 실감이 안되시나요? 그럼 파이썬을 이용해서 서비스를 만든 대표적인 회사들을 한 번 알아볼까요? 그러면 좀더 실감을 하실 수 있을 것 같습니다. 구글, 인스타그램, 넷플릭스, 스포티파이, 드롭박스와 같은 회사에서도 그네들이 제공하는 서비스의 많은 부분에서 파이썬을 사용한다고 합니다. 이제 우리도 필요한 프로그램을 스스로 만들 수 있도록 한 번 파이썬을 쓱 훑어 보는 시간을 가져보겠습니다. 한번 훑어보고 나서 더 배울지 것인지 그만둘 것인지 판단해도 늦지 않을테니까요.

파이썬의 단점도 알아봐야겠죠?
먼저 모든 것을 할 수 있는 것처럼 얘기했습니다만, 파이썬으로 할 수 없는 영역도 있지요. 파이썬이 만능은 아니라는 얘깁니다. 대표적으로 스마트폰에서 사용할 수 있는 어플리케이션을 이야기하는 모바일 프로그래밍은 안타깝게도 할 수 없습니다.

두번째 파이썬의 속도 문제입니다. 어떤 사람들은 치명적인 단점이라고 얘기하기도 합니다. 바로 속도가 느리다는 것입니다. 파이썬의 단점하면 바로 누군가의 입에서 나오는 얘기가 파이썬의 속도 문제입니다. 대표적인 언어 중의 하나인 c라는 언어에 비해서 50배 정도 느리다고 합니다. c는 프로그래밍 언어 중에서 대표적으로 가장 많이 사용하고 속도가 빠른 편에 속하는 언어입니다. 그런데 이 속도, 여러분이 프로그램 개발해서 사용하는데는 아무런 지장이 없을 정도로 빠릅니다. 다만 속도가 빠른 언어들과 비교했을 때 느리다는 것이지 일반적인 상황에서는 해당하지 않습니다. 여러분이나 제가 만들 프로그램이 계산을 수백만번, 수천만번 할 것도 아니기 때문에 단점이라고 얘기하는 속도는 크게 문제가 되지 않습니다.

세번째는 내가 힘들게 만든 프로그램의 소스코드를 남들이 너무나 쉽게 볼 수 있다는 문제가 있습니다. 엑셀 프로그램이나 파워포인트 프로그램의 소스를 우리는 볼 수 없습니다. 이것이 일반적입니다. 그런데 파이썬은 소스코드를 추출해 낼 수 있다고 합니다.

일반적으로 프로그램을 만들때는 프로그래밍 언어로 작성을 하고 작성된 파일을 실행파일로 만들어서 제품화 합니다. 실행파일로 만드는 것을 컴파일 한다고 합니다. 컴파일이라는 것은 우리가 이해하는 프로그래밍 언어를 컴퓨터가 이해하는 컴퓨터의 언어로 변환하는 과정입니다. 파이썬도 그렇게 할 수는 있습니다만, 파이썬이라는 언어는 스크립트 언어로 분류가 됩니다. 여러분이 잘 아시는 HTML이라고 웹페이지를 만드는 언어도 스크립트 언어 중의 하나인데요. 크롬 웹 브라우저를 사용하시면 F12 키를 눌러보세요. 오른쪽에 소스코드가 나타납니다. 스크립트 언어로 프로그램된 코드가 전달이 되고 전달된 코드를 번역기가 수행을 하는 방식입니다. 파이썬도 이와 유사하게 소스코드가 쉽게 노출 될 수 있다는 것입니다. 물론 이 문제를 방어할 수 있는 방법도 나와 있기는 합니다.

지금까지 엄청난 장점과 별 것 아닌 단점을 살펴봤습니다. 선택은 여러분의 몫입니다.

자~ 그러면 어떻게 파이썬 공부를 시작하는 것이 좋을까요?
책을 두 번 읽어보시라고 제안드리고 싶습니다. 처음엔 그냥 쭉 읽기만 하세요. 컴퓨터 앞에서 뭔가 직접 따라하려고 하지 마시고 그냥 읽어보세요. 쓱쓱 넘겨가며 훑는다는 느낌으로다가 읽어보시기 바랍니다. 그러다가 요거봐라 '해 볼만 하겠는데!'라는 생각이 들면 그때서야 컴퓨터 켜고 하나씩 따라해 보시면 좋을 것 같습니다.

예전엔 책 이외에는 참고할 만한 것들이 없었죠. 하지만, 요즘엔 인터넷을 검색하면 수많은 자료들을 찾을 수 있습니다. 언제든지 검색을 통해 많은 정보와 자료를 찾아 사용하시길 바랍니다.

2. 파이썬을 설치합시다

파이썬 공부를 위해서는 다음의 두 사이트 방문이 필수입니다.

- python.org
- www.jetbrains.com/pycharm/

무엇인가 해 보려면 컴퓨터에 관련 프로그램을 설치해야겠죠? 파이썬 공부를 위해서도 역시 설치해야 할 것들이 있습니다. 파이썬과 파이참입니다. 파이썬은 우리가 만들 코드를 실행해주는 기본적인 기능과 함께 여러가지 기본적인 레고 블록들을 가지고 있습니다. 다음으로 파이참은 통합개발환경을 제공해 줍니다. 프로그램을 작성하는 코딩부터 프로그램을 실행하는 것까지 하나의 프로그램 통해서 수행을 합니다. 이런 프로그램을 통합개발환경, Integrated Development Environment이며 약자로 IDE라고 합니다. 파이참이 우리가 사용할 파이썬을 위한 통합개발 환경, IDE입니다.

먼저 파이썬에 대해서 간단하게 알아봅시다. 위키피디아에서 파이썬을 찾아보면 다음과 같이 나와 있습니다.

> **파**이썬은 1991년 네덜란드계 소프트웨어 엔지니어인 귀도 반 로섬이 발표한 고급 프로그래밍 언어로, 플랫폼에 독립적이며 인터프리터식, 객체지향적, 동적 타이핑 대화형 언어이다. 파이썬이라는 이름은 귀도가 좋아하는 코미디인 "Monty Python's Flying Circus"에서 따온 것이다. 이름에서 고대신화에 나오는 커다란 뱀을 연상하는 경우도 있겠지만 이와는 무관하다. 다만 로고에는 뱀 두마리가 형상화되어 있다. 간결하고 읽기 쉬운 문법이 특징인 프로그래밍 언어로 데이터 분석, 웹 개발, 인공지능 등 다양한 분야에서 활용된다.

고급진 프로그래밍 언어 파이썬을 설치하기 위해서는 python.org에 접속해서 프로그램을 다운로드 받고 설치할 수 있습니다. 오늘 날짜로 접속을 해 보니 최신 파이썬 버전은 3.11.4입니다. 책이 출판되었을 때에는 또 다른 버전이 올라가 있을 것입니다. 항상 업그레이드 되기 때문입니다. 하지만 대부분은 별다른 수정없이 동작을 합니다.

웹에 있는 정보들은 자주 바뀔 수 있으니 여러분이 접속하셨을 때는 제가 지금 보고 있는 화면과 다를 수도 있습니다. 웹에 접속을 해 보면 앞에 보는 캡쳐 화면처럼 다양한 정보가 있습니다. Download에서 파이썬을 찾아서 다운로드하고 설치합니다. 설치 과정은 별도로 설명 안해도 되겠죠?

한가지만 잊지 마세요. 설치과정 중에서 다음의 그림처럼 "Add python.exe to PATH"만 선택을 하시길 부탁드립니다.

PATH를 추가하라는 의미는 파이썬의 실행 파일 및 관련된 데이터가 어디에 있는지 윈도우 시스템에 등록을 해 놓으라는 얘기입니다. 커맨드 라인에서 사용할 경우가 많은데 시스템에 파이썬의 위치를 등록해 놓지 않으면 실행을 할 수가 없기 때문입니다. 프로그램의 아이콘을 클릭하는 방식은 별도로 PATH를 저장할 필요가 없지만 커맨드 라인에서 사용하기 위해서는 PATH 등록이 꼭 되어야 합니다. 현재 등록되어 있는 PATH를 보기 위해서는 커맨드 라인에서 path를 입력해 보시면 됩니다. 그리고 PATH를 등록하였기 때문에 프로그램 설치가 끝나고나면 컴퓨터를 재부팅 하시기 바랍니다. 그래야 제대로 등록이 됩니다. 잘 등록이 되었는지를 확인하기 위해서는 재부팅을 한 후에 커맨드 라인에서 python을 입력해 보면 됩니다. 다음과 같은 에러메시지가 출력되지 않고 >>> 가 나타난다면 정상적으로 파이썬이 등록된 것입니다.

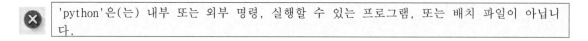

>>> 상태에서 빠져나오기 위해서는 컨트롤 + z 버튼을 누르고 엔터를 눌러 빠져나올 수 있습니다.
커맨드 라인은 검은 배경의 화면에서 명령어를 입력할 수 있는 것을 이야기 합니다. 윈도우의 하단에 돋보기 모양 찾기가 있다면 cmd를 입력하고 엔터를 쳐 보시기 바랍니다. 명령어 프롬프트라는 제목을 가진 윈도우가 나타나죠? 이것이 커맨드 라인입니다.

다음으로 설치가 필요한 프로그램은 파이참이라는 프로그램입니다. 파이참은 코딩을 하고 프로그램을 실행도 시켜볼 우리가 가장 많이 접하게 될 통합개발환경입니다.

www.jetbrains.com/pycharm/에 접속을 하면 프로그램을 다운로드 받을 수 있습니다. 파이참은

프로페셔널과 커뮤니티의 두 가지 버전이 있습니다. 다운로드라는 버튼을 눌러 들어가면 처음에 보이는 것은 프로페셔널 버전입니다. 약간만 스크롤해서 아래로 내려가면 커뮤니티 버전을 찾을 수 있습니다. 프로페셔널 버전은 유료버전이고 커뮤니티 버전은 무료입니다. 커뮤니티 버전을 다운로드 받았다면 설치를 해 줍니다. 이 책에서는 무료인 커뮤니티 버전을 기준으로 설명드리겠습니다. 지금까지 유료 프로그램을 사용해 보지 않았으며 무료 버전을 사용하면서도 크게 불편한 점을 느끼지 못했습니다. 파이참 외에도 비주얼 스튜디오 코드라고 하는 마이크로소프트에서 만든 무료 통합개발환경이 있습니다. 많은 프로그래머들이 사랑하는 통합개발환경입니다. 둘 중에 어느 것을 사용하셔도 좋습니다만 여기선 파이참이라고 하는 파이썬 전용 통합개발환경을 사용하도록 하겠습니다.

이제 파이썬을 개발할 수 있는 환경이 구성이 되었습니다. 파이썬을 실행하기 전에 컴퓨터를 재부팅 하고 시작하도록 하겠습니다. 앞서 말씀드린바와 같이 파이썬의 경우 PATH가 적용되기 위해서는 재부팅이 필요하기 때문입니다.

잠깐 맥에서는 어떻게 하는지 살펴보고 가죠. 맥에서 각각 파이썬과 파이참을 다운로드 받기 위해 웹 페이지를 접속해 봤습니다. 맥용 설치 파일의 확장자는 dmg 입니다. 웹브라우저가 웹페이지에 윈도우에서 접속을 했는지 맥에서 접속 했는지를 알려주기 때문에 맥에서 접속을 했을 때에는 맥용 설치파일 파일(dmg)을 알아서 보여줍니다.

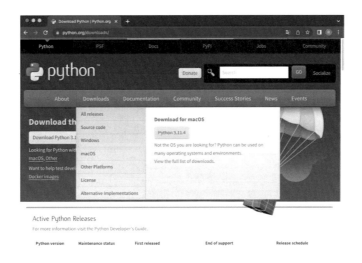

파이참 페이지에서 검은색의 커뮤니티 버전에 마우스를 올려보면 intel 또는 apple silicon 중에서 하나를 선택하라고 나옵니다. 구형 맥의 경우에는 intel을 신형 맥의 M코어 기반의 경우엔 apple silicon을 선택해서 다운 받으면 됩니다. 파이썬의 경우에는 맥용이라고 화면에 보여줍니다. 파이썬의 경우에는 CPU가 intel인지 apple인지 상관이 없습니다.

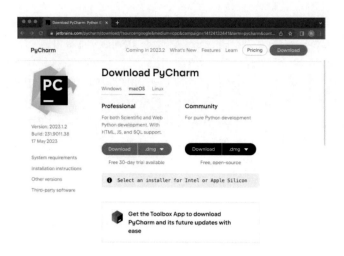

파이썬과 파이참의 설치가 완료되었다면 새로운 도전을 위한 준비가 모두 끝났습니다. 이제 우리가 해야할 일은 차근 차근 파이썬으로 할 수 있는 일을 살펴보는 것입니다. 실체를 알고 활용 방법을 알아가면서 파이썬에 대해서 이해를 하시고 파이썬이 과연 여러분들에게 도움이 될 것인가를 확인해 보도록 하시죠.

3. 첫 파이썬프로그램과 개발환경

파이썬으로 프로그램을 만들기 위한 준비가 모두 끝이 났습니다. 익숙하지 않은 소프트웨어 개발에 드디어 첫 발을 딛게 되는 순간입니다. 다른 프로그래밍언어를 사용해 보셨다면 큰 이질감이 없겠습니다만, 이 책을 읽으시는 분들의 대부분이 컴퓨터 프로그래밍 언어라는 것에 처음으로 접하는 분들일 것 같습니다.

처음 엑셀을 접했을 때, '이렇게 많은 네모 칸들은 어떻게 사용하는 것일까?' 하는 생각부터 들었던 것이 기억납니다. 하지만 지금은 없어서는 안될 프로그램으로 사용을 하고 있습니다. 여러분께서도 부디 파이썬으로 이용한 프로그램 개발에 큰 거부감 없이 엑셀을 처음 배울 때 처럼 어렵지 않게 적응하실 수 있기를 바랍니다.

이제 첫 파이썬 프로그램을 만들기 위해 파이참을 실행합니다.

프로그램을 만들때는 프로그램 안에 다양한 내용의 파일들이 들어갑니다. 이런 모든 파일들을 담고 있는 단위를 프로젝트라고 합니다. 이 프로젝트에는 화면을 구성하는 UI 파일, 소스코드 파일인 py 파일, 아이콘, 데이터베이스 등이 들어갑니다.

파이참을 실행하면 윈도우 제목이 "Welcome to PyCharm"인 다음과 같은 화면이 보입니다. 처음 프로그램을 실행했으니 우리는 새로운 프로젝트를 만들어야 합니다. "New Project"를 선택해서 다음으로 넘어갑니다.

"New Project" 윈도우가 다음과 같이 나타납니다. 여기서 우리가 살펴봐야 할 부분은 Location과 Base Interpreter의 두 가지 입니다. Location은 우리가 만들 프로젝트가 저장될 곳입니다. 자동으로 설정된 위치가 복잡해서 찾기 쉽고 기억하기 쉽도록 C:₩PythonProject라는 위치에 MyRPA라는 이름으로 프로젝트 이름을 정했습니다. 책에서 설명을 할 때에는 이 위치를 기준으로 설명을 할 것이니 가능하면 그대로 따라서 하시면 좋겠습니다.

C:₩PythonProject₩MyRPA

다음은 Base Interpreter입니다. 처음 실행을 하면 자동으로 python311.exe가 지정이 되어 있을 것입니다. 그러면 됐습니다. 우리가 설치한 python3.11이 우리가 만들 프로그램을 Interpreting, 컴퓨터용으로 해석하고 실행을 해 주게 됩니다. 윈도우 하단에서 Create를 선택해서 새로운 MyRPA라는 프로젝트를 생성합니다. 만약 지정이 되어 있지 않다면 파이썬이 설치된 경로를 다음 그림의 경로를 참고해서 지정해 주시기 바랍니다. 여러분이 설치를 하실 때, 3.11보다 이후 버전이거나 이전 버전이어도 상관은 없습니다. 설치하신 버전으로 설치하시면 됩니다. 하나 뿐만 아니라 여러 개의 버전의 파이썬을 설치할 수도 있습니다. 이 경우에는 원하는 버전을 선택하시면 됩니다.

드디어 우리가 사용하게 될 메인 화면이 보입니다. 차근차근 살펴보고 넘어가도록 하겠습니다. 우리가 파이썬을 개발하면서 항상 마주해야 할 영역입니다. 화면의 좌측에는 프로젝트 창이 있고 오른쪽에는 코드창이 있습니다. 마지막으로 아래쪽에는 터미널 창이 있습니다. 하나씩 살펴봅시다. 우선 좌측의 프로젝트 윈도우에는 폴더와 파일이 보입니다. 이 중에서 중요한 것은 main.py입니다. 프로젝트를 생성하면 자동으로 생성되는 메인 파일입니다. 확장자 py로 끝나는 파일은 우리가 코드를 타이핑해서 넣어야하는 중요한 코드 파일입니다. 그 내용은 오른쪽 코드창에 보여지고 있습니다. 맨 위에는 프로젝트 이름이 있고 프로젝트 하위에 venv라고 하는 패키지들의 루트 폴더가 있고, 프로젝트와 같은 레벨로 External Libraries 등이 있습니다. 모두 중요하지 않습니다. 프로그램을 개발하면서 찾아볼 일이 거의 없습니다. main.py라는 코드를 담고 있는 파이썬 코드 파일이 있다는 것만 알면 됩니다.

오른쪽에 코드창을 보면 파이썬에서 자동으로 생성한 코드가 보입니다. 이 코드를 실행하기 위해서는 코드창 윗쪽 우측에 보면 초록색 삼각형 아이콘있는데 이것이 파이썬 코드를 실행을 시키는 버튼입니다. 뭘 실행시키느냐 하면 실행버튼 좌측에 표시된 파일을 실행시키는 것입니다. main이라고 되어 있으니 화면에 보이는 main.py를 실행시키는 버튼입니다. 실행을 시켜보면 여러분들의 화면에서는 보이지 않았던 터미널 창이 화면 하단에 보이면서 Hi, Pycharm을 실행시킨 것을 볼 수 있습니다. 터미널에 나타나는 정보를 살펴볼까요? 터미널에는 세 줄이 보입니다. 첫번째 줄은 복잡해 보이지만 결국 다음과 같은 내용입니다.

C:\>pythone.exe main.py

파이썬 프로그램에 파이썬 코드를 입력해 주는 간단한 명령입니다. 주저리 주저리 길게 되어 있는 것은 파일의 위치를 같이 써줬기 때문에 복잡해 보일 뿐입니다. 이렇게 실행을 한 결과가 "Hi, PyCharm"입니다. 그리고 마지막 줄은 프로그램이 정상적으로 종료되었다는 메시지입니다.

```
main.py
1  # This is a sample Python script.
2
3  # Press Shift+F10 to execute it or replace it with your code.
4  # Press Double Shift to search everywhere for classes, files, tool windows, actions, and settings.
5
6
     1 usage
7  def print_hi(name):
8      # Use a breakpoint in the code line below to debug your script.
9      print(f'Hi, {name}')  # Press Ctrl+F8 to toggle the breakpoint.
10
11
12  # Press the green button in the gutter to run the script.
13  if __name__ == '__main__':
14      print_hi('PyCharm')
15
16  # See PyCharm help at https://www.jetbrains.com/help/pycharm/
17
```

이젠 우리의 첫번째 프로그램을 만들어 볼까요?

예전부터 지금까지 프로그래밍 언어에 대한 거의 대부분의 책에서 첫 프로그램으로 실습을 해 보는 것이 바로 "Hello World"를 화면에 출력하는 것입니다. 그래서인지는 몰라도 파이썬에서 자동으로 생성한 main.py에서도 "Hi, PyCharm"을 출력하고 있네요. 이와는 별도로 우리도 우리 나름대로의 첫 프로그램을 만들어 보도록 하겠습니다.

프로젝트 창에서 프로젝트 이름인 MyRPA에 마우스를 올리고 마우스 오른쪽 버튼을 클릭해서 New → Python File을 순차적으로 선택합니다. 그리고 나타난 작은 윈도우에 001.HelloWorld를 입력합니다. 그러면 프로젝트 창의 main.py 바로 위에 001.HelloWorld.py라는 파이썬 파일이 생성이 됩니다. 더불어 오른쪽 코드창에는 001.HelloWorld.py에 해당하는 빈 파일이 보여집니다. 이렇게 우리가 만들 첫 프로그램의 준비가 완료 되었습니다. 이제 코드를 넣어야겠죠?

```
1  # 나의 첫 프로그램
2  print("Hello World !!!")
```

앞서 본 자동 생성 된 프로그램보다 훨씬 짧아졌습니다. 실행을 하려면 코딩창에서 마우스 오른쪽을 클릭하고 Run 001.HelloWorld.py를 클릭합니다. 실행결과는 다음과 같이 나타야 합니다.

```
C:\PythonProject\MyRPA\venv\Scripts\python.exe C:\PythonProject\MyRPA\001.HelloWorld.py
Hello World !!!

Process finished with exit code 0
```

터미널 창에 나타난 세 줄은 이해가 되시죠? 첫번째 줄은 우리가 작성한 코드를 실행 시킨 것이고 두 번째 줄은 그 결과 그리고 마지막 줄은 프로그램이 정상적으로 종료되었다는 내용이었습니다. 좀 더 깊이 따져볼까요?

프로그램이 실행되는 순서를 상상해 봅시다. python.exe는 001.HelloWorld.py를 입력으로 받아 들입니다. 입력으로 받아 들인 코드 001.HelloWorld.py는 프로그래밍 언어로 씌여진 것입니다. 바로 파이썬이라는 프로그래밍 언어죠. python.exe는 바로 파이썬 프로그래밍 언어를 기계어로 번역하고 번역된 기계어를 컴퓨터에서 실행을 하는 것입니다. 이 과정은 파이썬 코드를 실행할 때마다 반복적으로 이루어집니다.

그럼 처음으로 코딩한 우리 코드의 내용은 뭔지 두 줄짜리 코딩을 살펴봅시다.

첫번째 줄에 #으로 시작하는 부분은 주석이라고 합니다. python.exe에 의해서 기계어로 번역이 될 때, 건너뛰는 부분입니다. 코드를 짜는 우리가 코드에 대한 설명이나 메모를 해 놓는 용도로 사용을 합니다. 실행을 할 때 파이썬에 의해서 무시되는 코드라는 의미입니다. 하지만 프로그램을 이해하기 위한 방법적인 측면에서 공학적으로 중요하게 생각되는 부분이기도 합니다만 우리의 목적과는 거리가 있으니 우리는 메모 용도로 사용을 하도록 하겠습니다.

두번째 줄이 실제로 python.exe(이후 PYTHON)에 의해서 기계어로 번역이 되는 부분입니다. print는 함수라고 하는데, 레고의 가장 작은 블럭 중의 하나라고 생각하시면 됩니다. 이 작은 블럭은 터미널 창에 작은 따옴표, 또는 큰 따옴표 안에 있는 내용을 출력을 하라는 함수입니다. 한글을 쓰셔도 됩니다. print() 함수 괄호안의 내용을 바꿔서 테스트를 해 보시기 바랍니다.

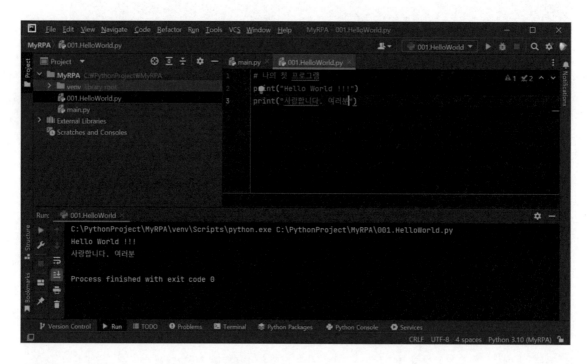

지금까지 우리의 첫 프로그램을 만들어 봤습니다. 생각보다 화려한 출력을 가진 것도 아니고 겨우 터미널에 글자 몇자를 출력했습니다. 다른 프로그램들 처럼 EXE라는 확장자를 가진 것도 아니고 아이콘도 없습니다. 파이참에서만 실행을 해 볼 수 있는 정말 보잘 것 없는 프로그램입니다.

우리가 배우지 않아서 그렇지 커맨드 창에서도 파이썬 명령 python 001.HelloWorld.py와 같이 입력해서 실행을 할 수도 있고, 다른 프로그램들처럼 실행 파일인 EXE라는 확장자를 가진 파일도 만들 수 있습니다. 물론 아이콘도 넣을 수 있죠. 하지만 이번 장은 여기까지 입니다. 하나 하나 차근 차근, 지금 배우는 파이썬으로 무엇을 할 수 있을지를 살펴보시죠.

4. 인공지능으로 삽화를 만들자

처음 프로그래밍을 접하는 분들을 위해서 파이썬을 설명을 하는 과정에서 파이썬의 패키지라는 것을 레고 블럭으로 예를 들어서 말씀을 드렸습니다. 앞서서 우리는 파이썬으로 첫 프로그램을 만들어 봤습니다. 하지만 Hello World에서는 패키지가 사용되지 않았는데요. 다음 장에서는 처음으로 패키지를 사용하게 됩니다. 그래서 삽화로 레고 블럭과 엑셀이 같이 들어간 이미지가 있으면 좋겠다는 생각을 했습니다. 다음에 보이는 여섯 개의 이미지는 어떤가요? 나쁘지 않아 보이죠?

이번 장의 제목 때문에 이미 눈치는 채셨겠지만 위의 여섯 개의 이미지는 AI가 그린 이미지 입니다.

✓ 달리2 (DALL-E 2) : https://openai.com/dall-e-2
✓ 포킷 (PokeIt) : https://pokeit.ai/

먼저 달리2는 ChatGPT(Generative Pre-trained Transformer)를 만든 오픈AI에서 만든 이미지 생성 AI(인공지능 : Artificial Intelligence)입니다. 이미지를 생성하는 AI의 혁신은 뮌헨 대학에서 발표해서 널리 사용하고 있는 Stable Diffusion에서 출발을 했습니다. 사용을 해 보면 놀라지 않을 수 없습니다. 사진을 업으로 삼고 계시는 분들 중에서는 본인들이 일들이 머지 않아 사라질 것이라고 한탄을 했고, 패션, 건축 등의 전 업계에서 혁신을 가지고 왔다고 평가를 하기도 합니다. 하지만 문제는 이미지를 생성하는데 시간이 오래 걸립니다. 특히 성능이 높지 않은 노트북에서는 조금은 버겁기도 합니다. 설치하는 것도 쉽지 않기도 하죠. 하지만 달리2는 웹에 접속해서 프롬프트라는 어떤 이미지를 그릴 것인지에 대한 내용을 입력하면 채 1분이 되지 않아서 3장의 이미지를 생성해 보여줍니다. 포킷은 한국의 스타트업이 개발해서 서비스를 하고 있는 이미지 생성AI입니다. 우리의 기술력도 세계와 함께하는 것 같습니다.

한가지 아쉬운 부분이라면 Stable Diffiusion, 달리2, 포킷 모두 프롬프트를 영어로 입력해야 한다는 것입니다. ChatGPT는 한글로 질문을 하면 한글로 답변을 해 주는데 안타깝게도 이미지 생성AI들은 모두 영어로 작성을 해야 합니다. 영어에 자신이 없다면 네이버의 번역 서비스 파파고나 구글의 구글 번역기를 사용하면 됩니다.

프롬프트란 AI에게 명령을 내리는 문장을 의미하는데요. 우리가 실생활에 사용하는 언어인 자연어를 입력합니다. 상세하게 입력을 하면 할수록 원하는 결과와 가까운 출력을 얻을 수 있습니다.

Stable Diffusion을 일주일 정도 노트북에 설치해서 사용해 본 경험이 있습니다. 출력물을 얻는데 많은 시간이 걸려 결국 사용이 주저되긴 하지만 필요하다면 다시 사용하게 될 것 같습니다. 하지만 출력된 결과는 대단히 놀라웠습니다. 제가 테스트를 해 본 내용은 제 블로그에 있으니 참고하시기 바랍니다.

https://sohyemin.tistory.com/837

책으로 내용을 가지고 오고 싶었으나 유명한 분들의 얼굴을 사전 학습 시킨 것을 기반으로 얼굴을 합쳐본 내용도 들어 있어서 부적절한 것 같아 링크로 대신하고자 합니다.

가끔은 사람들이 이런 프로그램도 만들 수 있느냐고 물어보는 경우가 있습니다. 혹은 스마트폰에 이런 기능이 있었으면 좋겠는데 할 수 있겠느냐고 물어봅니다.

여기에 대한 대답은?

상상 이상으로 프로그램으로 만들 수 있는 것은 무궁무진합니다. 상상하는 대부분은 만들 수 있다고 보시면 됩니다. 더군다나 요즘은 AI까지 가세해서 할 수 있는 것들이 더 많이 늘어났습니다. 많고 많은 것들을 프로그램으로 만들 수 있기 때문에 프로그래머마다 전문 분야가 있습니다. 윈도우용 프로그램을 만드는 사람들, 웹 서비스를 위해서 서버에서 여러가지를 구현하는 사람들, 웹 서비스의 얼굴인 홈페이지를 만드는 사람들, 차량에 들어가는 안전과 관련된 프로그램을 만드는 사람들, 스마트폰에 들어가는 다양한 기능을 만드는 사람들, TV에 들어가는 다양한 기능 소프트웨어를 만드는 사람들, 이미지에 특화된 소프트웨어를 만드는 사람 등등, 너무나도 많은 분야의 소프트웨어가 있습니다. 취미삼아 이것 저것 해 볼 수는 있지만 각 분야에 특화된 기능을 배우기 위해서는 정말 많은 노력이 필요하기도 합니다. 우리는 윈도우를 중심으로 할 수 있는 간단한 기능 위주의 프로그램을 해 볼 예정입니다.

여러분들의 마음에 생각하고 계신 프로그램이 있으신가요?

파이썬을 앞에 넣고 생각하시는 프로그램을 검색해 보시기 바랍니다. 아마도 이미 다른 사람들이 올려 놓은 다양한 정보를 찾으실 수 있을 것입니다.

5. Openpyxl 첫 파이썬 레고블럭

   파이썬에서 사용을 할 수 있는 레고블럭들을 찾아보기 위해서는 pypi.org에 접속해서 검색을 할 수 있습니다. 하지만 구글이나 네이버에서 검색을 해도 엄청나게 많은 정보들을 얻을 수 있습니다. "파이썬으로 엑셀 다루기"와 같은 검색어로 입력을 하면 정말로 많은 정보를 찾을 수 있습니다. 눈치 채셨겠지만 openpyxl은 엑셀 파일을 파이썬으로 다루기 위한 패키지, 엑셀 레고블럭입니다.

   pypi.org에는 이와 같은 레고 블럭이 얼마나 존재할까요? 무려 461,646개의 레고 블럭이 이 글을 쓰고 있는 현재 시점에 있다고 합니다. 이런 레고블럭은 한번에 발표되는 것이 아니라 처음에 발표하고 필요하면 수정을 해서 다시 공유를 하게 됩니다. 업그레이드, 기능을 추가하거나 오류를 수정해서 새롭게 발표하는 소프트웨어들을 버전업 된 소프트웨어라고 하는데 이렇게 안정화가 되기도하고 기능이 올라가기도 합니다. 이런 것을 리비전 한다고 하는데 이것을 포함하면 현재 457만번의 레고 블럭이 발표 되었습니다. 하나의 레고 블럭을 만들때는 하나의 파이썬 파일이 아니라 여러 개의 파일이 사용될 수도 있는데 이런 파일들을 개수를 모두 합하면 844만개의 파일이 등록이 되어 있다고 합니다. 그리고 마지막으로 pypi.org에 가입한 사용자의 수가 71만명이 넘습니다. 참고로 저는 가입하지 않았습니다. 정보만 찾아보는데는 가입을 할 필요가 없기 때문입니다.

   그 숫자가 엄청납니다. 그렇다면 엑셀을 다룰 수 있도록 도와주는 excel과 관련된 레고블럭, 파이썬 패키지의 개수는 얼마나 될까요? 앞에 보이는 검색창에 "Excel"을 입력해 봤습니다. 무려 4969개나 있다고 검색 결과가 나옵니다. 여기에는 유용하게 사용할 수 있는 패키지들도 있겠고 엑셀의 특정 기능을 위해서 만들어진 특수 목적 패키지도 있을 것입니다. 완성도가 높은 것도 있고 물론 완성도가 낮은 패키지도 있겠습니다.

pypi에서 직접 패키지를 찾는 것은 어려울 수도 있겠습니다. 검색만 될 뿐 어떤 것이 가장 많이 사용되고 인기가 좋은지와 같은 세세한 정보는 찾을 수 없습니다. 그래서 우리는 검색합니다. 구글이나 네이버에서 말이죠. 많이 사용하는 레고 블럭은 검색하면 당연히 눈에 띌 수 밖에 없고, 예제도 많이 찾을 수 있습니다.

자! 이제 openpyxl을 사용해 봅시다.

하나의 패키지, 레고 블럭을 사용하기 위해서는 내 프로젝트 안으로 레고 블럭을 가지고 와야 합니다. 앞서 살펴본 바와 같이 46만개가 넘는 레고 블럭을 모두 가지고 다닐 수는 없겠죠? 그러니 필요한 레고 블럭들을 내 프로젝트로 가지고 와야 합니다. 먼저 pypi의 검색창에 "openpyxl"을 입력해서 찾아들어가 보면 다음과 같은 정보를 볼 수 있습니다.

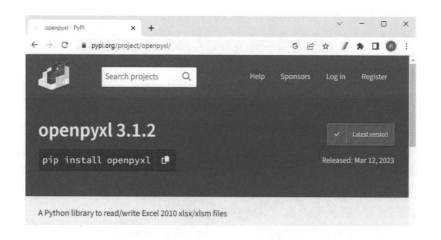

openpyxl 다음에 있는 숫자는 해당 패키지의 버전입니다. 맨 앞자리 숫자는 큰 변화가 있을때 일반적으로 숫자를 높이고, 두 번째 작은 변화 마지막 세 번째 변화는 아주 작은 변화가 있을 때 버전을 변경한다는 일반적인 규칙이 있습니다. 그리고 우측 하단에보면 최근 발표된 날짜가 있습니다. 그리고 oepnpyxl3.1.2 아래에는 "pip install openpyxl"이라고 되어 있는 것이 내 프로젝트 안으로 패키지, 레고 블럭을 복사해 오는 명령입니다. "pip install openpyxl" 오른쪽의 아이콘을 클릭해서 명령을 복사합니다.

파이참으로 돌아와 아래의 터미널 윈도우를 봅니다. 터미널 윈도우 아래에 여러 개의 탭이 보이는데 그 중에서 Terminal을 선택하면

(venv) PS C:\PythonProject\MyRPA>

와 같이 나타납니다. Ctrl + V나 마우스 오른쪽 버튼을 클릭해서 "pip install openpyxl"을 붙여 넣기하거나 직접 타이핑을 합니다. 설치는 그리 오래 걸리지 않습니다. 일반적인 프로그램을 설치할 때 처럼 새로운 창이 뜨고 프로그래스바가 어느 정도 설치가 되고 있는지를 알려주는 그래픽적인 정보 없이 모두 터미널에 출력이 됩니다. 앞 그림에서 보면 성공적으로 openpyxl-3.1.2가 설치되었다는 메시지를 볼 수 있습니다. 그러면 우리 프로젝트에 어떤 레고 블럭들이 설치가 되어 있는지 살펴보겠습니다.

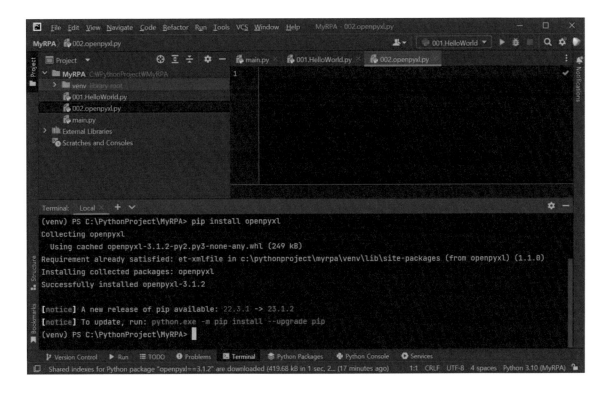

파이참 메뉴에서 File → Settings를 선택합니다. 나타난 Settings 창의 좌측에서 Project : MyRPA → Python Interpreter를 선택하면 설치된 패키지들을 볼 수 있습니다. 앞서 실행을 했었던 pip를 비롯해서 총 3 개의 기본 패키지들을 볼 수 있습니다.

여기서 openpyxl 패키지를 추가하기 위해서는 package 위의 +를 누르면 나타난 창에 openpyxl을 입력해서 설치를 할 수 있습니다. 검색해서 나타난 패키지를 선택을 하고 하단에 "Install Package" 버튼을 클릭해 설치를 하면 됩니다. pip 명령을 사용하던 Python Interpreter를 사용하건 편한 방법을 사용하면 됩니다.

이제 openpyxl 패키지를 사용해서 코딩을 할 준비가 되었습니다. 이번 프로그램에서는 엑셀의 기본 시트의 A1에 hello openpyxl을 입력하고, B1, B2에 각각 10과 20을 마지막으로 B3에 "=B1+B2"와 같이 수식을 넣겠습니다. 그리고 새로운 시트를 만들어 시트 이름을 "Hello"로 생성을 하고 B5에 "My first openpyxl program"을 출력합니다. 마지막으로 hello.xlsx라는 이름으로 파일을 생성합니다.

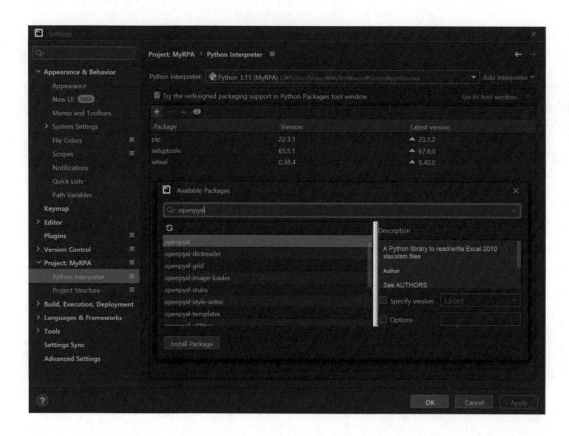

이런 내용을 담은 코드를 바로 다음에서 볼 수 있습니다. 짧은 코드지만 잘 이해를 하고 넘어가야겠습니다.

```python
import openpyxl  # 패키지 import

wb = openpyxl.Workbook()  # 엑셀은 워크북(엑셀파일), 그리고 워크시트로 구분이 됩니다.

ws = wb.active  # Default Sheet를 활성화 합니다.
ws['A1'] = 'hello openpyxl'
ws['B1'] = 10
ws['B2'] = 20
ws['B3'] = '=B1+B2'

ws2 = wb.create_sheet('Hello')  # 새로운 시트를 만든다.
ws2.cell(5, 2, "My first openpyxl program")


filename = 'hello.xlsx'
wb.save(filename)

print("프로그램이 종료되었습니다.")
```

1 import openpyxl # 패키지 import

첫번째 줄은 우리가 프로젝트에 pip install을 이용해서 담아 놓은 openpyxl을 002.openpyxl.py 내에서 가져다가 사용하겠다고 선언을 하는 것입니다. pip install openpyxl을 이용해서 프로젝트 내로 가지고 왔다고 프로젝트 내에서 바로 사용할 수 있는 것은 아닙니다. 왜냐하면 프로젝트는 많은 수의 파이썬 파일로 구성되는 경우가 대부분이기 때문입니다. 이미 배운 바와 같이 # 뒤쪽은 주석으로 파이썬이 무시하는 부분입니다.

```
3    wb = openpyxl.Workbook() # 엑셀은 워크북(엑셀파일), 그리고 워크시트로 구분이 됩니다.
```

세번째 줄은 설명해야 할 사항이 참 많습니다. 우선 wb에 대해서 설명을 드려야겠습니다.

변수라는 친구입니다. 통상적으로 이것저것 내용을 담을 수 있는 만능 그릇이라고 얘기할 수 있습니다. 등호 오른쪽에 있는 것이 무엇이든 그 내용을 담게 됩니다. 그럼 등호 오른쪽을 보겠습니다. 등호의 오른쪽에 있는 openpyxl은 패키지죠. openpyxl 패키지 안에 들어 있는 Workbook이라는 것이 '.'을 이용해서 연결이 되어 있습니다. openpyxl안에 있는 무엇인가를 사용할 때, '.'을 이용해서 연결을 하는데 '.' 뒤에는 다양한 것들이 붙을 수 있습니다. 어떤 기능을 수행하기 위해서는 기능블록을 호출하는데 이 기능 블록을 호출할 때는 뒤에 괄호가 붙습니다. 그리고 일반적인 변수, 무엇을 담을 수 있는 만능 그릇을 연결할 때는 괄호가 없습니다. 그러니 이 문장은 openpyxl이라는 패키지에 Workbook()이라는 기능을 불러서 만능 그릇 wb에 넣으라는 그런 의미입니다.

Workbook과 Worksheet는 엑셀에서 사용하는 용어죠. 쉽게 얘기하자면 Workbook은 엑셀파일을 얘기하고 Worksheet는 엑셀의 각각의 시트를 의미합니다. 그러니 wb는 바로 엑셀 파일입니다.

```
5    ws = wb.active # Default Sheet를 활성화 합니다.
```

예상하셨는지 모르겠습니다만 ws는 Worksheet 입니다. 이해가 쉽도록 변수 이름을 지정한 것입니다. 큰 프로젝트를 여럿이 개발할 때는 일정한 규칙을 줍니다. 왜냐하면 하나의 소스코드를 여러 사람이 함께 개발을 하기 때문에 이름만 보고서도 어떠한 이유로 사용하는 변수인지 어떤 목적인지를 알기 쉽게 표현을 합니다. 우리가 엑셀 파일을 처음 열면 Sheet1이라는 시트 하나만 있는 것을 볼 수 있습니다. 기억하시죠? 기억이 안난다면 엑셀을 실행시켜봐 주세요. 엑셀을 실행하고 새 파일을 만듭니다.엑셀의 좌측 하단을 보시면 Sheet1이라고 써있는 것이 보이시나요? 바로 이게 Worksheet이고 필요하면 Worksheet는 계속해서 추가할 수 있습니다. 이름도 줄 수 이고 Worksheet의 색깔도 바꿀 수 있습니다. 자! 그러면 엑셀을 실행하면 바로 Worksheet에 무엇이든 입력을 받을 준비를 하고 있는데요. 프로그래밍으로 만들때는 wb, WorkBook은 openpyxl.Workbook()으로 만들어서 wb는 엑셀 파일이라는 것을 알았는데 어떻게 Worksheet에 접근을 할 수 있을까요? Worksheet라는 것이 있어야 '.'을 이용해서 다른 기능들을 사용할텐데 말이죠. 그래서 실제 엑셀을 사용하는 것과 다르게 현재 Workbook에서 활성화(active)되어 있는 것을 ws, Worksheet로 명시적으로 받아 오는 것입니다. 이렇게 ws로 받아와야 ws.내가_하고_싶은일()과 같이 기능을 호출할 수 있겠죠. 이젠 엑셀파일 자체인 Workbook, wb과 Worksheet, ws가 생성이 되었으니 뭔가 직접 엑셀 파일을 다룰 수 있게 되었습니다.

다음의 네 줄을 보시죠.

```
6    ws['A1'] = 'hello openpyxl'
7    ws['B1'] = 10
8    ws['B2'] = 20
9    ws['B3'] = '=B1+B2'
```

눈치 채신 분들도 계실텐데요. 엑셀 파일 Worksheet의 A열 1행에 'hello openpyxl'을 출력하고, B열 1행에 10, B열 2행에 20, B열 3행에 "=B1+B2"와 같은 계산식을 넣으라는 의미입니다. 원하는 행과 열에 숫자는 따옴표 없이 함수는 따옴표를 이용해서 넣으면 됩니다. 쉽죠? 우리가 아는 엑셀 사용법과 크게 다르지 않습니다. 직관적이고 이해하기가 쉬운 것 같습니다. 하지만 이렇게 접근하는 것은 우리가 이해하기는 쉬워도 프로그래밍으로 할 때는 많이 안쓰는 방법이라고 하는데요. 자동으로 100개, 1000개, 10000개의 데이터를 넣는다고 하면 행은 숫자로 표현을 하니 컴퓨터도 이해하기가 쉬운데 열을 표현하기 위해서는 알파벳의 조합이 많이 필요하겠죠? 그래서 다른 방법이 필요하기도 합니다.

우선 새로운 Worksheet를 만드는 방법을 보고 새로운 ws에서 보여드리도록 하겠습니다.

```
11    ws2 = wb.create_sheet('Hello') # 새로운 시트를 만든다.
12    ws2.cell(5, 2, "My first openpyxl program")
```

워크시트 wb와 create_sheet() 함수를 이용해서 엑셀 파일에 새로운 시트를 만들고 이름을 ws2로 줍니다. 다음은 새로 만든 ws2에 cell()이라는 함수를 사용합니다. 첫번째가 행, 두번째가 열, 그리고 마지막 세번째는 셀에 넣을 값입니다. 컴퓨터가 참 똑똑하기도 하지만 하나하나 꼼꼼하게 다뤄줘야 합니다. 두 번째 줄은 5번째 행, 두 번째 열에 "My first openpyxl program"을 넣으라는 의미입니다. 앞에서 살펴본대로라면 ws2["B5"] = "My first openpyxl program"과 같다는 것입니다. 다만, 순서대로 여러 열에 무엇인가를 넣으려면 A, B, C, …..AA, AB, …..AAA, AAB와 같이 진행이 된다는 것입니다. 컴퓨터는 이런 방식으로 처리를 하려면 많은 노력이 들어갑니다. 그래서 대신 숫자를 쓴 것입니다. cell() 이라는 함수는 그래서 유용하게 사용할 수 있겠습니다.

```
14    filename = 'hello.xlsx'
15    wb.save(filename)
```

filename에 파일 이름을 주고, 워크북 wb에 save라는 함수를 이용해서 파일을 저장합니다. 두 줄을 하나로 줄여서 wb.save('hello.xlsx')와 같이 대체를 해도 무방합니다.

마지막 줄은 "프로그램이 종료되었습니다"라고 터미널에 단순히 출력하는 문장입니다. 자! 실행을 시켜볼까요? 실행을 하면 왼쪽의 프로젝트 창에 hello.xlsx라는 파일이 생성이 되었을 겁니다. 더블클릭을 해서 파일을 열어보죠.

다음에 보이는 대로 엑셀 파일은 두 개의 시트로 되어 있습니다. 첫번째 시트는 엑셀의 기본 시트 이름인 sheet1으로 되어 있고, 새롭게 만든 hello라는 시트가 있습니다. 그리고 sheet1에는 10, 20 그리고 "=B1+B2"가 B3에 들어 있습니다. 계산식이 잘 동작해서 숫자 30이 잘 들어가 있습니다. hello 시트는 어떤가요? 우리가 만든대로 정보가 잘 들어가 있죠?

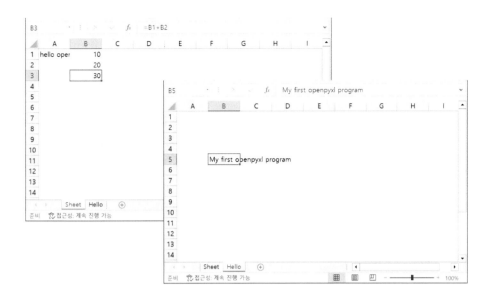

두 번째 프로그램에서 우린 엑셀 파일을 만들어봤습니다. openpyxl이라는 패키지의 도움이 컸습니다. 앞으로 유용한 패키지를 찾아서 사용해보도록 하죠.

✂ pip 업그레이드 하기

앞서 pip를 이용해서 openpyxl을 설치한 화면을 보면 [Notice]가 보입니다. 권고 사항인데요. pip가 새로운 버전이 나왔으니 업그레이드를 하는 것이 어떻겠느냐는 겁니다. 업그레이드 방법도 같이 써 있죠? 그것을 그대로 복사해서 넣으면 됩니다. pip는 패키지를 설치해 주는 아주 유용한 툴입니다. 항상 최신 버전으로 업데이트 해서 사용하시길 추천합니다.

python.exe -m pip install -upgrade pip

```
venv) PS C:\PythonProject\MyRPA> python -m pip install --upgrade pip
Requirement already satisfied: pip in c:\pythonproject\myrpa\venv\lib\site-packages (22.3.1)
Collecting pip
  Using cached pip-23.1.2-py3-none-any.whl (2.1 MB)
Installing collected packages: pip
  Attempting uninstall: pip
    Found existing installation: pip 22.3.1
    Uninstalling pip-22.3.1:
      Successfully uninstalled pip-22.3.1
Successfully installed pip-23.1.2
(venv) PS C:\PythonProject\MyRPA>
```

제2장 SIMPLE AND USEFUL

파이썬은 프로그래밍 언어로서 아주 많은 인기가 있습니다. 프로그래머가 기능을 처음부터 끝까지 하나 하나 구현하는 것이 일반적입니다. 파이썬은 이러한 용도의 프로그래밍 언어로서 손색이 전혀 없습니다. 간단하고 빠르게 원하는 기능을 구현할 수 있죠.

여기에 더해서 파이썬에는 아주 많은 사람들이 아주 다양한 기능들을 이미 구현해 놓은 패키지 또는 라이브러리라고 불리우는 기능들이 너무나 막강합니다. 이번 장에서는 간단하지만 아주 유용한 패키지들을 어떻게 활용을 할 수 있는지를 위주로 살펴보도록 하겠습니다. 직접 구현하기 직전에 꼭 유용한 라이브러리들을 찾아보길 추천합니다. 이렇게 구현되어 있는 라이브러리가 무료인 경우도 상당히 많기 때문에 적은 노력으로 비용없이 내가 원하는 기능을 구현할 수 있습니다.

1. 엑셀의 내용을 출력해 봅시다

앞서 엑셀을 만드는 것을 보았으니 이제는 엑셀 파일을 읽어봅시다. 앞서 만든 간단한 정보가 아니라 뭔가 많은 정보를 담고 있는 엑셀을 출력해 보는 것이 나중에 어떤 업무에 적용을 하던 도움이 될 것 같습니다. 엑셀을 읽을 때도 똑같은 패키지 openpyxl을 사용할 예정입니다. 그러면 어떤 자료를 출력해 볼까요? 강의를 준비하면서 웹서핑을 해서 찾은 정보를 공유하겠습니다.

https://www.kftc.or.kr/mobile/data/MobileBankingByCode.do#none

금융결제원에서 다운로드 받은 codefilex.xls로 전국 은행코드 및 은행이름과 주소를 담고 있는 파일입니다. 해외 지사의 정보까지 있어 총 자료의 개수가 무려 28,682개 입니다. 위의 웹 페이지에서 제일 좌측에 있는 파일입니다. 웹이라 언제 어떻게 바뀔지 모르기 때문에 이 책을 보고 계실 때는 웹페이지가 없거나 파일이 바뀌어 있을 수도 있겠습니다. 그래서 나중에 본 책에서 쓴 모든 소스 파일과 자료 파일을 모두 공유하도록 하겠습니다. 파일은 codefilex.xlsx로 저장해서 프로젝트 폴더에 files라는 폴더를 만들고 그 안에 넣어두었습니다. 최신 엑셀 파일 형식은 xlsx이니 미리 바꿔 저장해 둔 것입니다.

엑셀 파일을 만들 때, 우리가 썼던 두 가지 방법을 기억해 보겠습니다. A1, B1과 같은 방식이 있었죠. A1과 B1의 정보는 각각 '은행코드'와 '은행명'입니다. 그리고 또 다른 방법은 cell() 이라는 함수를 썼었죠. cell() 함수에서 1,3 그리고 1,4로 표현을 하면 '점포명'과 '전화번호'가 되겠습니다.

```
ctor Run Tools VCS Window Help    MyRPA - 003.readExcel.py        —  □  ×

                                          003.readExcel ▼  ▶ ✿ ■ Q ↑ ▷

002.openpyxl.py    003.readExcel.py                              ┊  🔔
                                                                    Notifications
1   import openpyxl  # 패키지 import                        ✂ 6 ^ ∨
2
3   wb = openpyxl.load_workbook(r".\files\codefilex.xlsx")  # 엑셀은 워크북(엑셀파일), 그
4
5   ws = wb['codefilex']
6
7   print(ws['A1'].value, ws.cell(1, 2).value)
8
9   print("프로그램이 종료되었습니다.")
10
```

엑셀 파일을 읽는 코드는 간단합니다. 엑셀 파일을 열고 codefliex라는 워크시트를 선택합니다. 그리고 "A1"과 Cell(1, 2)를 읽어서 터미널 창에 출력을 하고 있습니다.

3   wb = openpyxl.load_workbook(r".\files\codefilex.xlsx')

openpyxl에서 엑셀을 생성할 때는 Workbook() 함수를 사용했었는데 읽어올 때는 load_workbook() 이라는 함수에 엑셀 파일의 경로를 써서 읽어옵니다. load_workbook() 함수 안에 파일의 위치는 r".\files\codefilex.xlsx"와 같이 표현이 되어 있습니다. 여기서 세 가지 규칙을 알고 가시면 되겠습니다. 우리가 코딩하는 003.readExcel.py와 같은 폴더에 엑셀 파일이 있다면 "codefilex.xlsx"와 같이 표현을 하면 됩니다. 그런데 003.readExcel.py와 같은 폴더에 files라는 폴더를 만들었고 그 안에 codefilex.xlsx파일이 들어 있습니다. 그래서 '.' 은 현재의 폴더를 얘기하고, 현재의 폴더 안에 files라는 폴더가 존재하고 그 안에 codefilex.xlsx가 있어서 ".\files\codefilex.xlsx"가 됩니다. 그런데 따옴표 앞에 'r' 이 붙어 있습니다. r은 raw string 즉, 따옴표 안에 있는 글자를 그대로 봐 달라는 의미입니다. 왜 이렇게 해야 할까요? 그 이유는 바로 역슬래시(\) 때문입니다. 컴퓨터에서 역슬래시는 그 다음에 나오는 문자와 결합되어 특수한 의미를 가지기 때문입니다. 그래서 역슬래시(\)가 나오더라도 특수한 의미로 사용하지 말라는 의미입니다. 예를 들어 \n은 컴퓨터에서 터미널에 출력을 할 때, 줄을 바꿔 출력을 하라는 의미입니다. 예를 들어 print("우리는 줄바꿈\n을 배웠습니다")를 실행해 본다면 첫번째 줄에는 "우리는 줄바꿈" 두번째 줄에는 "을 배웠습니다"로 출력이 됩니다.

5   ws = wb['codefilex']

엑셀, 워크북에서 존재하는 워크시트를 선택하는 방법입니다. 대괄호 안에([ ]) 워크시트 이름을 넣으면 됩니다.

```
7    print(ws['A1'].value, ws.cell(1, 2).value)
```

마지막은 엑셀 파일의 일부를 출력해 보는 방법입니다. print() 함수의 앞쪽은 우리가 이해하기 쉬운 전통적인 방법이고, 두 번째는 컴퓨터가 이해하기 쉬운 방법이라고 말씀드렸습니다.

아주 간단한 예제를 보여드렸는데요. 생각보다 print() 함수가 실행될 때까지 많은 시간이 걸린다고 느끼지 않았나요? 아무래도 엑셀 파일에 자료가 많다보니 엑셀을 여는데 시간이 많이 걸려서 그렇습니다. 그리고 두가지 방법 모두 뒤에 .value가 붙어 있습니다. 왜냐하면 엑셀의 각각의 셀을 생각해 보면 색상도 넣을 수 있고, 테두리도 넣을 수 있는 등 여러가지 속성을 넣을 수 있기 때문에 그 중에 하나의 속성인 value를 이용해서 값을 가지고 와야 하는 것입니다.

자~ 이젠 엑셀 파일의 모든 내용을 출력해 보도록 하겠습니다. 앞서 사용한 두 가지 방법을 모두 사용을 하게 될 예정입니다. 여기선 for라는 반복문을 배울 것이고, 전체 자료가 몇개의 행과 몇개의 열로 이루어져 있는지를 확인 하는 방법을 알아보겠습니다.

먼저 우리가 이해하기 편한 방법부터 살펴보도록 하겠습니다.

먼저 엑셀파일을 보면 A ~ H 열까지 총 9개의 열로 구성이 되어 있고, 행의 수는 제목을 포함해서 28683개로 이루어져 있네요.

```
tor  Run  Tools  VCS  Window  Help        MyRPA - 004.readExcel2.py                                    —    □    ×

                                                              ▣ ▾    ● 004.readExcel2 ▾   ▶ ♦ ■   Q ● ●

● 002.openpyxl.py    ● 003.readExcel.py ×    ● 004.readExcel2.py                                        :    ♦
 1    import openpyxl # 패키지 import                                                              ⌄6 ^ ∨
 2
 3    wb = openpyxl.load_workbook(r".\files\codefilex.xlsx")
 4    ws = wb['codefilex']
 5
 6    mc = ws.max_column
 7    mr = ws.max_row
 8
 9    for i in range(1, mr+1, 1):
10        print(i, ws[f'A{i}'].value, ws[f"B{i}"].value, ws[f"C{i}"].value, ws[f"D{i}"].value,
11            ws[f"E{i}"].value, ws[f"F{i}"].value, ws[f"G{i}"].value, ws[f"H{i}"].value)
12
13    print(f"이 엑셀 파일은 {mr}행, {mc}열로 이루어져 있습니다")
14    print("프로그램이 종료되었습니다.")
15
```

```
 6    mc = ws.max_column
 7    mr = ws.max_row
```

6 ~ 7 라인은 max_column과 max_row라는 워크시트의 변수, 보통 클래스 안에 들어있는 변수를 멤버 변수라고 부르는데요. 클래스의 멤버라서 그렇게 부르는가 봅니다. 이 멤버 변수들은 각각 워크시트의 최대 행과 최대 열을 갖고 있습니다.

```
 9    for i in range(1, mr+1, 1):
```

for 반복문 입니다. for 다음에 있는 것은 변수입니다. 변수는 계속 변하는 것이고, range로 표현되는 범위에서 변하게 됩니다. 그래서 앞의 반복문은 i가 계속 변하는데요. i가 괄호의 첫 변수 부터 시작을 해서 세 번째 변수 만큼 증가하면서 두 번째 변수보다 작을 때까지 계속 반복이 됩니다. 앞서서 mr 그러니까 워크시트의 최대 행이 28683 행이고 거기에 1을 더해 줬으니까 1에서 시작해서 1씩 증가하면서 28683까지 반복을 하라는 의미입니다.

그럼 10개만 출력하려면 어떻게 하면 될까요? range를 range(1, 11, 1)와 같이 변경하면 됩니다. 1에서 시작해서 10까지 1씩 증가하면서죠. 그럼 1부터 시작해서 홀수로 간다면요? 그렇습니다. 맨 마지막의 1을 2로 변경하면 1, 3, 5와 같이 i가 바뀌면서 반복을 하게 될 것입니다.

```
 9    for i in range(1, mr+1, 1):
10    print(i, ws[f'A{i}'].value, ws[f"B{i}"].value, ws[f"C{i}"].value, ws[f"D{i}"].value,
11        ws[f"E{i}"].value, ws[f"F{i}"].value, ws[f"G{i}"].value, ws[f"H{i}"].value)
```

for문은 맨 뒤에 ':' 으로 끝이 납니다. 그리고 반복되는 부분은 for문 보다 들여다 쓴 문장들을 순서대로 반복을 하게 되는 것입니다. 즉, for문은 range 내에서 반복하면서 계속 print를 진행하게 되는 것입니다. 그리고 print 문이 길기 때문에 ',' 다음에 줄을 바꿀 수 있습니다. 줄이 바뀐 print문은 앞에 보여지는 바와 같이 print보다 들여서 쓰는 것이 보기에 좋습니다. print와 같은 라인이거나 for문과 같은 라인이어도 상관은 없습니다만 위와 같이 들여서 쓰는 것이 읽기에 좋습니다. f'A{i}' 또는 f"B{i}"만 이해하면 어떤 의미인지는 이해할 수 있을 것 같습니다. f는 format 출력을 위해 따옴표 앞에 붙이는 것이고 따옴표 사이에 중괄호를 넣고, 그 안에 변수를 넣으면 해당되는 변수가 출력되는 것입니다. 결국 f'A{i}' 는 i가 변경됨에 따라서 'A1' 부터 'A28683' 까지 바뀌면서 내용을 출력하게 되는 것입니다.

똑같은 출력이지만 다른 방식을 배워 보도록 하겠습니다. 막상 더 편리하게 사용할 것 같은데 코딩을 해 놓고 보니 조금 복잡해 보이네요. 한번 보도록 합시다.

```python
import openpyxl # 패키지 import

wb = openpyxl.load_workbook(r".\files\codefilex.xlsx")
ws = wb['codefilex']

mc = ws.max_column
mr = ws.max_row

for i in range(1, mr+1, 1):
    print(i, end=' ')
    for j in range(1, mc + 1, 1):
        print(ws.cell(i, j).value, end=' ')
    print('')

print(f"이 엑셀 파일은 {mr}행, {mc}열로 이루어져 있습니다")
print("프로그램이 종료되었습니다.")
```

모든 코드는 그대로인데 for 문 안이 바뀌었고, 줄 수는 늘어났지만 조금은 간단해 보이기도 합니다. 보는 사람의 입장에 따라 다르겠죠? 저는 아래쪽이 조금 더 읽기 쉽고 편합니다. 한 번 살펴보도록 합시다.

```
 9       for i in range(1, mr+1, 1):
10           print(i, end=' ')
11           for j in range(1, mc + 1, 1):
12               print(ws.cell(i, j).value, end=' ')
13           print('')
```

총 다섯줄입니다. 맨 처음 나오는 for문은 row 그러니까 1행에서 마지막까지 행을 반복합니다. 그리고 세 번 째 줄에도 for문이 있죠. 이 for문은 A에서 H열까지에 대응되는 1 ~ 9까지를 반복합니다. 첫번 째 줄에서 A ~ H 열까지를 반복하고, 두 번째 줄에서 A ~ H 열까지 반복하는 두 개의 for문이 있는 겁니다.

첫번 째 for문은 들여쓴 두 번째에서 다섯 번째 줄까지 반복을 합니다. 그리고 세번 째 줄은 for문은 네번 째 줄을 반복하죠. 1, 2, 3, 4 (1 ~ 9), 5번 라인이 계속 반복된다고 보시면 되겠습니다. 그 다음은 네번 째 줄의 ws.cell(i, j).value를 봅시다. 우리에게 익숙한 'A1'과 같은 방식은 열과 행의 순서이지만 cell()함 수는 행, 열의 순서입니다. 그리고 뒤에 붙은 '.value'는 엑셀의 각각의 셀이 가지고 있는 속성 중에서 셀의 값을 가지고 있습니다.

print() 함수는 세 줄이 있습니다. 10, 12, 13번째 째 줄이죠.

```
10           print(i, end=' ')
```

열번째 줄의 print문은 i를 출력합니다. 앞서 살펴봤던 print() 함수를 기억해 보시면 우리가 시킨 내용을 프린트하고 줄을 넘겼습니다. 그래서 다음의 print() 함수가 다음 줄에서 정보를 출력하게 되는 것이었습니다.

그런데 상황에 따라서는 줄을 바꾸지 않고 뒤에 이어서 출력하고 싶은 경우가 있을 것입니다. 그런 경우에 end=' '를 추가해 줍니다. 줄바꿈 대신에 ' '로 대체를 하라는 것입니다.

```
12    print(ws.cell(i, j).value, end=' ')
```

앞 선 print() 함수에서 i에 해당하는 숫자를 출력하고 줄바꿈 대신에 공백을 출력했습니다. 다음의 for 문 안에 있는 print() 함수에서는 cell의 정보를 출력하고 있죠. cell() 함수 내에서 i, 즉 행은 고정이 되고 j, 열만 변경되면서 해당 셀의 정보를 출력하고 뒤에 공백을 더합니다.

```
13    print('')
```

마지막 print() 함수는 공백을 출력하고 줄바꿈을 합니다.

지금까지 똑같은 내용을 출력하는 두 가지의 방법을 살펴봤습니다. for문의 개수와 사용된 print() 함수의 개수가 다릅니다. 어떤 것이 더 좋다는 정답은 없습니다. 손에 익고 눈으로 보기에 편리한 방법을 택하면 됩니다.

2. 파워포인트 슬라이드 만들기

엑셀을 만들어 봤으니 이젠 파워포인트로 작업을 해 보겠습니다. 먼저 파워포인트 파일을 만들어 보겠습니다. 우선 필요한 패키지가 있어야겠죠?

구글에 "python ppt"로 간단하게 검색을 합니다. 그리고 pypi.org에서 해당 패키지를 검색해 볼 수 있습니다. 제가 선택한 패키지는 python-pptx입니다.

앞의 그림과 같이 python-pptx를 터미널에서 혹은 File → Settings → Project: MyRPA → Python Interpreter에서 python-pptx를 추가해 줍니다. 준비가 끝났습니다. 패키지의 정보를 찾기 위해서는 역시나 pypi.org에서 python-pptx를 검색해 보면 다음의 페이지를 찾을 수 있습니다.

https://python-pptx.readthedocs.io/en/latest/

해당 페이지를 찾아가면 사용 방법과 예제코드들까지 찾을 수 있습니다.

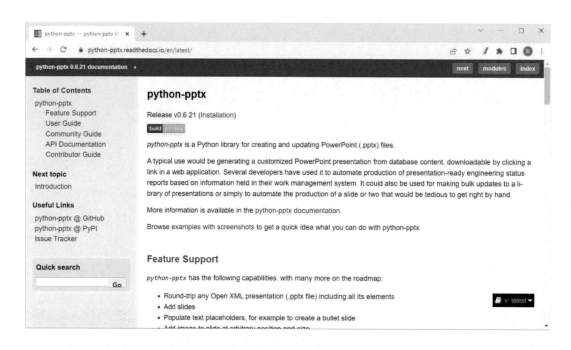

다음에 나오는 예제코드는 앞의 python-pptx 웹 페이지에서 User Guide → Getting Started에서 가지고 온 내용입니다. 새로운 파일을 만들었죠. 그리고 복사해 넣은 다음에 딱 한줄을 바꿨습니다. 맨 아래의 text.pptx를 r'./files/test.pptx'로 말이죠. python 소스코드만 프로젝트 폴더에 넣고 싶었고 우리의 코드에 의해서 생성되는 파일들은 files라는 폴더에 넣기 위해서 입니다. 깔끔하게 하는 것이 좋지 않겠습니까?

그리고 실행을 했습니다. 그런데 다음과 같은 에러가 납니다.

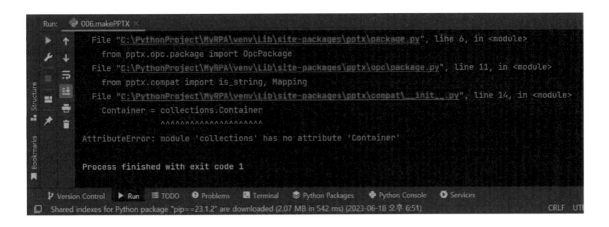

분명 강의 교안 자료를 만들 때는 에러가 발생하지 않았었는데 이번에는 에러가 납니다. 교안 자료를 만들 때와의 차이는 기억을 더듬어 보면 python이 3.10이었는데 이번에는 3.11이라는 것만 다릅니다.

에러는 빨간색으로 나타납니다. 어딘가 잘못된 부분이 있다는 것인데 초보가 이런 에러를 알 수 있는 방법은 없습니다. 물론 우리가 코드를 잘못 만들면 에러를 발생하는데 이것은 샘플 코드임에도 불구하고 에러가 발생했습니다. 그래서 맨아래 AttributeError라는 부분의 한 줄을 마우스로 드래그해서 복사를 합니다. 구글에 물어봐야겠습니다. 이번엔 구글에 물어보지만 프로젝트, 프로그램을 개발하다보면 항상 만나게 되기 때문에 점차 어떻게 해결을 해야하는지 숙달이 될 것입니다. 처음부터 성급하게 생각하지 말고 경험을 쌓아야 합니다.

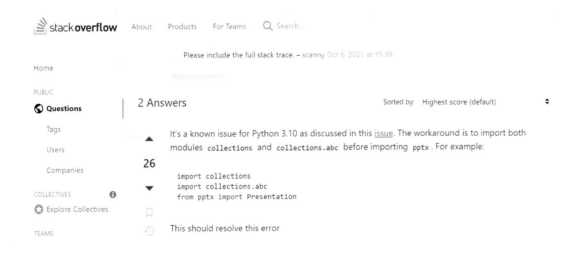

검색을 할 때, 우리가 쓰는 패키지 이름을 맨 앞에 넣고, 다음으로 에러가 난 부분을 복사해서 붙였습니다.

이런 검색을 하는 사람이 많은가봅니다. 많은 검색 결과가 나옵니다. 여기서 제가 하나씩 들어가 보면서 어떤 해결책이 있는지 찾아봅니다. 문제를 해결한 코드들 위주로 찾아보면 됩니다. 굳이 영어로 된 문장들을 다 읽을 필요가 없습니다. 정말 해결이 안되는 문제들은 하나 하나씩 자세히 살펴보지만 일반적으로 어떤 에러인지 검색을 해서 해결을 한 코드를 찾습니다. 다른 분들은 몰라도 저는 그렇게 합니다.

검색을 통해서 나온 첫 링크를 타고 가서 위와 같은 검색 결과를 얻었습니다. collection과 collection.abc를 추가하면 문제가 해결 된다고 되어 있습니다. 그대로 위의 두 줄을 복사해 서 넣고 실행을 하니 문제가 없이 잘 돌아갑니다. connection 과 connection.abc는 파이썬 내에서 데이터를 관리하기 위한 용도로 사용이 된다고 합니다. python-pptx가 특정 데이터를 사용하기 때문에 이 두개의 패키지를 import해야 하는 것인 듯 합니다. 에러를 수정하고 그래서 나온 파일은 다음과 같습니다.

3. ChatGPT를 이용하자

IT쪽에서 일을 하는 사람으로 2022년 말, 2023년 최고의 화두는 누가 뭐라고 해도 ChatGPT였습니다. Generative Pre-trained Transformer, 위키피디아를 찾아보면 다음과 같이 정의하고 있습니다.

GPT는 미국의 인공지능 단체 오픈AI가 2018년 선보인 대형 언어 모델의 계열이며 GPT 모델들은 레이블링되지 않은 대량의 텍스트 데이터셋으로 미리 훈련되고 인간과 같은 문자를 생성할 수 있는 변환기 아키텍처에 기반한 인공 신경망이다.

한번도 써보지 않았다면 지금 당장 책을 덮고 openai.com에 접속을 해보자. 구글 계정만 있다면 간단하게 가입을 하고 ChatGPT를 사용해 볼 수 있습니다. 영어로 물어보지 않아도 됩니다. 그냥 한글로 물어봐도 대답을 해 줍니다. 처음엔 그냥 멍하니 놀라기만 했습니다. 질문에 대한 답변이 신기했고 관련 사이트만 나열하는 기존 방식에 비해서 긴 문장으로 깔끔하게 정리된 답변이 신기했습니다. openai에 사용된 언어의 98% 이상이 영어이고 한글은 0.01%가 채 안된다고 합니다. 그렇기 때문에 한글 질문에 대한 답변의 품질 그 자체는 영어보다 낮지만 그럼에도 불구하고 답변을 받아보면 대단하다는 생각이 듭니다. 꼭 써 보셔야 합니다. 다음은 ChatGPT에 Python을 공부해야 하는 대표적인 3가지 이유를 물어봤을 때의 대답입니다.

그럼 python으로 ChatGPT를 활용할 수 있는 방법 혹은 그 반대로 ChatGPT를 이용해서 python을 활용할 수

있는 방법은 없을까 하는 생각을 했습니다. 얘가 코딩을 할 줄도 알까요? 네! 이 친구 ChatGPT는 코드를 그럴 싸하게 만들어 준다고 합니다. 그럼 파이썬으로 ChatGPT를 이용하는 코드를 물어보면 어떤 대답을 내 놓을까요?

다음과 같이 물어봤습니다.

R   파이썬으로 챗GPT를 이용하는 코드 만들기

이에 대한 대답을 보시죠. 다음과 같습니다.

파이썬에서 ChatGPT를 이용하기 위해서는 OpenAI API와 통신하여 모델에 요청을 보내고 응답을 받아야 합니다. 아래는 간단한 예시 코드입니다.

```python
import openai

# OpenAI API 키 설정
openai.api_key = 'YOUR_API_KEY'

# ChatGPT에 대화 요청 보내기
def send_message(message):
    response = openai.Completion.create(
        engine='text-davinci-003',  # 사용할 엔진 선택
        prompt=message,
        max_tokens=100,  # 응답으로 받을 토큰 수 설정
        temperature=0.7,  # 다양성 조절을 위한 온도 설정
        n=1,  # 몇 개의 응답을 받을지 설정
        stop=None,  # 대화를 멈출 토큰 설정 (None일 경우, 모델이 알아서 멈춤)
        log_level='info'  # 로그 레벨 설정
    )
    return response.choices[0].text.strip()

# 대화 반복
print("ChatGPT를 시작합니다. '종료'를 입력하면 대화가 종료됩니다.")

while True:
    user_input = input("사용자: ")

    if user_input == '종료':
        print("ChatGPT를 종료합니다.")
        break

    response = send_message(user_input)
    print("ChatGPT: ", response)
```

위 코드는 OpenAI API 키를 설정하고, `send_message` 함수를 사용하여 대화 요청을 보내고 응답을 받는 구조입니다. `send_message` 함수에서는 OpenAI API의 `Completion.create` 메서드를 사용하여 ChatGPT에 요청을 보내고, 응답 중에서 가장 적절한 응답을 선택하여 반환합니다. 이 코드를 실행하면 사용자와 ChatGPT 사이에서 대화가 이루어집니다.

주의: 위 코드를 실행하기 위해서는 OpenAI API 키가 필요합니다. API 키는 OpenAI의 웹사이트에서 얻을 수 있으며, `openai.api_key` 변수에 할당하여 사용해야 합니다. 또한, OpenAI API는 유료 서비스이므로 사용하기 전에 가격 정책을 확인해야 합니다.

ChatGPT가 코드를 짜 줬습니다. 잘 실행이 될 것인가는 두고 보면 알겠지만 대단합니다. 한번 실행을 시켜 보도록 하겠습니다. 실행도 잘 된다면 속된 말도 정말 대박입니다. 우선 내용을 살펴보면 처음에 openai를 import 했습니다. 패키지 설치가 필요하겠네요.

```
pip install openai
```

openai 패키지를 설치해 줍니다.

그리고 주의를 보면 OpenAI API 키가 필요하다고 합니다. OpenAI API 키를 얻어서 소스 코드 네번째 줄의 YOUR_API_KEY를 지우고 그 부분에 넣어주면 됩니다. API 키라는 것은 누가 ChatGPT를 썼는지 알기 위해서 ChatGPT를 만든 OpenAI사에서 발급해 주는 키(key)입니다. 이것은 각자의 ID와 연결되기 때문에 얼마나 많이 ChatGPT를 사용했는지 누가 사용했는지를 파악하기 위함입니다. 결국 ChatGPT의 사용에 돈을 받기 위한 것이 라고 할 수 있겠죠. 각 ID마다 18달러를 무료로 충전해 주고 사용할 수 있게 해 주고 있기 때문에 우리가 프로그램을 만들고 테스트하기 위한 충분한 조건은 될 것 같습니다. 자 알려준대로 하나씩 해 봅시다. 먼저 OpenAI API 키를 얻기 위해서 다음의 페이지로 이동을 합니다.

https://platform.openai.com/account/api-keys

화면 중간에 "+ Create new secret key"를 누르고 이름을 입력하고 Create secret key를 선택하면 OpenAI API 키를 만들 수 있습니다.

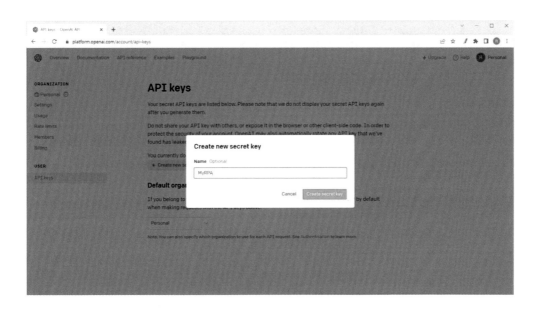

키를 만들었으면, ChatGPT가 만든 코드를 우선 파이참으로 복사를 해 오고 소스코드의 네번째 줄에 다음과 같이 OpenAI Key를 복사해 넣습니다.

ChatGPT 뿐만 아니라 파이썬에서 배워야 할 꽤 많은 것들이 보입니다. 8번째 줄에 def로 시작하는 함수가 있네요. 이미 있는 함수들을 사용하기만 했는데 우리도 이제 함수를 배우면 만들어서 사용할 수 있게 되겠습니다.

다음은 24번 라인의 while True라는 부분이 처음 보는 부분입니다. input() 함수도 보이고 if로 시작하는 줄도 보입니다.

이것들은 나중에 알아보도록 하고, 시키는 대로 openai 패키지도 설치를 했고 API Key도 만들어서 복사해 넣었으니 먼저 실행을 해 보도록 하죠. 제대로 실행이 되는지가 궁금합니다.

```python
import openai

# OpenAI API 키 설정
openai.api_key = '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'


# ChatGPT에 대화 요청 보내기
1 usage
def send_message(message):
    response = openai.Completion.create(
        engine='text-davinci-003', # 사용할 엔진 선택
        prompt=message,
        max_tokens=100, # 응답으로 받을 토큰 수 설정
        temperature=0.7, # 다양성 조절을 위한 온도 설정
        n=1, # 몇 개의 응답을 받을지 설정
        stop=None, # 대화를 멈출 토큰 설정 (None일 경우, 모델이 알아서 멈춤)
        log_level='info' # 로그 레벨 설정
    )
    return response.choices[0].text.strip()


# 대화 반복
print("ChatGPT를 시작합니다. '종료'를 입력하면 대화가 종료됩니다.")

while True:
    user_input = input("사용자: ")

    if user_input == '종료':
        print("ChatGPT를 종료합니다.")
        break

    response = send_message(user_input)
    print("ChatGPT: ", response)
```

실행이 잘 되지 않을까 하는 기대를 해 봅니다. 코드가 그럴싸 해 보입니다. 마우스 오른쪽 버튼을 눌러 Run으로 실행합니다. 다음과 같이 ChatGPT를 시작합니다 라는 메시지가 떠서 "파이썬의 장점은?" 하고 물어 봤습니다. 프로그램에서 출력되는 부분은 흰색, 질문을 직접 입력한 부분은 초록색입니다.

그리고 엔터를 쳤더니 안타깝게도 에러가 발생합니다.

```
File "C:\PythonProject\MyRPA\venv\Lib\site-packages\openai\api_requestor.py", line 298, in request
    resp, got_stream = self._interpret_response(result, stream)
                       ^^^^^^^^^^^^^^^^^^^^^^^^^^^^^^^^^^^^^^^^^^
File "C:\PythonProject\MyRPA\venv\Lib\site-packages\openai\api_requestor.py", line 700, in _interpret_response
    self._interpret_response_line(
File "C:\PythonProject\MyRPA\venv\Lib\site-packages\openai\api_requestor.py", line 763, in _interpret_response_line
    raise self.handle_error_response(
openai.error.InvalidRequestError: Unrecognized request argument supplied: log_level

Process finished with exit code 1
```

Version Control   ▶ Run   ☰ TODO   ⊘ Problems   ⊡ Terminal   🏷 Python Packages   ⚡ Python Console   ⊘ Services

ared indexes for Python package "aiohttp==3.8.4" are downloaded (281.68 kB in 281 ms) (59 minutes ago)   27:1   CRLF   UTF-8   4 spaces   Python

에러를 수정하는 것은 프로그래머의 숙명, 에러가 발생했다고 당황하지 말고 에러 메시지를 잘 살펴보시기 바랍니다. 에러메시지만 잘 봐도 어떻게 해결을 해야할지 그 단서가 보입니다. 주로 맨 아래에 원인이 나와 있습니다. 이 경우 에러 메시지 맨 아래를 보니 log_level을 인식할 수 없다는 메시지가 보입니다. 정확하게는 모르겠지만 코드 16라인에 있는 log_level='info'라고 되어 있는데서 발생하는 에러 같습니다. 구글 검색을 할까 생각을 하다가 ChatGPT가 대답을 해 줄 수 있지 않을까 생각했습니다. 그래서 ChatGPT에게 다시 말을 했습니다. 물음표가 붙은 질문이 아니라 현상만을 얘기 했습니다.

> **R**   16라인에 있는 log_level='info'라고 되어 있는데서 에러가 발생했습니다

> ⑯   죄송합니다, 제가 실수를 범했습니다. `**log_level**` 매개변수는 OpenAI API의 `**Completion.create**` 메서드에서 사용되지 않는 매개변수입니다. 따라서 해당 줄을 제거하거나 주석 처리해야 합니다. 아래는 수정된 코드입니다.

에러가 발생했다고 하니 해당 줄을 제거하거나 주석처리하라고 합니다.

```
        n=1, # 몇 개의 응답을 받을지 설정
        stop=None, # 대화를 멈출 토큰 설정 (None일 경우, 모델이 알아서 멈춤)
        # log_level='info' # 로그 레벨 설정
    )
    return response.choices[0].text.strip()
```

위와 같이 주석처리를 했습니다. 이미 배운대로 문장의 맨 앞에 #을 넣어주면 됩니다. 그리고 다시 실행을 해서 같은 질문을 넣어봤습니다. 답변까지 잘 나오는 것을 확인했습니다. 그럼 우리가 만든 ChatGPT 프로그램에서 나온 다음의 답변을 보시죠.

```
C:\PythonProject\MyRPA\venv\Scripts\python.exe C:\PythonProject\MyRPA\007.chatGPT.py
ChatGPT를 시작합니다. '종료'를 입력하면 대화가 종료됩니다.
사용자: 파이썬의 장점은?
ChatGPT:  1. 쉬운 가독성과 습득 속도가 높음
2. 간결하고 유연한 문법
3. 다양한 라이브러리와
사용자:
```

그럼 이젠 코드를 하나씩 살펴보도록 하시죠.

```
# ChatGPT에 대화 요청 보내기
def send_message(message):
    response = openai.Completion.create(
        engine='text-davinci-003', # 사용할 엔진 선택
        prompt=message,
        max_tokens=100, # 응답으로 받을 토큰 수 설정
        temperature=0.7, # 다양성 조절을 위한 온도 설정
        n=1, # 몇 개의 응답을 받을지 설정
        stop=None, # 대화를 멈출 토큰 설정 (None일 경우, 모델이 알아서 멈춤)
        # log_level='info' # 로그 레벨 설정
    )
    return response.choices[0].text.strip()
```

맨 첫줄의 주석, 둘째 줄에는 함수임을 나타내는 def, 함수 이름 send_message가 있습니다. 그리고 함수에서 전달 받는 것, 이것을 매개변수라고 부릅니다. 전달 받는 것이죠. send_message()라는 함수를 부를 때, 괄호안에 있는 정보를 가지고 함수를 실행하라는 것입니다.

그 다음부터 return으로 시작하는 맨 마지막 줄까지는 함수의 내용입니다. 함수는 어떤 동작을 수행하는 단위 중의 하나입니다. 달리 표현하자면

'함수는 코드 덩어리다'

내가 시키고 싶은 일을 모아 놓은 어떤 기능을 수행하기 위한 코드 덩어리라고 할 수 있겠네요. 내가 시키고 싶은 일을 시킬 수 있는 심부름꾼이라고 표현을 할 수도 있을 것 같습니다. 스타벅스에 가서 카푸치노 한 잔 사오라는 심부름꾼이 있다고 해 볼까요? 그럼 이 심부름꾼은 부르기만 하면 스타벅스에 가서 카푸치노 한 잔을 사올껍니다. 이 친구는 다른 커피를 사 올줄 몰라요. 왜냐하면 스타벅스에 가서 카푸치노만 사오는 심부름 밖에 할 줄 모르거든요. 그런데 이런 심부름꾼을 만들면서 매개변수라는 놈을 줄 수 있습니다. 함수 뒤 괄호 안에 들어가는 것이 매개변수입니다. 새로운 심부름꾼2를 만들면서 괄호 안에 커피 이름을 넣는 겁니다. 심부름꾼2(카페라떼)처럼 말이죠. 그럼 이 심부름꾼은 괄호 안에 들어가 있는 커피를 스타벅스에 가서 사오는 겁니다. 커피 여러잔, 여러 종류를 사오라고 시키려면 어떻게 하면 될까요? 단순히 함수를 여러번 부르면 되겠죠. 심부름꾼2(카페라떼), 심부름꾼2(카푸치노), 심부름꾼2(아아)

그런데 이 친구는 스타벅스 밖에 몰라요. 누군가는 투썸플레이스 커피를 먹고 싶은데 말이죠. 이럴때는 심부름꾼을 업그레이드 시키면 됩니다. 심부름꾼3는 매개변수를 두 개 가질 수 있습니다. 첫번째는 커피숍이름 두 번째는 커피 또는 다른 메뉴를 넣을 수 있도록 하면 됩니다. 심부름꾼3(스타벅스, 카푸치노) 심부름꾼3(투썸플레이스, 치즈케익)과 같이 말이죠. 함수가 좀 이해가 되실까요?

함수를 시작할 때는 def로 시작을 합니다. 함수를 만드는 약속이죠. 그 다음에는 함수이름이 오고요. 그리고 괄호 안에 매개변수를 콤마로 분리해서 넣을 수 있습니다. 앞에서 본 함수는 message라는 매개변수를 가지고 있습니다. 한가지 빼먹은 사실이 있네요. 심부름꾼이 다녀오면 무엇을 전달해 줄까요? 바로 사온 커피를 전달해 주겠죠?

함수도 마치고 나면 결과를 돌려 줄 수 있습니다. 앞의 send_message()는 그 결과물을 돌려줍니다. 다시 함수를 살펴보죠. send_message() 함수를 보면 결국엔 openai 패키지의 Completion의 create라는 함수를 불러서 일을 시키고 있습니다. 우리가 전달해 준 message라는 매개변수를 가지고서 create()라는 함수에 매개변수를 전달해 주는데 우리가 전달해 준, message 매개변수도 사용되고 있죠. 이처럼 함수는 내가 기억하기 어려운 함수를 내가 새로운 이름을 줘서 호출을 할 수도 있습니다. create(), openai.Completion.create() 함수는 여러 매개변수를 이용해서 ChatGPT에 질문을 던지고 그 답을 얻는 함수입니다.

여기서 또 새로운 부분이 나오네요. 바로 return입니다. 결과를 함수를 호출한 곳으로 되돌려 주는 것인데 response.choices[0].text.strip()이라는 긴 길이를 가진 내용을 돌려줍니다. response는

openai.Completion.create()의 결과물을 받은 놈인데 많은 정보를 가지고 있어 그 중에서 choices의 0번째에 text를 되돌려 줘야 하는 것입니다. 마지막에 strip()은 뭘까요?

python strip()

으로 구글링을 해 봅니다.

그러면 strip()이라는 함수는 python에서 내장하고 있는 함수라는 정보를 찾을 수 있을 것입니다. 이 함수는 문자열의 좌우에 있을지도 모르는 공백을 제거해 주는 역할을 합니다. 불필요한 문자열의 좌우 공백을 없애주는 놈이네요. 그러니까 response.choices[0].text에 혹시 공백이 있을지 모르니 그 공백을 없애라는 의미입니다.

create()안에 들어가는 매개변수들은 그대로 사용을 합니다. ChatGPT가 알려준 코드니까 그냥 쓰도록 합니다. 혹시 궁금하면 구글링을 해 보시기 추천드려요. 한가지 짚고 넘어갈 것은 create() 함수 안에 매개 변수가 여러개 들어가는 것은 이해를 했는데 매개변수에 prompt=message와 같이 배우지 않은 등호가 들어간 문장들이 있다는 것이죠. 잠시 심부름꾼3 얘기로 돌아가 보겠습니다. 이 심부름꾼3은 매개변수로 커피숍 이름과 상품이름의 두 개를 매개 변수로 받았습니다. 그러면 심부름꾼3은 다음과 같이 선언이 되어 있을겁니다.

def 심부름꾼3(cafe_name, coffee_name):

이해 되시죠?

그런데 저는 말이죠. 스타벅스의 카푸치노를 좋아 합니다. 심부름꾼3을 언제 활용하느냐 하면 가끔 친구들이나 가족이 다른 커피를 사다 달라고 할 때 사용하긴 하지만 거의 대부분 나를 위한 용도로 사용을 한다는 거죠. 이럴 경우 좀더 편하게 사용하기 위해서 다음과 같이 함수를 바꿔줄 수 있습니다.

def 심부름꾼3(cafe_name=스타벅스, coffee_name=카푸치노):

바로 default 값을 넣어서 함수를 만들어 주는 것입니다. 그러면 심부름꾼3()이라고만 해도 심부름꾼3(스타벅스, 카푸치노)와 동일한 함수 호출이 되는 것입니다. 심부름꾼3(coffee_name=라떼)라고 부르면 어떻게 될까요? 결과는 스타벅스에서 라떼를 사오라는게 되겠죠. 왜냐하면 cafe_name은 default가 스타벅스이기 때문에 자동으로 초기 값이 사용되는 것입니다.

send_message() 함수 다음에는 프로그램의 첫 시작코드가 나옵니다. 함수는 누군가가 불러주기 전에는 실행이 되지 않습니다. 그래서 send_message() 함수 다음에 왼쪽에 공백이 없이 시작되는 문장이 프로그램이 시작되는 곳이라고 보면 됩니다. ChatGPT를 시작한다는 메시지와 함께 종료하려면 '종료'를 입력하라고 되어 있네요.

```python
# 대화 반복
print("ChatGPT를 시작합니다. '종료'를 입력하면 대화가 종료됩니다.")

while True:
    user_input = input("사용자: ")

    if user_input == '종료':
        print("ChatGPT를 종료합니다.")
        break

    response = send_message(user_input)
    print("ChatGPT: ", response)
```

중요한 while문이 드디어 등장을 했습니다. for와 같은 반복문 중의 하나입니다. for문이 시작과 끝을 지정해 주는 반면에 while문은 다음에 오는 조건이 True인 동안에만 반복을 합니다. 앞에서 보면 while True:와 같이 되어 있으니 이 while문은 정말로 무한 반복입니다. 왜냐하면 이미 True로 while의 조건을 걸어 놨기 때문에 while의 조건 True는가 False가 될 수 없기 때문인 것이죠.

while문에는 True가 아니라 일반적으로 if문과 같은 조건문이 들어가게 되는데 그 조건이 while을 수행하면서 바뀌게 되고 만일에 조건이 False가 되는 조건이라면 while문을 빠져나오게 됩니다. 앞의 코드를 보면 while문 안에 조건문 if문이 있습니다. 그리고 if문의 조건이 True이면 break문을 만나게 되는데 while은 break에 의해서 종료가 됩니다. while문이 어떻게 동작을 하는지 살펴봤습니다. 그러면 각 라인별로 어떤 내용인지 하나씩 살펴보겠습니다.

user_input = input("사용자: ")

input() 함수는 매개변수로 넘겨받은 "사용자: "를 터미널에 출력합니다. 그 다음에는 키보드 입력을 받아 들입니다. 키보드 입력이 끝나고 엔터키를 누르면 키보드 입력을 한 내용이 반환되어 user_input이라는 변수에 저장이 됩니다. 여기에서 입력받은 내용이 ChatGPT로 전달이 될 내용이 됩니다.

그런데 user_input에 입력받은 내용이 '종료'라면 "ChatGPT를 종료합니다."라는 메시지를 뿌리고 break문을 통해서 while문을 빠져나갑니다. while문 다음에는 아무것도 없으므로 프로그램이 종료가 됩니다. if 문에서 ==와 같이 등호 두 개가 있는 것은 두 개가 같은지 비교를 하라는 의미입니다. 등호 하나가 우측에서 계산된 값을 좌측의 변수에 입력을 하라는 의미죠. 두 개는 비교하라는 의미입니다. 같으면 True, 다르면 False를 발생시킵니다.

사용자가 입력한 값이 '종료'가 아니라면 앞서 만들었던 send_message() 함수에 user_input을 매개 변수로 넘겨서 response에서 받고 그 내용을 print()함수를 통해서 response를 출력하라는 것입니다. response를 출력한 다음은 어떻게 되나요?

맞습니다. 다시 while문의 처음으로 돌아가서 user_input = input("사용자: ")를 다시 실행하게 됩니다.

ChatGPT에게 파이썬으로 ChatGPT와 대화하는 프로그램을 만들어 달라고 요청을 했고 요청한 코드를 실행했더니 에러가 발생했습니다. 그래서 다시 ChatGPT에 에러가 났다고 하니 오류를 수정하는 방법을 알려줬습니다. ChatGPT의 얘기대로 수정을 하니 에러가 사라졌고 잘 실행이 되는 것을 볼 수 있었습니다. ChatGPT를 활용할 수 있는 아이디어가 있다면 여기에 있는 코드를 활용할 수 있겠습니다. 어디 좋은 아이디어가 없을까요?

ChatGPT의 기능은 3.5까지는 무료입니다. 하지만 ChatGPT의 기능을 패키지를 통해서 사용을 하고 있는데 openAPI 서비스라는 것을 이용합니다. 여기서 API란 Application Programming Interface입니다. 응용 프로그램에서 정보를 주고 받기 위한 방법을 의미합니다. ChatGPT와 파이썬의 패키지가 openAPI를 통해서 정보를 주고 받는 방식인데 과금을 하는 방식으로 변경이 되어 더 이상 무료로 사용할 수 없다고 합니다.

일부 무료로 사용할 수 있는 횟수가 있는데 이것을 활용할 것인지 다른 방법을 사용할 것인지는 나중에 이것 저것 살펴보고 정하도록 하겠습니다.

4. GUI를 가진 프로그램

윈도우를 사용하면 마우스로 버튼도 누르고 이름이나 전화번호도 누를 수 있는 프로그램들을 우리는 사용합니다. 화면에 화려하게 사용자와 마우스 및 키보드로 소통을 하는 방식의 프로그램을 그래픽 유저 인터페이스(Graphic User Interface), GUI 프로그램이라고 합니다.

그래서 드디어 화면에 무엇인가를 띄워 볼 수 있는 프로그램을 만들어 보려고 합니다. GUI를 가진 프로그램을 만들기 위해서 사용할 수 있는 패키지는 수십여 가지가 있다고 합니다. 그 중에서 tkInter, PyQt라는 대표적인 패키지가 있습니다. 요즘들어서는 tkInter보다 PyQt의 GUI가 좀 더 예쁘기 때문에 PyQt를 사용하는 분들이 많은 것 같습니다. 어떤 패키지를 사용하는 것이 좋을까요? 앞서 말씀 드렸었는데요. 인터넷에서 검색을 해 보면 어떤 것이 많이 나오는지 보면 됩니다. 많이 등장하는 것이 그만큼 사용자가 많다는 증거이니 우리가 활용을 할 수 있는 다양한 정보의 양도 많겠죠. 인터넷에서 '파이썬 GUI 추천'이라 해 보시면 많은 정보를 얻을 수 있습니다. 그런데 저는 인터넷에서 추천하지 않는 다른 패키지를 선택했습니다. PySide라는 패키지입니다. 최신 버전은 PySide6입니다. 이런 선택을 한 가장 큰 이유는 라이선스 문제였습니다. PyQt는 상용 프로그램을 만들 때, 라이선스 비용을 지불해야 한다고 합니다. 그에 비해서 PySide는 어떤 프로그램을 만들어 배포를 해도 무료입니다. 항상 상용 프로그램을 만들 때에는 어떤 라이선스를 가지고 있는지 꼭 확인을 해야 합니다. 나중에 오픈소스 라이선스에 대해서 살펴볼 기회를 만들어 보겠습니다.

어쨌거나 다른 패키지들에 비해서 PySide는 공짜란 얘깁니다. 그래서 PySide를 택했습니다. 자료를 찾는데 가끔은 아쉬울 때가 있긴 합니다만 조금만 익숙해지면 크게 어려운 부분은 없습니다. 한가지 정보를 추가하자면 우리가 배우고 있는 파이썬은 Qt라는 언어를 기반으로 만들어졌습니다. 그런데 이 Qt를 만든 곳에서 PySide를 만들었다고 하네요. 자! 이젠 PySide6를 설치해 줍니다. 터미널에서

```
pip install pyside6
```

설치가 되었다면 코딩을 해 보시죠.

```
Refactor  Run  Tools  Git  Window  Help      MyRPA - 008.pyside6.py                        —    □    ×

                                      008.pyside6 ▼   G  🐞  ▣   Git: ✓ ✓ ↗  ⊙  ↺  Q  ↑  ▶

008.pyside6.py                                                                          ⋮     🔔

1      import sys
2      from PySide6.QtWidgets import QApplication, QMainWindow

       1 usage  new *
4      class MainWindow(QMainWindow):
          new *
5         def __init__(self):
6             super().__init__()

8   ▶  if __name__ == "__main__":
9         app = QApplication(sys.argv)
10        mainWindow = MainWindow()
11        mainWindow.show()
12        sys.exit(app.exec())
```

한가지 짚고 넘어가겠습니다. 앞의 코드를 보면 class와 if는 첫 칸부터 코딩이 시작되고, class 안에 있는 __init__ 함수는 def 부터 들여쓰기를 했습니다. super()로 시작하는 문장은 def로 시작하는 함수보다 또 들여쓰기를 했습니다.

이와 같이 class나 def로 시작하는 함수들은 첫 칸 부터 코딩이 되어 있어도 누군가가 불러주기 전에는 실행이 되지 않습니다. 하지만 8번째 라인의 if는 바로 시작이 됩니다. if 문이 참이라면 그 안에 있는 내용도 바로 실행이 되겠죠? 그래서 이 프로그램의 시작점은 바로 이 if문이 됩니다.

> if __name__ == "__main__":

__name__은 파이썬이 내부적으로 사용하고 있는 변수입니다. 그래서 일반적으로 사용하는 변수와 좀 다르게 생겼습니다. 어떤 정보를 담고 있는 변수일까요? 바로 파이썬이 실행하는 파일들의 이름을 갖고 있습니다.

파이썬으로 만든 프로그램들은 한 개의 py 파일로 만들수도 있고 여러 개의 파이썬 파일로 이루어질 수도 있습니다. 예를들어 python test.py라고 test.py를 실행했다고 가정해 봅시다. 그리고 test.py에서 test2.py 라는 파일에 있는 다른 함수나 클래스를 사용했다고 가정을 해 봅시다. 이런 경우 test.py의 __name__은 __main__이라는 값을 갖게 되고, test2.py의 __name__은 test2라는 값을 갖습니다. 즉, python이 처음 실행하는 py 파일만 __name__ 변수에 __main__을 줘서 이 파일이 바로 처음 시작하는 파일이라고 알 수 있도록 __name__이라는 변수에 그 정보를 넣어 주는 것입니다.

그럼 프로그램을 실행을 해 볼까요?

```
app = QApplication(sys.argv)
```

QApplication()은 어플리케이션 하나를 만들라는 클래스입니다. 매개변수로 sys.argv를 넘기고 있습니다. sys.argv에 어떤 값이 들어 있는지 궁금하다면 다음 줄에 print() 함수를 이용해서 sys.argv를 찍어 보시기 바랍니다. 이 변수는 우리가 코딩을 하고 있는 py 파일의 경로가 넘어갑니다. 이 프로그램에서는 큰 의미가 없는 매개변수 입니다. QApplication이라는 클래스가 사용되고 있는데 이는 우리가 import한 패키지에서 찾아 볼 수 있습니다.

```
from PySide6.QtWidgets import QApplication, QMainWindow
```

QApplication과 QMainWindow를 import 했는데 PySide6.QtWidgets의 모든 패키지들을 import 한 것이 아니고 필요한 일부만 import 해서 사용을 하고 있습니다. import를 달리 하는 두 가지 경우를 잠시 보겠습니다. 다음의 두 가지 예를 보시면 왜 위와 같이 from을 사용하는지 확인하실 수 있습니다. 첫번째는 PySide6.QtWidgets를 import하는 방법이고 두번째는 PySide6.QtWidgets를 import하는데 qw라는 약어를 사용하겠다는 의미입니다. import 방법에 따라서 4, 9번째 줄의 코딩이 달라집니다. 처음에 사용한 방법으로 import 했을 때 코딩이 가장 간결하고 읽기가 좋습니다. 그래서 위와 같이 코딩을 하는 것이 일반적입니다. 하지만 정답은 없습니다. 다음의 두 가지 중에서 앞쪽 보다 더 편하다고 생각되는 방법이 있다면 편한대로 사용을 하면 됩니다.

```
import sys
# from PySide6.QtWidgets import QApplication, QMainWindow
import PySide6.QtWidgets
1 usage new *
class MainWindow(PySide6.QtWidgets.QMainWindow):
    new *
    def __init__(self):
        super().__init__()

if __name__ == "__main__":
    app = PySide6.QtWidgets.QApplication(sys.argv)
    mainWindow = MainWindow()
    mainWindow.show()
    sys.exit(app.exec())
```

```
import sys
# from PySide6.QtWidgets import QApplication, QMainWindow
import PySide6.QtWidgets as qw
1 usage new *
class MainWindow(qw.QMainWindow):
    new *
    def __init__(self):
        super().__init__()

if __name__ == "__main__":
    app = qw.QApplication(sys.argv)
    mainWindow = MainWindow()
    mainWindow.show()
    sys.exit(app.exec())
```

app이라는 어플리케이션을 만들었고, 이번에는 화면에 보이게 만들려는 우리가 만들고 있는 클래스

```
mainWindow = MainWindow()
```

MainWindow를 호출하고 있습니다. 4번째 줄에 MainWindow 클래스가 선언이 되어 있죠. 클래스가 호출이 되면 자동적으로 호출이 되는 함수가 있는데 그것이 바로 __ini__함수입니다.

__init__함수는 다시 super().__init__()을 호출하고 있는데요. 이 super().__init__()는 MainWindow를 만들 때, 매개변수로 전달이 된 QMainWindow에 있는 __init__함수를 호출하라는 의미입니다. QMainWindow.__init__(self)과 같은 의미라고 할 수 있습니다.

그런데 QMainWindow 자리에 다른 클래스가 올 경우 일일이 QMainWindow.__init__(self)를 새로운 클래스 이름으로 바꿔줘야 하는 번거로움이 생깁니다. 그렇기 때문에 파이썬에서 제공해 주는 super().__init__()라는 함수를 써서 대체하고 있습니다. 코딩을 효율적으로 하기 위한 방법입니다. MainWindow()를 호출하는 부분을 설명하다가 간단하게 MainWindw 클래스의 내용까지 살펴봤습니다.

```
mainWindow.show()
```

show() 함수는 QMainWindow 클래스에 정의된 내용들을 화면에 그리라고 명령을 주는 함수입니다. 프로그램을 실행시켰을 때, 프로그램 윈도우가 보여지는 것이 바로 이 show() 함수에 의해서입니다. 여기까지만 하면 프로그램이 보여질까요? 다음의 코드까지 보시죠.

```
sys.exit(app.exec())
```

보여준다고 해서 계속 화면에 남아 있지 않습니다. 우리가 보는 윈도우 화면은 가만히 있으면 아무것도 하고 있는 것 같지 않지만 실제로는 우리의 눈보다 빠르게 화면을 다시 그리고 있는 부분이 많습니다. 그래서 프로그램을 지속적으로 실행시키도록 하는 것이 app.exec() 입니다. sys.exit() 함수의 매개변수로 들어 있죠. 프로그램을 app.exec()에 의해서 실행을 하게 되면 모든 동작들은 MainWindow() 클래스에 들어 있는 내용 대로 움직이게 됩니다. 프로그램의 x 버튼을 눌러 종료하거나 파이썬참에서 종료를 시키기 직전까지는 말입니다. MainWindow 클래스에서는 아무것도 하지 않는다구요? 우리가 코딩을 __init__ 함수만 만들어줬기 때문에 그리고 실행을 해 보니 텅빈 조그만 윈도우만 보이기 때문에 아무것도 정의가 안된 것이 아닙니다. super().__init__()을 통해서 QMainWindow도 시작을 시켰죠? 그러면 자동으로 QMainWindow에서 실행이 되는 내용들이 모두 수행이 되고 있는 것입니다. 화면 크기도 조정을 할 수 있고 x를 눌러 프로그램을 종료할 수도 있죠. 이런 기본적인 기능들이 모두 들어 있는 것입니다. 그리고 해당 앱을 종료시켰을 때, 비로소 sys.exit()에 의해서 프로그램이 종료가 되는 것입니다.

아무것도 없는 윈도우 밖에 없으니 심심합니다. 그림도 출력을 해 보고 싶기도 하고 키보드로 입력을 할 수 있는 입력창이나 종료라고 씌여있는 버튼도 만들어 보고 싶습니다. 그렇죠?

이렇게 화면에 무엇인가를 그리기 위해서는 생산성이 높은 방법과 하나하나 일일이 코딩을 하는 두 가지 방법이 있습니다. 저는 한줄 한줄 일일이 코딩을 해서 지금까지 프로그램을 만들어 왔습니다만, 처음 접하는 분들에게는 보다 효율적인 방법을 소개시켜 드리고자 합니다. 마우스로 파워포인트에서 또는 한글에서 네모도 그리고 박스도 그리는 것처럼 마우스를 이용하는 방법이 있습니다. 하지만 세세한 동작들은 모두 손으로 코딩을 해 주셔야 합니다. 한 번 해 놓은 코딩은 다음부터는 복사를 해서 사용을 해도 됩니다. 모두 기억을 해서 타이핑을 치는 것도 좋지만 내가 했던 코딩을 참고하거나 인터넷에서 검색을 통해서 할 수도 있습니다. 앞서 배운대로 ChatGPT를 사용하는 것도 좋은 방법 중의 하나가 되겠네요.

5. Qt 디자이너

Qt Designer는 GUI를 마우스로 가져다 놓고 끌어서 조정하여 쉽게 만들 수 있는 툴입니다. 드래그 앤 드롭 방식이라고 흔히들 말하는 방법이죠. Qt Designer는 확장자가 .ui인 파일들을 만듭니다. 우리는 이렇게 만들어진 .ui를 PySide6에 들어 있는 툴 중의 하나인 pyside6-uic를 써서 .py로 변환을 해서 사용을 하게 될껍니다. 우선 다음의 경로에서 Qt Designer를 다운로드 받아서 설치를 하도록 합시다.

https://build-system.fman.io/qt-designer-download

설치가 되었다면 Qt Designer를 이용해서 다음과 같은 화면을 만들어 보도록 합시다. 시작을 할 때, Dialog without button으로 시작을 해야 아무것도 없는 상태에서 내 마음대로 디자인을 할 수 있습니다. 마음대로 좌측에 있는 Widget Box에서 위젯들을 골라서 클릭을 한 채로 다이얼로그에 위치 시킵니다. 화면에 미리 보이는 글자를 입력할 수 있는 부분은 더블 클릭을 해서 글자를 입력할 수 있습니다. 버튼을 더블 클릭해서 '확인' 또는 'Exit'과 같이 입력을 할 수 있습니다. 그리고 각 위젯들을 클릭하면 모두 5개의 점들이 보이는데 그 점들을 클릭해서 위젯의 크기도 마음대로 조절할 수 있습니다.

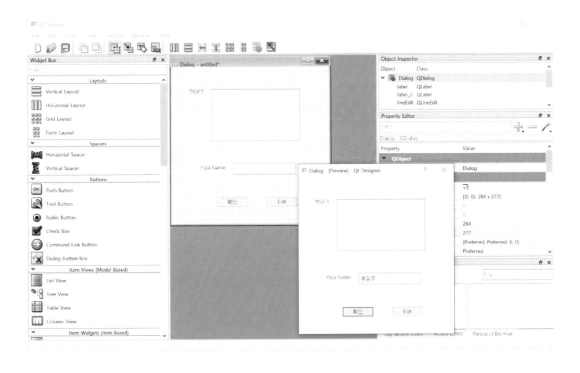

위젯을 클릭하고 오른쪽의 Property Editor에서 objectName을 찾으시면 기본 이름이 어떻게 되어 있는지 확인을 할 수 있고 내가 원하는대로 바꿀 수도 있습니다. Push Button의 이름은 pbConfirm, Line Edit의 이름은 leName으로 바꿔주시기 바랍니다. 각각의 위젯은 어떤 이름을 줘도 상관이 없습니다. 하지만 프로그래머들은 나름의 규칙을 주어 이름을 주곤합니다. 왜냐하면 이름만 보고도 이 위젯이 어떤 위젯이고 어떤 역할을 하는 것인지 파악을 하기 위함입니다. 그래서 Push Button은 앞에 접두어 pb를 Line Edit은 le와 같이 접두어를 붙입니다. 그리고 기능을 더해서 pbConfirm, leName과 같이 말이죠.

각각 디자인을 하고, 이름을 지정해 줬으면 메뉴에서 Form → Preview 혹은 Ctrl + R을 눌러 디자인한 GUI를 실행시켜 볼 수 있습니다. 앞의 그림에서도 디자인을 하고 실행을 시킨 화면을 볼 수 있습니다. Line Edit 위젯에는 입력을 해 볼 수 있습니다. 다만 그것까지만이죠. 확인 버튼을 누르거나 Exit 버튼을 눌러도 동작을 하지는 않습니다. 동작을 하는 부분은 우리가 코딩을 해 넣어야겠죠. 먼저 우리가 만든 UI를 first_ui라는 이름으로 저장을 합시다. 그리고 우리 프로젝트 폴더에 Ui라는 폴더를 만들고 넣어 둡니다. 복사를 했으면 파이참 터미널 창에서 다음과 같이 명령을 내려 .ui 파일을 .py 파일로 변환을 합니다.

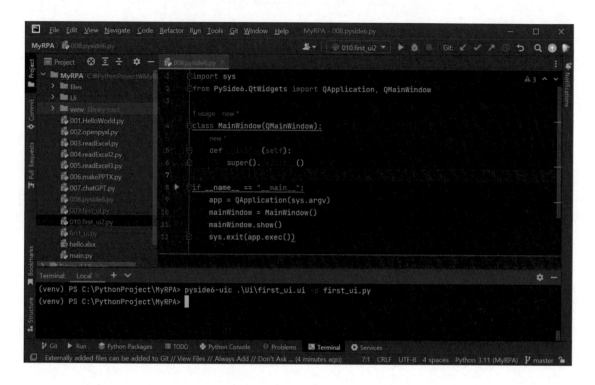

Ui 폴더에 들어 있는 first_ui.ui를 first_ui.py라는 파이썬 파일로 변환을 해 줍니다. 열어보면 화면에 보이는 것처럼 코딩이 되어 있는 것을 확인 할 수 있습니다. 아쉽지만 변환이 된 .py 파일은 실행을 시켜도 아무 동작을 하지 않습니다.

이왕 변환된 .py 파일을 열었으니 어떻게 변환이 되었는지 살펴보도록 하겠습니다. 우선 import 아래를 보면 Class가 선언이 되어 있는데 이름이 Ui_Dialog로 되어 있습니다. 클래스 내부를 보면 두 개의 함수가 보이네요 setupUi() 함수와 retranslate()라는 함수 입니다. 좀더 살펴보면 setupUi() 함수에서 retranslate()라는 함수를 호출을 하고 있음도 확인하실 수 있습니다. setupUi()의 맨 하단부를 살펴보시면 됩니다. 자동으로 변환된 파일이니 변환된 상세한 내용은 보지 않겠습니다. 편하게 사용하기 위해서 만든 것인데 더 깊이 파고 들면 알아야 할 내용들이 너무 많아질 것 같습니다.

그럼 우리가 만든 first_ui.py를 어떻게 활용하는지 살펴보도록 하겠습니다.

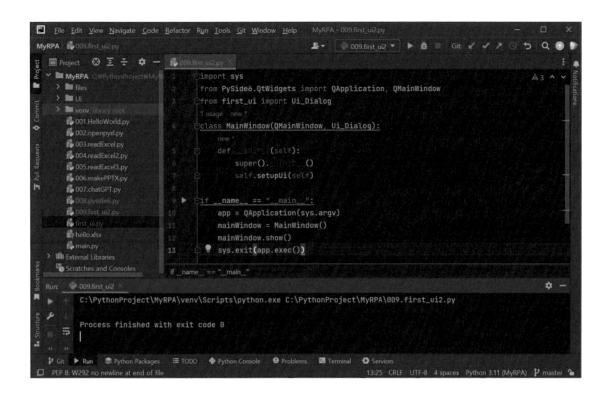

앞서 만들었던 코드에 비해서 두 줄이 추가되고 한 줄이 수정이 되었습니다. 3, 7번째 줄은 추가가 되었고 4번째 줄은 수정이 되었습니다. 차례대로 살펴보겠습니다. 먼저 세 번째 줄을 보면 다음과 같습니다.

```
3    from first_ui import Ui_Dialog
```

first_ui.py에서 있는 Ui_Dialog라는 클래스를 import하라는 의미입니다. py는 빼고 파일명을 적어준 것입니다. 각각의 변수, 함수 등에 대해서 어디에서 만들어졌는지를 알고 싶다면 해당 위치에 커서를 놓으시고 Ctrl 버튼을 누른 상태에서 B 버튼을 누르시기 바랍니다. Ui_Dialog를 마우스로 클릭을 해서 커서(' | ')가 깜박거리게 해 놓고 Ctrl + B를 누르시면 first_ui.py 파일이 자동으로 열리고 Ui_Dialog가 선언이 된 곳으로 이동을 하게 됩니다.

```
4    class MainWindow(QMainWindow, Ui_Dialog):
```

우리가 만든 MainWindow라는 클래스를 선언하는 부분입니다. 내가 윈도우를 띄울 때 쓸 클래스의 이름은 mainWindow라는 것이고, 미리 만들어 놓은 윈도우를 가져다 쓰기 위해서 괄호 안에 클래스를 넣을 수 있습니다. 무엇을 기본으로 참고할 것이냐 하면 QMainWindow라는 PySide6.QtWidgets에서 이미 만들어 놓은 패키지인 QMainWindow를 사용해서 화면을 만들겠다는 의미입니다. 콤마 다음에 있는 것은 QMainWindow에서 만든 것을 기본으로 하되, 추가로 Ui_Dialog라는 클래스를 합쳐서 사용하겠다는 의미로 이해를 하면 됩니다.

```
7    self.setupUi(self)
```

앞에 self가 붙어 있는 함수는 Ui_Dialog에 있거나 MainWindow에 있는 함수나 변수를 이야기 하는 것입니다. 앞에서 살펴본 바 대로 Ui_Dialog안에 setupUi라는 함수가 있습니다. 이 함수를 실행시킴으로 인해서 Qt Designer를 통해 만들고 py 파일로 만들었던 GUI를 화면에 그리는 동작을 하게 되는 것입니다.

세 줄을 모두 확인해서 추가하고 수정을 하셨다면 실행이 잘 될 것입니다. Qt Designer에서 실행을 시켰던 것과 똑같은 화면이죠. 동작도 똑같고 버튼을 눌러도 별다른 반응을 하지 안는 것도 같습니다. GUI를 만들고 코딩을 통해서 우리가 만든 파이썬과 연결을 완료했습니다. 다시 한번 중요한 사항을 짚고 넘어가겠습니다. mainWindow = MainWindow()를 호출하면 다음 동작은 어떻게 될까요? MainWindow()라는 클래스가 실행이 되어야겠죠. 이때, 클래스라는 놈은 본인의 클래스 내에서 __init__라는 함수를 무조건, 자동적으로 호출하도록 설계가 되어 있습니다. 미리 약속된 함수라고 보시면 됩니다.

GUI를 Qt Designer를 통해서 만들고 py라는 파이썬 파일로 만들고 코딩을 해서 실행까지 하는 것을 성공했으니 GUI에 있는 것들을 동작시켜볼 차례입니다. leName에 '홍길동'이라는 이름을 넣고 확인 버튼을 눌렀을 때, '홍길동 님 반갑습니다'라는 메시지를 터미널에 출력시키는 코딩을 해 보도록 하겠습니다.
여기서 우리는 leName에 어떻게 텍스트를 넣는지 그리고 어떻게 참조를 할 수 있는지를 배울 것이고, 버튼의 경우 클릭을 했을 때 어떻게 그 동작을 인식할 수 있도록 코딩을 할 수 있는지를 배워 볼 것입니다.

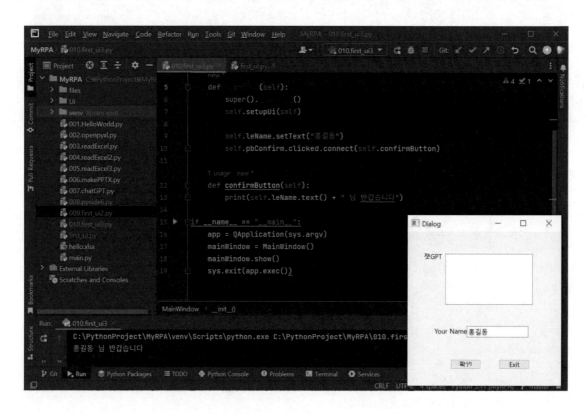

이번 코드에서 추가 된 것은 4 줄입니다. 먼저 코드를 보면 leName과 pbConfirm이라는 이름이 보일 것입니다. le는 lineEdit라는 위젯을 표현해 주기 위해서 pb는 Push Button을 표시해 주기 위해서 접두어로 붙였고, 그 다음은 각각 Name과 Confirm입니다. 이 두 개의 이름이 우리의 코드에서 사용이 되었습니다.

9   self.leName.setText("홍길동")

MainWindow 클래스는 QMainWoindow와 UI_Dialog를 모두 포함한다고 배웠습니다. 그러니 우리가 만든 UI_Dialog내의 QLineEdit 위젯인 leName 역시 같은 MainWindow 클래스 내에 있으므로 self.leName과 같이 참조를 할 수 있을 것입니다. QLineEdit은 키보드로 입력을 받아 들일 수 있는 위젯이기 때문에 텍스트를 담고 있습니다. 이 텍스트 값은 지정할 때 사용하는 함수는 setText() 함수 있습니다. 이 함수에 매개변수로 출력하고 싶은 텍스트를 지정하면 되는 것입니다.

```
10    self.pbConfirm.clicked.connect(self.confirmButton)
```

pbConfirm은 QPushButton입니다. 당연하게도 버튼이니 클릭을 하는 동작을 우리가 알 수가 있어야겠죠? 어떤 프로그램에서 버튼을 누르면 단순한 동작을 하는 경우도 있지만 여러가지 동작을 복합적으로 하는 경우도 있습니다. 예를 달자면 버튼을 눌렀는데 "프로그램을 종료하시겠습니까?"와 같은 메시지와 함께 확인을 누르면 프로그램을 종료하는 경우가 있겠습니다. 이것은 아주 간단한 예가 될 것이고 버튼을 눌렀을 때 새로운 프로그램이 뜨는 복잡해 보이는 동작을 하는 경우도 있습니다. 그래서 버튼이 눌렸을 때 특정한 동작을 수행할 함수가 연결이 되도록 해야 합니다. 그래서 버튼이 눌렸을 때는 특정한 함수를 연결이 되도록 connect라는 함수를 써서 새로운 함수와 연결을 해 주게 됩니다. pbConfirm이라는 QPushButton이 Click 되었을 때, connect() 함수 안에 있는 함수를 호출하라는 의미입니다. 즉, pbConfirm이 눌리면 self.confirmButton() 함수가 호출이 되는 것입니다.

```
12    def confirmButton(self):
13        print(self.leName.text() + " 님 반갑습니다")
```

pbConfirm이 클릭 되었을 때, 호출이 되는 함수 confirmButton() 함수 입니다. 우리가 이미 알고 있는 print() 함수인데 매개변수가 새롭습니다. leName의 text() 함수를 이용해서 text()를 읽어오고 뒤에 " 님 반갑습니다"를 더해서 터미널에 출력을 하는 코드입니다. 프로그램을 실행시킨 후에 바로 확인 버튼을 누른다면 "홍길동 님 반갑습니다"를 출력하게 될 것입니다. 다른 이름을 leName에 입력하고 확인 버튼을 눌러보세요.

터미널에만 값을 출력하는 것보다 GUI를 이용해서 정보를 출력하면 어떨까요? 아마도 가장 많이 사용하는 윈도우 중의 하나가 다음과 같은 메시지 박스가 아닐까 싶습니다.

우리는 GUI를 Qt Designer를 이용해서 파워포인트를 사용해서 문서를 만들듯이 쉽게 만들었습니다. 그런데 이런 메시지 박스를 만들려면 어떻게 해야할까요? 필요할 때 마다 Qt Designer를 이용해서 만들 수 있겠죠? 윈도우 제목으로는 "파이썬 수업"과 같이 만들고 윈도우의 좌측에 느낌표 아이콘을, 메시지의 제목은 "수강 신청", 사용자에게 묻는 내용은 "파이썬 RPA 과목을 수강하시겠습니까?" 그리고 버튼 세개는 모두 QPushButton을 이용해서 만들면 될 것 같습니다.

그런데 말입니다. 메시지 박스는 사용 용도가 상당히 많습니다. 사용자에게 알려주거나, 또는 의견을 물어보거나 선택을 요구할 때 등등
너무나 많은 경우에 사용을 합니다. "프로그램을 종료하시겠습니까?", "파일이 저장되지 않았습니다. 그냥 끝내시겠습니까?", "에러가 발생하여 프로그램의 재시작이 필요합니다" 이 모든 것들이 메시지 박스를 이용해 사용자와 대화를 합니다. 이와 같이 빈번하게 많이 사용하는 것들을 매번 만들어 사용한다면 상당히 많은 종류의 메시지 박스를 만들어야 할 것 같습니다. 그래서 고맙게도 대부분의 GUI를 제공하는 패키지 또는 라이브러리에서 기본으로 제공을 해 줍니다. 메시지 박스 뿐만 아니라 파일 오픈 윈도우나 파일 저장 윈도우 역시도 많이 사용하기 때문에 제공을 해 주죠.

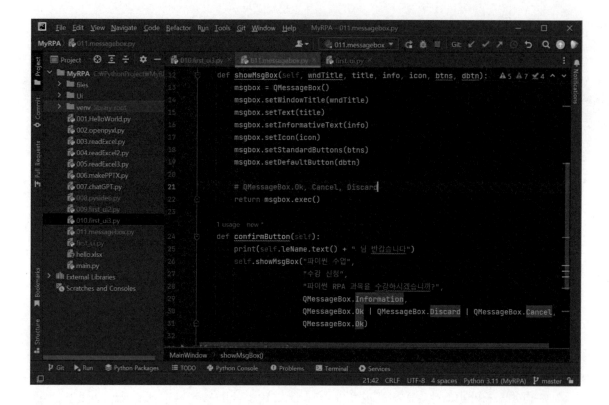

쉽고 편하게 그리고 간단하게 사용하기 위해서 showMsgBox() 함수를 만들었고 그 함수를 호출하는 예를 위에서 볼 수 있습니다. 앞의 메시지 박스와 함께 함수 호출에서 넘기는 순서를 보면 더더욱 쉽게 이해가 가능하겠죠?

"파이썬 수업"은 setWindoTitle() 함수에, "수강 신청"은 setText() 함수에, "파이썬 RPA 과목을 수강하시겠습니까?"는 setInformativeText() 함수에, QMessageBox.Information은 setIcon() 함수에, 그리고 Ok, Discard, Cancel 버튼은 "|"를 통해서 더하고 setStandardsButtons() 함수에, 마지막으로 QMessageBox.Ok는 setDefaultButton() 함수에 각각 넘겨서 메시지 박스를 그립니다.

마지막 setDefaultButton()에는 하나의 버튼만 매개변수로 넘길 수 있는데 메시지 박스가 실행이 되었을 때 어느 버튼에 포커스가 맞춰져 있는지를 정하는 함수입니다. 실행을 해서 메시지 박스가 나타나면 버튼 중에서 테두리가 진회색이 아니라 파란색으로 되어 있는 버튼이 있습니다. 그 버튼이 Default로 설정이 된 버튼이고 그 상태에서 스페이스 바를 누르면 마우스로 해당 버튼을 클릭한 것과 같은 효과를 가져옵니다. 마우스 없이도 실행을 시킬 수 있도록 디자인이 되어 있기 때문입니다. 버튼간의 포커스를 옮기기 위해서는 키보드의 방향키나 Tab 키를 이용해서 옮길 수 있습니다. 그리고 실행을 위해서는 스페이스바나 엔터키를 사용할 수 있습니다.

다음은 우리가 사용할 수 있는 옵션에 대해서 알아 보겠습니다. setIcon() 함수는 메시지 박스 좌측에 어느 아이콘을 출력할 것인지를 넘겨 주는 값입니다. 여기에 우리가 줄 수 있는 종류의 아이콘은 다음과 같습니다. 아이콘의 이름을 다음과 같이 바꿔가면서 제대로 동작하는지 확인해 보시기 바랍니다.

아이콘	설 명
②	Question
①	Information
⚠	Warning
✕	Critical

다음은 setStandardsButtons() 함수에 "|"를 이용해서 넣을 수 있는 버튼의 종류를 알아볼까요?

QMessageBox.Ok	QMessageBox.Help
QMessageBox.Open	QMessageBox.SaveAll
QMessageBox.Save	QMessageBox.Yes
QMessageBox.Cancel	QMessageBox.YesToAll
QMessageBox.Close	QMessageBox.No
QMessageBox.Discard	QMessageBox.NoToAll
QMessageBox.Apply	QMessageBox.Abort
QMessageBox.Reset	QMessageBox.Retry
QMessageBox.RestoreDefaults	QMessageBox.Ignore

정말로 많은 수의 버튼들이 이미 정의가 되어 있네요. 여기서 원하는 버튼들을 순서대로 "|"를 이용해서 매개변수로 넘겨주면 됩니다. exec() 함수에 의해서 앞에서 정의한 모든 내용들이 메시지 박스에 실행이 되어

```
22    return msgbox.exec()
```

화면에 나타납니다. 그리고 exec() 함수는 사용자가 어떤 버튼을 눌렀는지 되돌려 줍니다. 그렇게 받은 값을 다시 return을 이용해 showMsgBox()를 호출한 곳으로 되돌려 줍니다. 여기서 되돌려 받는 값은 바로 앞의 테이블에서 본 버튼 이름과 동일하게 됩니다.

따라서 사용자가 예를 들어 Yes 버튼을 눌렀다고 하면 return 값은 QMessageBox.Yes가 반환이 되는 것입니다. 이런 return 값에 의해서 우리는 사용자가 어떤 버튼을 눌렀는지 확인할 수 있고 그것을 기반으로 코딩을 할 수 있습니다.

예를 들어 Yes, No 버튼이 두 개가 있는 메시지 박스의 경우 코딩은 다음과 같이 될 수 있습니다.

여기서도 처음 보여드리는 if 문이 나오네요. if ~ elif ~ else 구문입니다. 여러 가지의 경우를 비교해 보려고 할 때, 자주 사용하는 구문이고 elif는 필요한 수 만큼 나올 수 있다는 것 알아주시기 바랍니다.

6. 깃헙 - GitHub

책에 있는 소스들은 모두 깃헙이라는 곳에 저장을 해 두었습니다. 이 소스들을 다운로드 받는다면 공부에 많은 도움이 되겠죠? 그래서 여러분과 깃헙에 저장된 소스를 공유하고자 합니다. 소스를 다운로드 받기 위해서는 먼저 깃(git)이라는 것이 필요합니다. 아래에 있는 인터넷 주소를 따라들어가서 프로그램을 다운로드 받을 수 있습니다. 해당 페이지에는 윈도우용, 맥용, 리눅스용의 깃을 다운로드할 경로가 나와 있습니다. 본인의 컴퓨터에 맞는 운영체제를 선택해서 설치할 수 있습니다.

https://git-scm.com/downloads

지금까지 우리는 파이썬 코딩을 연습해 왔습니다. 혹시라도 이 책을 읽으면서 책에 나온 내용을 따라서 코딩을 하셨다면 다음의 위치에 코딩을 해 놓은 소스 파일들이 저장이 되어 있겠죠?

C:₩PythonProject₩MyRPA

우리가 코딩을 하면서 .py나 .ui 파일들을 저장해 놓은 곳의 위치입니다. 이렇게 우리가 만들고 수정한 소스코드를 관리해 주는 툴들이 있습니다. 여기선 그 툴 중의 하나인 깃헙을 살펴보려고 합니다. 소스를 관리하는 툴은 소스를 모두 서버에 저장을 합니다. 수정이 될 때마다 원할 때마다 변경된 소스 코드들을 저장을 할 수 있습니다. 그리고 만약에라도 이전에 수정했던 내용으로 소스를 되돌리고자 할 때는 히스토리 기능이 있어서 원하는 시점으로 되돌아갈 수도 있습니다. 그 뿐만 아니라 다른 컴퓨터에서도 현재의 소스와 동일한 코드를 다운로드 받아서 사용할 수 있겠죠.

또 한가지 아주 중요한 기능 중의 하나는 여러 사람들이 동시에 하나의 프로젝트를 같이 개발할 수 있는 기능을 지원하는 것입니다. 서로 다른 파일이 아니라 같은 파일을 동시에 수정을 할 수도 있습니다. 당장 지금은 경험하기 어렵겠지만 이런 소스 관리 툴로 인해서 복잡한 소프트웨어 개발을 여러 명의 개발자가 같이 일을 할 수 있게 해 줍니다. 지금까지 이런 툴을 소스 관리 툴이라고 했는데 일반적으로는 형상관리 툴이라고 부릅니다. 여러가지 다양한 툴 중에서 일반 사용자가 개인 프로젝트용으로 가장 많이 사용하고 있는 것이 바로 이 깃헙입니다.

오픈소스를 개발하는 사람들은 이 깃헙을 이용해서 본인들의 소스를 전세계 여러분들과 공유하기도 하죠. 저도 이 책에서 사용된 모든 소스를 여러분과 공유하고자 합니다.

첫번째, 탐색기를 엽니다. 그리고 우리 프로젝트가 있는 폴더로 이동을 합니다. 작업 중엔 MyRPA 폴더만 있습니다. 여기서 [내 PC > Ricky(C:) > PythonProject >]를 지우고 대신 'cmd'를 입력합니다. 그러면 명령 프롬프트 창이 뜹니다.

두번째, 명령어 프롬프트 창에 다음과 같이 입력을 합니다.

C:\>PythonProject>git clone https://github.com/sohyemini/MyRPA.git book

https://github.com/sohyemini/MyRPA.git는 제가 올려둔 소스가 있는 위치이고 git의 clone 이라는 명령을 이용하여 현재 있는 폴더에 book 이라는 폴더를 만들고 소스를 다운로드 받게 됩니다. book 폴더를 열어보면 책에 있는 모든 소스와 관련된 데이터가 들어 있음을 알 수 있습니다.

프로그램 소스 데이터를 받았습니다만, 내 소스도 저장을 할 필요가 있습니다. 그래서 이번에는 내 소스를 어떻게 저장을 하는지를 살펴보도록 하겠습니다. 차근차근 어떻게 만드는지를 확인해 보겠습니다. 우선 깃헙에 가입을 하도록 합니다.

https://github.com/github

페이지 우측 상단에서 Sing in으로 들어가서 이메일 주소를 입력하고 Continue를 선택 다음으로 이동을 합니다. 이메일, 비밀번호, 사용자이름, 뉴스레터 등을 받아 볼 것인지를 묻는 질문 등에 답을 해야 합니다.

그 외에도 로봇이 아니라는 것을 검증하기 위해서 간단한 문제도 풀고, 사용자가 몇명이나 될 것인지 그리고 학생이나 선생님인지를 묻기도 합니다. 그 외에도 다양한 질문을 물어보는데 답변을 대충 하시고 마지막에 "Continue for free" 무료 사용을 선택합니다. 무사히 가입을 마쳤다면 다음의 화면을 볼 수 있습니다. 깃헙의 대시보드 화면입니다.

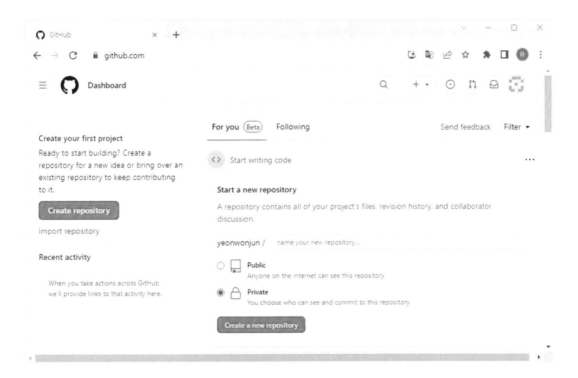

이젠 우리가 코딩을 하던 프로젝트를 깃헙에 저장을 하려고 합니다. 파이참에서 VCS → Share Project on GitHub을 선택합니다.

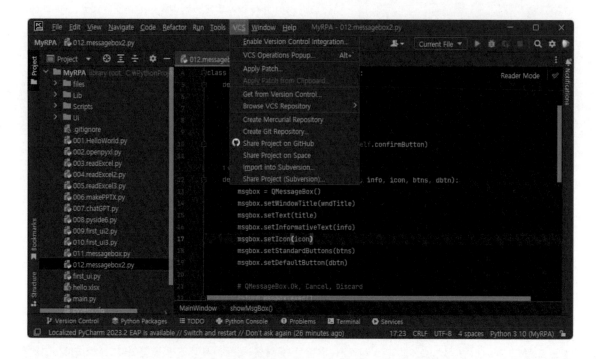

상황에 따라 약간 다를 수도 있겠습니다만 어쨌거나 제 경우에는 다음과 같은 화면이 나왔습니다. 어쨌거나 깃헙에 로그인을 해야지만 파이참과 연결이 됩니다.

우리는 이미 깃헙에 가입을 했고 대시보드 화면을 본 상태이기 때문에 로그인이 된 상태입니다. 그래서 별도로 로그인을 하지는 않습니다. 다만 화면의 메시지를 보고 다음으로 넘겨야 하며 마지막에 "You have been successfully authorized in GitHub. You can close the page." 와 같은 메시지를 보았다면 정상적으로 연결된 것입니다.

Description에 간단한 설명을 넣어주고, Share를 눌러 내 소스코드를 깃헙 서버로 업로드 할 수 있는 준비를 마칩니다. 우측 상단에 Private에 체크가 되어 있으면 다른 사람들이 내 코드를 보거나 다운로드 할 수 없습

니다. 만일 오픈소스로 내 소스를 오픈하고자 할때는 체크 표시를 없애 줍니다. 만약에 오른쪽 하단에 Git이 설치되지 않았다는 메시지가 뜨면 Add를 눌러 설치를 해 줍니다. 깃헙은 Git을 기반으로 만들어졌고, 파이참 에서도 Git을 기본적으로 이용을 합니다.

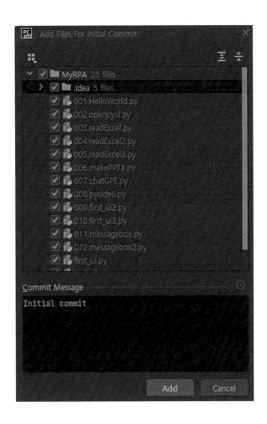

처음으로 Commit을 한다는 작은 창이 뜨면 Add를 클릭해 줍니다. 프로젝트에 있는 파일들이 모두 보이는데 체크가 된 파일이 대상이 됩니다. commit, 커밋은 내 컴퓨터 내에 현재 소스를 저장해 놓겠다는 의미입니다. 깃헙은 소스코드를 바로 서버로 올리지 않고 내 컴퓨터에 우선 저장을 해 놓습니다. 그 이후에 Push, 푸쉬를 통해서 서버로 소스를 전송합니다. Add를 누르는 순간 현재 소스의 내용이 컴퓨터에 저장이 됩니다. 소스가 저장이 된 후, 파이참 화면을 보면 다음과 같습니다.

빨간색 박스와 같이 없던 것들이 생겼습니다. 왼쪽의 커밋은 소스가 로컬에 커밋된 소스 또는 서버와 하나 라도 다를 경우에 표시가 됩니다. 지금 상태에서 소스에 아무런 글자나 입력해 보시기 바랍니다. '#'을 하 나 입력했을 뿐인데 파일이 변경 되었다고 좌측의 Commit 창에 파일명이 나타납니다.

테스트를 위해서 새로운 파일을 만들면 다음과 같이 새로운 파일을 추가하겠느냐는 메시지가 뜹니다. Add 를 눌러야 깃헙에 추가를 할 수 있게 됩니다.

수정이 되고 추가된 파일들이 Commit 창에 나타납니다. 깃헙에 올리기 위해서는 우선 올려야 할 파일들을 체크해 줍니다. 그리고 어떤 이유로 파일이 수정되거나 추가되었는지를 Commit Message에 넣어 줍니다. 어떤 이유로 파일이 변경이 되었는지 또는 수정이 되었는지를 바뀐 소스코드를 보지 않아도 쉽게 파악할 수 있도록 하기 위함입니다.

Commit Message 아래에는 파란색의 Commit 버튼이 있습니다. 커밋을 누르면 컴퓨터에 수정된 사항이 저장이 됩니다. 그리고 이렇게 컴퓨터에 저장이 된 변경 정보를 깃헙 서버로 올리기 위해서는 우측 상단의 ↗버튼을 누릅니다. 이 버튼의 역할은 Push입니다.

Push를 하면 비로소 변경된 소스파일의 정보가 모두 깃헙으로 올라갑니다. 그럼 여기서 깃헙을 로그인해서 어떤 것이 보이는지 알아봐야겠습니다. 깃헙을 로그인해서 보면 왼쪽에 자신의 아이디 + / + MyRPA가 보일껍니다. 그럼 거길 눌러서 MyRPA의 저장소로 이동을 합니다. 저장소에는 우리 프로젝트의 모든 파일들을 볼 수 있습니다. 우리가 추가한 커밋 메시지들도 볼 수 있고, 각 파일을 누르면 소스코드도 볼 수 있습니다. 또한 파일 리스트가 보이는 화면에서 코드 버튼을 누르면 소스를 다운로드 받을 수 있는 주소도 볼 수 있습니다.

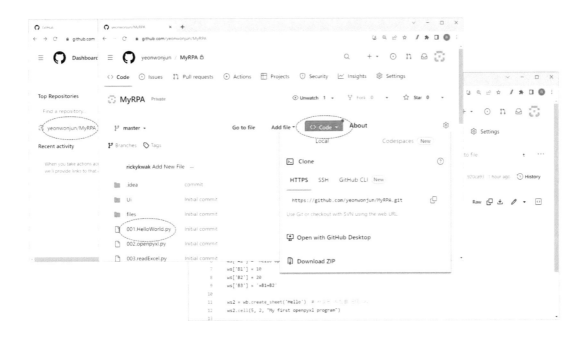

혼자 개발하는 경우 깃헙은 정기적인 소스코드 저장을 하는 가장 기본적인 역할을 합니다. 또한 개인이 개발을 하더라도 복잡한 프로그램의 경우 기능을 원복하기 위해서 특정한 위치로 소스코드를 변경하고자 할 때도 유용하게 사용할 수 있습니다. 또 다른 경우라면 혼자서 개발을 하지만 집에서 소스코드를 변경하기도 하고 사무실에서 다른 컴퓨터로도 개발을 한다고 하면 소스코드를 가지고 다니거나 노트북을 가지고 다닐 필요가 없습니다. 지금은 여기까지만 보고 나중에 집에서 개발하던 소스를 회사 컴퓨터에서는 어떻게 수정을 하는지 그리고 서로 다른 컴퓨터에서 수정한 내용이 어떻게 자동을 합쳐지는지를 살펴보도록 하겠습니다.

7. 웹 크롤링

인터넷은 우리에게 있어 없어서는 안될 존재가 된지 이미 오래입니다. 하나에서 열까지 인터넷을 통하지 않고서는 아무것도 할 수 없다고 해도 과언이 아니죠. 뉴스를 시작으로해서 이메일을 확인하고, 맛있는 식당을 찾아 리뷰를 검색하고, 여행 갈 곳들을 검색합니다. 모르는 것이 있을 때는 구글신에게 물어보라고 합니다. 구글을 통해서 검색하면 못찾을 정보가 없기 때문에 우스갯소리로 하는 얘기가 요즘은 너무나도 당연하게 사용되고 있죠. 그뿐만 아닙니다. 웹브라우저를 열고 인터넷 쇼핑몰에 들어가면 먹거리부터 자동차까지도 쇼핑을 할 수 있습니다. 국내 뿐만 아니라 해외의 쇼핑몰을 이용해서도 쇼핑을 하죠. 우리는 업무에서도 인터넷을 사용 할 수 밖에 없는 환경입니다. 예전에는 프로그램으로 되어 있었던 사내 시스템들이 모두 웹브라우저를 통해야만 사용할 수 있도록 바뀌었습니다. 휴가계를 올릴때도 사내 표준 정보를 찾을 때도 기안서도 요즘은 사내 포털을 접속해야만 처리할 수 있는 시대입니다.

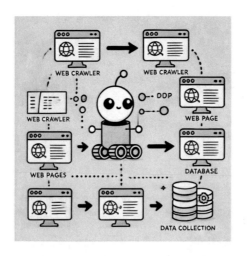

웹 크롤링은 웹을 돌아다니며 필요한 정보들을 획득할 수 있는 방법들을 이야기 합니다. 웹은 HTML, Hyper Text Markup Language로 되어 있고 되어 있습니다. 그런 정보들이 내 컴퓨터까지 날아오고 그 정보를 우리가 사용하는 웹브라우저인 크롬, 엣지, 익스플로러 등이 받아서 해석을 하고 해석된 내용을 바탕으로 화면에 글자를 출력하고 그림을 위치에 맞게 그려줍니다. 화면에 보이는 것 보다 더 많은 내용이 숨겨있다가 웹에서 사용자가 어떤 동작을 하면 그때서야 보여주기도 합니다. 웹 크롤링은 이렇게 내 컴퓨터로 날아오는 정보들을 찾고 또 연결되어 있는 웹주소를 찾아가서 정보를 찾는 일을 반복적으로 수행합니다. 이렇게 웹 크롤링을 하는 프로그램을 웹봇(웹 로봇의 약자) 또는 웹크롤러라고 합니다. 예를 들어볼까요? 다음이나 네이버에 접속을 했습니다. 그러면 스포츠를 클릭해서 스포츠 란으로 갑니다. 여기서 다시 프로야구를 선택을 하고 제가 좋아하는 LG트윈스를 클릭합니다. 이런 일련의 과정들을 웹봇을 통해서 할 수 있습니다.

이제는 예제가 아니라 실제로 웹 크롤링을 해 보겠습니다. 먼저 크롬 브라우저를 사용해 주세요. 그리고 daum.net의 뉴스에 들어가 '은행' 이라는 단어로 검색을 해 보겠습니다. 그리고 검색된 뉴스의 제목과 링크를 화면에 출력하는 웹 크롤링 프로그램을 만들어 보겠습니다. 다음의 그림과 같이 우리는 Daum에 저속해서 은행을 검색하고 탭을 통합에서 뉴스로 이동을 했습니다. 그러면 은행과 관련된 뉴스들이 쭉 나타납니다. 여기서 주소를 선택해 둡니다.

앞의 그림과 같이 화면에 보이는 검색 결과는 모두 HTML이라는 언어로 구성이 되어 있습니다. 그래서 우리는 이 HTML을 분석해서 우리가 원하는 결과를 찾아오려고 합니다. 크롬브라우저에서는 HTML을 보고 우리가 원하는 부분을 볼 수 있는 기능이 숨어 있습니다. HTML은 우리에게 익숙한 언어는 아니지만 화면에 보이는 글자 정보들은 그대로 HTML안에 녹아 들어가 있습니다. 그렇기 때문에 그 정보들을 어떻게 분리해서 가져 오느냐가 관건입니다. 물론 관련 패키지는 나중에 소개시켜드리도록 하겠습니다. 크롬 브라우저에서 위와 같이 검색을 한 후에 키보드에서 F12 키를 눌러봅니다. 숨어 있는 HTML을 분석해서 우리가 필요한 부분을 가져오기 위함입니다. HTML을 상세하게 알아야 할 필요는 없습니다만, 기본적인 지식이 있어야 웹 크롤링을 할 수 있습니다. 모두 알 필요는 없으니 우선 살펴보면서 필요한 부분은 설명해 드리도록 하겠습니다.

크롬 브라우저 오른편에 우리가 보지 못하던 창이 나타납니다. 이 부분을 통해서 우리는 우리가 필요한 정보를 어떻게 찾아가는지를 간단하게 배워보도록 하겠습니다. 우측 상부에서 엘리먼트 창을 봅니다. 여기에 나타나는 텍스트가 바로 HTML 입니다. HTML은 자동으로 계층화해서 보여줍니다. 하위 계층에 추가적인 HTML이 있는 경우에는 좌측에 ▶가 있습니다. ▶를 누르면 하위의 HTML이 계층화되어 나타나면서 ▼로 바뀌게 됩니다. 그리고 선택이 된 부분에 따라서 좌측에 하늘색으로 표시가 됩니다. 마우스를 이동하면서 ▶와 ▼를 이용해서 우리가 원하는 정보를 찾아야 합니다.

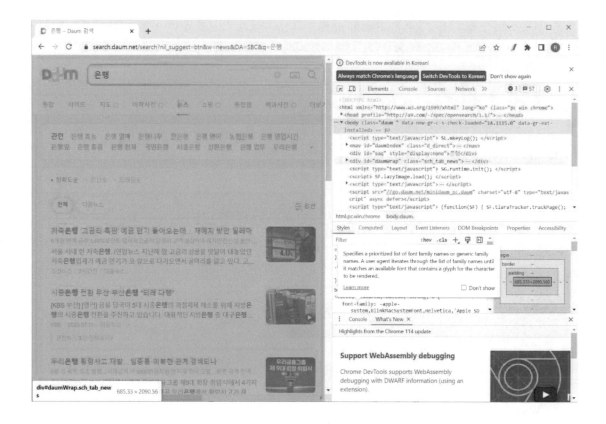

화면에서 우리는 맨 앞에 있는 뉴스를 찾아서 나오도록 찾기를 계속해야 합니다. 찾아들어가다 보면 다음과 같이 첫 뉴스의 제목이 선택되는 부분을 찾을 수 있습니다. 우리는 이 부분을 가져올 것입니다. 잘 살펴보기 위해서 우측 하단에 우리가 가져와야 할 HTML 부분을 확대해 놨습니다.

우리가 보고 있는 화면은 첫번째 뉴스에 대한 내용입니다. 두번째 뉴스를 또 찾아 볼까요? 아래쪽으로 조금 내려가면서 하나씩 살펴보면 어렵지 않게 찾을 수 있습니다. 첫번째 뉴스와 동일한 구조를 가지고 있습니다. 이 반복되는 구조에서 패턴을 찾아서 우리는 분석하는데서 사용하면 됩니다.

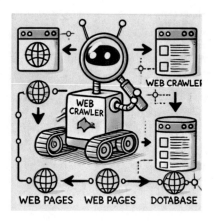

<div class="wrap_cont">가 뉴스를 모두 감싸고 있죠? 이 부분 아래를 가지고 와서 분석을 하면 됩니다. 텍스트와 주소를 가지고 오기 위해서는 HTML의 기본적인 것을 알아야 합니다. HTML은 주소를 나타내기 위해서 "<a href"로 시작을 합니다.

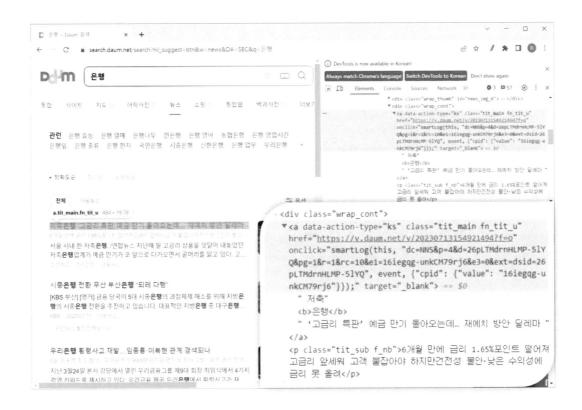

그러면 어떻게 크롬 브라우저에서 보이는 내용을 분석해서 사용할 수 있을까요? 파이썬의 패키지 중에서는 HTML을 받아서 분석해주는 bs4, Beautiful Soup이라는 것이 존재합니다.

```
pip install bs4
```

앞서서 어떻게 분석을 하는지 이론적인 부분을 간단하게 살펴봤습니다. 다시 한번 순서를 이야기 하자면, HTML로 들어오는 웹 정보들에서 내가 필요한 부분만, 뉴스에서 제목과 링크를 가져오기 위해서는 반복되는 부분을 찾아야 한다고 말씀을 드렸습니다. 이것을 Beautiful Soup을 이용해 구현해 보도록 하겠습니다.

다음의 코드를 보면 메모를 위한 주석문을 제외하고 나면 10줄 밖에 안됩니다. 그런데 아래 콘솔에 출력된 내용을 보면 기사의 제목과 주소들이 나열되어 있는 것을 볼 수 있습니다. 이 코드들을 하나씩 살펴보도록 하겠습니다.

```python
from bs4 import BeautifulSoup
import requests

# 뉴스 중에 '은행'이 들어간 뉴스 검색을 한 url
url = "https://search.daum.net/search?nil_suggest=btn&w=news&DA=SBC&q=%EC%9D%80%ED%96%89"

html = requests.get(url).text
soup = BeautifulSoup(html, "html.parser")

links = soup.find_all("div", {"class": "wrap_cont"})
for link in links:
    title = link.find('a').text
    addr = link.find('a')["href"]
    print(title, ":", addr)
```

```
1    from bs4 import BeautifulSoup
2    import requests
```

처음 두 줄을 볼까요? BeautifulSoup을 import하고 있는데 실제적으로 우리가 사용을 하게 될 패키지죠. 다음은 requests라는 패키지를 가져옵니다. requests 패키지는 인터넷 주소를 주면 HTML을 가져오는 기능을 하게 됩니다. BeautifulSoup이 HTML을 분석만 해 주기 때문에 HTML의 내용을 가져오기 위해서 사용하게 되는 패키지입니다.

```
     # 뉴스 중에 '은행'이 들어간 뉴스 검색을 한 url
4    url =
5    "https://search.daum.net/search?nil_suggest=btn&w=news&DA=SBC&q=%EC%9D%80%ED%
     96%89"
```

Daum에서 "은행"이라는 단어로 검색을 하고 뉴스 탭으로 이동을 했을 때, 나타나는 인터넷 주소를 크롬 브라우저에서 복사해 넣은 부분입니다. 웹 브라우저에서 주소를 보면 분명 "=은행"으로 끝이 나는데 주소를 전체 선택하고 붙여 넣기를 하면 위와 같이 %가 들어간 문자열로 표현이 됩니다. 이유는 웹은 영어를 표시하는 표준을 사용하기 때문입니다. 영어를 사용하는 표준을 이용해 한글을 표시하다보니 위와 같이 %로 시작하는 이상한 문자열로 나타나는 것입니다.

변수명은 url이라고 지정을 했습니다. url은 Uniform Resources Locator의 약자로 인터넷 주소, 인터넷에 있는 이미지 등의 위치를 표현하는 방법입니다. 이해하기 쉽게 url이라고 지정을 했습니다만 의미를 모르실 수 있을 것 같아 설명을 드립니다.

```
7    html = requests.get(url).text
8    soup = BeautifulSoup(html, "html.parser")
```

첫번째 줄에서는 requests 패키지에서 get() 함수를 이용해서 우리가 접속하고자 하는 주소를 주고, 그 주소에서 받은 HTML의 text만을 받아 html 변수에 넣어줍니다. 어떤 내용이 들어오는지를 알아보기 위해서는 첫 번째 줄 다음에 print(html) 함수를 이용해서 어떤 정보들이 들어오는지 확인을 할 수 있습니다. 맨 뒤의 .text를 빼고 출력도 해 보시기 바랍니다.

주소를 넘겨서 받은 html text를 받았다면 HTML을 분석해주는 BeautifulSoup으로 넘겨서 분석한 값을 soup에서 받습니다.

```
10    links = soup.find_all("div", {"class": "wrap_cont"})
```

<div class="wrap_cont">가 뉴스를 모두 감싸고 있었고 그 안에 "<a href"라는 구문에 뉴스의 주소를 가지고 있었습니다. BeautifulSoup에서 분석해 놓은 soup에서 "div"

죠? 이 부분 아래를 가지고 와서 분석을 하면 됩니다. 텍스트와 주소를 가지고 오기 위해서는 HTML의 기본적인 것을 알아야 합니다. HTML은 주소를 나타내기 위해서 "<a href"로 시작을 합니다. div로 나뉘어져 있는 HTML의 내용 중에서 class 이름이 wrap_cont를 찾아서 모두 links 변수에 넣게 됩니다. 이렇게 find_all을 통해 HTML상에서의 문자열을 모두 쉽게 가져왔습니다. 그렇지 않으면 HTML을 일일이 우리가 분석을 하고 분석된 내용을 코딩으로 잘라내서 데이터를 찾아야 하는 번거로움이 있습니다. HTML을 모두 이해하고 있어야 분석을 할 수 있기 때문에 기본적인 HTML의 지식만 있어도 웹 페이지에서 정보를 가지고 올 수 있습니다.

```
11    for link in links:
12        title = link.find('a').text
```

```
13        addr = link.find('a')["href"]
14        print(title, ":", addr)
```

새로운 형태의 for문이 나와있습니다. 우리가 배운 for문은 range()를 이용해서 시작 숫자와 끝나는 숫자 그리고 증가하는 숫자를 넣어서 사용을 했습니다. for i in range(10)이라면 시작 숫자와 증가 숫자 0, 1이 각각 생략된 상태로 for i in range(0, 10, 1)과 같습니다. 이 경우에는 i가 0에서 시작해서 9까지 순차적으로 변경되며 for문 안에 있는 문장들을 실행하게 되죠.

그런데 여기서는 in 이라는 단어 다음에 links라는 변수를 넣어주고 있습니다. 보이는대로 추측을 해 보면 links안에 있는 것들을 순서대로 link에 넣으라는 의미입니다. links에는 여러 개의 정보가 굴비처럼 엮어있다고 생각하시면 쉬울 것 같습니다. 각각 달려있는 것은 굴비가 아니라 BeautifulSoup이 분석해서 분류해 놓은 정보들이죠. 그래서 for문에서는 하나씩 순서대로 link에 넣어주는 것입니다. 참고로 엮어진 굴비는 '['와 ']' 사이에 ','로 구분되어 쭉 들어 있습니다.

다음은 for문 안에 들어 있는 title과 addr입니다. 인터넷을 검색하다보면 파이썬과 같이 밑줄이 그어진 단어가 있고 그 단어를 클릭하면 새로운 페이지로 이동을 하는 것을 많이 보셨죠? 여기서 파이썬이 text입니다. 그리고 이동하는 페이지의 주소가 addr입니다. for문 안에 들어 있는 두 줄이 바로 이 역할을 합니다.

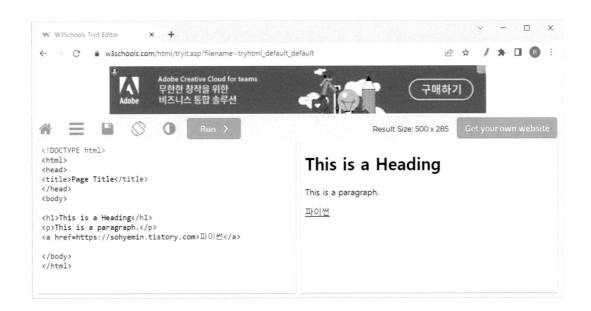

앞의 페이지는 HTML을 넣고 Run을 누르면 그 결과를 오른쪽에 볼 수 있는 HTML 학습 페이지 입니다. 제가 왼쪽에 테스트용으로 넣은 것은 다음과 같습니다.

<a href=https://sohyemin.tistory.com>파이썬</a>

파이썬을 누르면 해당 블로그로 이동을 합니다. 이 문장을 보면 for문 안의 두 문장이 쉽게 이해가 되실 것 같습니다. a로 시작하는 text는 <a>와 </a> 사이의 문장이고 href를 찾으면 = 다음에 오는 주소를 이야기 하는 것입니다.

다음의 코드는 무슨일을 하는 코드일까요?

```python
import urllib.request
from bs4 import BeautifulSoup

hdr = {'User-Agent'_: 'Mozilla/5.0'}
url = 'https://www.melon.com/chart/index.htm'

req = urllib.request.Request(url, headers=hdr)
html = urllib.request.urlopen(req).read()
soup = BeautifulSoup(html, 'html.parser')

lst50 = soup.select('.lst50')

for i in lst50:
    print(i.select_one('.rank').text, end='위 ')
    print(i.select_one('.ellipsis.rank01').a.text, end=' ')
    print(i.select_one('.ellipsis.rank02').a.text, end=' ')
    print(i.select_one('.ellipsis.rank03').a.text)
```

실행을 시켜보시면 정확한 내용을 아실 수 있을텐데요. 바로 멜론에서 50위까지의 순위를 출력시켜주는 웹 크롤링 코드입니다.

처음엔 웹 크롤링을 통해 많은 정보들을 접할 수 있을 것으로 예상을 했고 그 유용한 정보들을 이용해서 재미있는 프로그램들을 만들 것이라고 기대 했습니다. 하지만 적어도 제 기준에서는 웹은 너무도 빠르게 변하는 세상이었습니다. HTML이 그리 쉽지도 않았습니다. 웹을 전문적으로 다룬다면 모를까 적어도 제가 느끼기엔 참 어려운 분야라는 생각을 했습니다. 유튜브를 검색해보면 참 많은 웹크롤링 강좌들이 있는데 주로 연예인 사진들을 다운로드 받는 등의 간단한 것들이 주를 이뤘습니다. 그래서 나름대로 내린 결론은 웹크롤링은 전문가에게 맡기자는 것이었습니다. 그런데 왜 하나의 챕터를 할애해서 웹 크롤링을 설명했는지 나중에 만들어 볼 프로그램에 대해서 스포를 하고자 합니다.

파이썬 패키지 중에서 구글 뉴스를 크롤링 해 주는 패키지를 찾았습니다. 이 친구를 이용해서 관심 분야의 24시간 동안의 영문 뉴스를 검색합니다. 그리고 ChatGPT를 이용해서 영문 뉴스를 한글로 요약합니다. 이렇게 요약한 영문 뉴스를 제목과 링크를 매일 일정 시간에 이메일로 보내주는 프로그램을 만들어 보려고 합니다. 우리가 만들 프로젝트 중의 하나입니다.

8. Google News

지난 24시간 동안의 영문 구글 뉴스를 키워드로 검색하고 검색된 뉴스를 ChatGPT를 이용하여 한글로 요약한 후, 원문 뉴스와 그 주소를 이메일로 보내주는 서비스를 만들 계획이라고 말씀드렸습니다. 그러면 영문 구글 뉴스를 어떻게 검색하고 어떤 패키지가 있는지 살펴보고 간단하게 영문 구글 뉴스를 검색하는 것에 대해서 살펴보고 넘어가고자 합니다.

```python
from GoogleNews import GoogleNews

googlenews = GoogleNews(lang='en', period='1d')
googlenews.search('RPA solution')
googlenews.results(sort=True)

texts = googlenews.get_texts()
links = googlenews.get_links()

print(texts)
print(links)
print(len(texts))
```

패키지 이름은 GoogleNews입니다. pip install 기억하시죠? 터미널 창을 열어 패키지를 먼저 설치 합니다. 터미널에 입력하지 않고 하는 다른 방법도 있습니다. 파이참의 메뉴에서 File → Settings → Project : MyRPA → Python interpreter에서 좌측 상단의 + 버튼을 이용해 패키지를 설치할 수도 있습니다. 각자 편한 방법을 선택하면 됩니다.

import가 끝이났다면 GoogleNews() 클래스를 호출하여 새로운 googlenews를 생성해 줍니다. 생성을 할 때에 매개변수 두 개를 넘겨주고 있습니다. 하나는 lang='en'으로 언어를 영어로 설정을 하였고, period='1d'로 하루의 기간을 매개변수로 넘기고 있습니다. 즉, 영어 뉴스 하루치로 사전에 설정을 해 놓는 것입니다. 이외에도 지역을 설정할 수 있습니다. region='US'와 같이 넣는다면 영어 뉴스 하루치인데 미국 내에서 올라온 뉴스만을 가져오게 됩니다.

```
1   googlenews = GoogleNews(lang='en', period='1d')
```

만약에 '1d'가 아니라 기간을 설정하고 싶다면 start와 end 날짜를 지정해 줄 수도 있습니다. 예를 들어 2024년 1월 21일에서 1월 22일까지의 뉴스를 검색하고 싶다면 start='01/21/2024', end='01/22/2024'와 같이 시작과 끝 날짜를 정해주면 됩니다.
다음은 search()함수를 이용해서 검색어를 넣습니다. 나중에는 검색어를 GUI 화면에서 lineEdit 위젯으로

```
4    googlenews.search('RPA solution')
5    googlenews.results(sort=True)
```

받아서 search( ) 함수에 넣어주면 될 것 같습니다. search( ) 함수를 호출하면 실제로 검색이 일어납니다. 그리고 검색된 결과는 googlenews라는 변수에 저장이 되게 됩니다. 검색이 완료된 이후에 다음은 옵션으로 결과물을 순서대로 나오게 할 것인지를 정할 수 있습니다. 있어도 되고 없어도 되는 옵션이지만 우리는 날짜 순서대로 정렬을 하도록 results( ) 함수에 정렬을 할 수 있도록 sort=True를 줍니다.

```
7    texts = googlenews.get_texts()
8    links = googlenews.get_links()
9
10   print(texts)
11   print(links)
12   print(len(texts))
```

googlenews 변수에서 get_texts( ) 함수와 get_links( ) 함수를 이용해서 각각의 정보를 얻어 올 수 있습니다. 이 정보들은 모두 굴비처럼 엮여 있다고 예를 들어 말씀드린 리스트라는 형태로 저장이 되어 있습니다. for 문에서 for text in texts와 같이 썼던 문장이 기억나시나요? 바로 그렇게 출력을 할 수 있는 리스트 형태로 뉴스의 제목은 texts에 뉴스의 주소는 links에 저장이 됩니다. 앞서서 sort=True로 옵션을 주었기 때문에 두 변수에 저장된 값들은 날짜 순으로 정렬이 되어 있습니다. 리스트들을 print( ) 함수에 넣어서 출력하고 있습니다. 그러면 굴비처럼 엮인 놈들이 '['와 '] ' 사이에 콤마로 각각 구분되어 나타날 것입니다. 마지막으로 len( )이라는 함수에 texts를 넣으면 굴비가 몇마리가 있는지, 즉 texts에 몇개의 결과가 들어있는지를 출력해 줍니다. 이와 같이 len( ) 함수를 사용한다면 for문의 구성은 for i in range(len(texts))와 같이 사용할 수 있겠습니다. 그럼 len(texts)를 이용한 for문으로 각각 뉴스 제목과 주소를 한 줄에 출력하는 프로그램을 만들어 보도록 합시다. 검색어를 바꿔보고 뉴스의 시작 날짜와 끝 날짜를 변경해 봐도 좋겠습니다.

책에는 소스를 담지 않겠습니다. 여러분께서 직접 해 보시고, 정답은 깃헙에서 소스를 받아 확인하시기 바랍니다.

```
C:\PythonProject\MyRPA\venv\Scripts\python.exe C:\PythonProject\MyRPA\016_GoogleNewsCrawling.py
'<' not supported between instances of 'datetime.datetime' and 'float'
['5 "Best" RPA Courses & Certifications (July 2023)', 'Hancom, POSCO DX pursue robotic process automation solutions',
['https://www.unite.ai/top-5-rpa-certifications/', 'https://www.kedglobal.com/tech,-media-telecom/newsView/ked202306280
10
```

9. 이메일 보내기

"자동으로 이메일을 보내줄 수 있다면 얼마나 좋을까?"라는 생각을 해 보셨나요? 이전 우리가 만들게 될 프로그램 스포를 해 드렸죠. 매일 유용한 정보를 주변사람들에게 보내면 좋겠다는 생각에서 자동으로 이메일을 보내는 프로그램을 생각하게 되었습니다. 아이디어만 있다면 만들지 못할 프로그램은 없다라고 생각을 하고 그런 프로그램 관련 인프라도 잘 갖춰져 있다고 생각합니다. 요즘은 아이디어만 있으면 되는 세상이 아닐까 합니다.

이번에는 이메일을 보내는 프로그램을 만들어 보겠습니다. 실제 프로그램을 하기 전에 사전 지식으로 알고 있어야 할 내용을 먼저 보고 가려고 합니다. 이메일은 어떻게 보낼 수 있을까요? 이메일은 그 나름의 전송 규약이 있습니다. 우리가 편지를 보낼 때, 먼저 편지를 쓰고 보내는 사람 인근의 우체국에서 시작해서 받는 사람이 있는 우체국을 통해서 최종 받는 사람에게 우편물이 배달 되는 것처럼 이메일도 비슷한 방식을 취하게 됩니다. 이메일을 보내는 사람이 스마트 폰이건 개인 컴퓨터에서건 이메일을 작성합니다. 작성된 이메일은 해당 보내는 사람의 이메일 서버로 전송이 되는 것입니다. 네이버 메일을 쓰고 있으면 네이버 메일서버로, 다음 메일을 쓰고 있으면 다음 메일서버, 지메일을 사용하고 있으면 지메일의 메일 서버로 이메일이 전송이 됩니다. 다음은 받는 사람의 이메일 서버로 전송이 되겠죠. 마지막으로 받는 사람이 본인의 메일 서버에 접속해서 메일을 가지고 오는 방식입니다. 메일을 보내는 사람에게서 메일 서버로, 또한 메일 서버간의 통신을 위한 규약이 SMTP, Simple Mail Transfer Protocol, 메일을 받아오는데 사용하는 규약이 POP3, Post Office Protocol 입니다. POP3를 대신해서 사용할 수 있는 프로토콜이 IMAP, Internet Message Access Protocol 입니다.

그럼 우리가 이메일을 보내는 프로그램을 만들려면 어떻게 하면 될까요? 네! SMTP 규약을 이용해서 우리가 사용하고 있는 이메일 서버로 메일을 전송하기만 하면 됩니다. 그러면 어떤 정보를 SMTP를 통해서 서버로 전달하면 될까요? SMTP로 보내는 이메일 그 자체에도 표준 포맷이 있습니다. 바로 MIME, Multipurpose Internet Mail Extension이라는 것입니다.

자! 다음의 소스를 이용해서 메일을 먼저 보내보도록 합시다. 여기서는 네이버 이메일을 사용했습니다. 각 메일마다 다른점이 있을 수 있으니 네이버 메일로 테스트를 해 주시기 바랍니다.

어디 어디를 수정해야 할까요? 먼저 ***로 되어 있는 부분은 여러분들의 네이버 메일 주소에 맞게 그리고 비밀번호도 맞게 수정해 주시기 바랍니다. 받는 사람 이메일 주소도 변경해 주셔야겠죠? 그렇지 않으면 수신 메일을 확인할 수 없을테니까요.

015_sendEmail.py

```python
import smtplib
from email.mime.text import MIMEText
from email.mime.multipart import MIMEMultipart

# Set up the connection to the SMTP server
smtp_server = 'smtp.naver.com'
smtp_port = 587
smtp_username = 'ricky***@naver.com'
smtp_password = '*********'
smtp_connection = smtplib.SMTP(smtp_server, smtp_port)
smtp_connection.ehlo()
smtp_connection.starttls()
```

```
smtp_connection.login(smtp_username, smtp_password)


# Define the email message
from_email = 'ricky***@naver.com'
to_email = 'sohyemini@gmail.com'
subject = 'Test HTML email'


html_body = """
<html>
<body>
<h1>This is a test HTML email sent using Python!</h1>
<p>You can use HTML tags to format your message.</p>
</body>
</html>
"""


message = MIMEMultipart()
message['From'] = from_email
message['To'] = to_email
message['Subject'] = subject
message.attach(MIMEText(html_body, 'html'))


# Send the email
smtp_connection.sendmail(from_email, to_email, message.as_string())


# Close the connection to the SMTP server
smtp_connection.quit()

print(len(texts))
```

준비가 되었다면 실행을 시켜 봅니다. 먼저 메일 수신함을 열어 메일이 도착했는지를 확인하고요. 네이버 이메일로 보냈으니 네이버에 접속을 해서 보낸 편지함에 보낸 메일이 들어있는지도 확인합니다. 모두 확인이 되었다면 우리가 만든 코드가 정상 동작을 하는 것입니다. 다음 메일이나 지메일도 되는지 테스트 해 보실 수 있을 것 같네요. 안된다면 검색을 통해서 어떤 점이 다른지 확인해 보는 것도 좋은 방법입니다.

```
import smtplib
from email.mime.text import MIMEText
from email.mime.multipart import MIMEMultipart
```

import 구문은 총 세 줄로 되어있고 실제 import는 smtplib과 email.mime입니다. smtplib은 이미 살펴본 바와 같이 smtp 프로토콜에 대한 내용입니다. lib은 라이브러리라는 의미로 사용됩니다. 따라서 smtp 패키지 또는 라이브러리라는 의미가 되는 것입니다. 그 다음은 MIME를 사용하기 위한 import죠. MIME는 Multipurpose Internet Mail Extensions의 약자로 전자우편, 이메일을 위한 인터넷 표준 포맷입니다.

처음으로 알았습니다. pip로 두 개의 패키지를 설치를 해 보려고 했습니다만 설치할 수 없었습니다. 이유는 파이썬에서 기본 내장하고 있는 패키지였기 때문이다. 그러므로 설치를 할 수 없었다.

```
# Set up the connection to the SMTP server
smtp_server = 'smtp.naver.com'
smtp_port = 587
smtp_username = 'ricky***@naver.com'
smtp_password = '*********'
smtp_connection = smtplib.SMTP(smtp_server, smtp_port)
smtp_connection.ehlo()
smtp_connection.starttls()
smtp_connection.login(smtp_username, smtp_password)
```

smtp는 서버간에 전송하는 규약이라고 했습니다. 따라서 규약에 맞게 필요한 정보들을 채워줍니다. Naver 메일을 사용할 것이므로 Naver의 smtp 주소를 넣어줍니다. 네이버의 smtp 서버의 주소는 smtp.naver.com입니다. 인터넷에서는 주소와 함께 포트 번호를 사용합니다. 왜냐하면 주소는 하나인데 사용해야할 용도가 너무나도 많기 때문입니다. 그래서 포트를 나눠서 사용합니다. Naver의 smtp 서버의 포트 번호는 587입니다. 각 smtp 마다 포트 번호가 다르기 때문에 검색을 해서 확인을 하셔야 합니다. 다음은 이메일 주소와 비밀번호를 넣어줍니다. 제 개인 이메일 주소와 비밀번호가 있어서 ***로 표기를 했습니다. 여러분께서는 테스트하실 이메일 주소와 비밀번호를 정확하게 입력하셔야 합니다.

다음은 SMTP를 위한 커넥션을 만드는데 smtplib.SMTP() 함수에 smtp 주소와 포트 번호를 넘겨줍니다. 다음엔 커넥션에서 ehlo() 함수를 호출해서 실제적으로 SMTP 클라이언트와 서버가 연결이 된다고 합니다. 다음은 starttls()함수입니다. starttls가 하나의 단어가 아니고 start + tls입니다. tls은 인터넷 보안 프로토콜의 하나로 smtp 연결시 보안 연결을 의미하는 것입니다. 그리고 마지막으로 id와 password를 이용하여 로그인을 합니다.

```
# Define the email message
from_email = 'ricky***@naver.com'
to_email = 'sohyemini@gmail.com'
subject = 'Test HTML email'


html_body = """
<html>
<body>
<h1>This is a test HTML email sent using Python!</h1>
<p>You can use HTML tags to format your message.</p>
</body>
</html>
"""
```

from_email에서 subject까지는 나중에 메시지에 들어갈 정보이고, html_body는 이메일의 본문입니다. 이메일의 본문에 html으로 넣으면 좀 더 다양한 표현이 가능하기 때문입니다.

```
message = MIMEMultipart()
message['From'] = from_email
message['To'] = to_email
message['Subject'] = subject
message.attach(MIMEText(html_body, 'html'))
```

이메일 메시지에 대한 정보를 갖게 될 MIMEMultipart()를 선언해서 message에 담고 보내는 사람, 받는 사람, 제목 및 이메일 본문을 각각 추가합니다. 그리고 MIMEText를 이용해서 html 타입의 메일 본문을 추가합니다. 이로서 이메이을 보내기 위한 모든 준비가 끝이 났습니다.

```
# Send the email
smtp_connection.sendmail(from_email, to_email, message.as_string())

# Close the connection to the SMTP server
smtp_connection.quit()=
```

sendmail() 함수를 이용해서 메일을 보내고, smtp 서버의 연결을 끊습니다.

이메일 서버에 따라서, 그리고 서버 설정이 어떻게 되어 있느냐에 따라서 약간씩 보내는 방식이 다릅니다. 대표적으로 gmail의 경우에는 설정을 해야 할 내용도 상당히 많습니다. 보안이 강력하기 때문입니다. 필요하다면 인터넷 검색을 해서 차근차근 따라해 보시기 바랍니다.

10. 마우스와 키보드

마우스가 자동으로 움직이고 자동으로 키보드 입력을 해 줄 수 있는 프로그램을 만들면 재미있을 것 같다는 생각을 해 본 사람은 참 많을 것이다. 기초적인 부분은 정말 어렵지는 않다. 파이썬만 있으면 그런 것 쯤이야 누워서 떡 먹기다. 하지만 범용적으로 모든 사람의 컴퓨터에서 동작하는 그런 프로그램을 만들기는 쉽지 않다. 너무나 변수가 많기 때문이다. 하지만 내 컴퓨터에서 내가 원하는 동작을 만들어 보는 것은 재미있게 해 볼 수 있다. 이번 챕터에서 사용해 볼 패키지는 pyautogui인데 먼저 설치를 하고 나서 간단한 프로그램 몇 개를 만들어보도록 하자.

pip install pyautogui

먼저 만들어볼 프로그램은 터미널에 마우스의 좌표를 출력해 주는 프로그램입니다. 이미지를 보여주는 알씨라는 프로그램을 보면 우측 하단에 마우스의 좌표를 출력해 주고 있습니다. x, y 좌표를 각각 출력해 줍니다. 화면 전체의 좌표가 아니고 이미지의 좌표가 되겠죠. 또한 포토샵 같은 프로그램에서도 마우스 좌표를 보여줍니다. 다음의 간단한 프로그램이 바로 마우스 좌표를 터미널에 뿌려주는 프로그램입니다. 프로그램 코드는 간단해 보이지 않나요? 처음엔 pyautogui.size()를 출력하고 있는데요. 여기서 사이즈는 화면의 크기입니다. 우리가 알고 있는 해상도(resolution)과 같은 값을 출력하게 됩니다. while문은 기억을 하시나요? 괄호 안에 있는 값이 True일 경우에 반복하는 반복문입니다. 여기서는 while(True)이므로 무한 반복되는 프로그램입니다. 끝을 내기 위해서는 파이참에서 stop 버튼을 사용해서 멈출 수 있습니다. 마우스의 좌표는 pyautgui의 postion() 함수를 사용하면 됩니다. 여기서 x와 y를 따로 구분해서 출력할 필요가 있다면 주석문에 있는 대로 pyautogui.postion().x 또는 pyautogui.potion().y와 같이 사용할 수 있습니다.

여기서 우리가 처음보는 time.sleep(0.1)이라는 함수가 보입니다. 함수 이름처럼 우리의 프로그램을 잠재우는 것입니다. sleep() 함수의 매개변수의 단위는 초(sec)입니다. 여기에 있는 time.sleep(0.1)을 만나면 동작을 멈추고 0.1초 동안 아무런 동작을 하지 말고 기다리라는 의미입니다. while 반복문 안에서 print() 함수만 있을 경우 쉬지도 않고 화면에 출력을 하기 때문에 0.1초마다 print() 함수를 반복하라는 의미입니다.

```
1  import pyautogui
2  import time
3
4  print(f"screen size = {pyautogui.size()}")
5
6  while(True):
7      # print(pyautogui.position().x, pyautogui.position().y)
8      print(pyautogui.position())
9      time.sleep(0.1)
10
```

　　프로그램을 실행하자마자 Point(x=1234, y=234)와 같은 내용이 쉴새 없이 프린트 됩니다. 정확히는 0.1초마다 pyautogui가 마우스의 좌표를 출력하는 것이죠.
　　그럼 이 프로그램으로 무엇을 할 수 있을까요?

　　컴퓨터 화면에 있는 버튼이나 입력 위치의 좌표를 알 수 있겠네요. 거기에 pyautogui는 마우스의 좌표를 가지고 오는 것 뿐만 아니라 마우스의 위치를 옮기고 클릭, 더블 클릭을 할 수 있습니다. 문자를 출력해 넣을 수도 있습니다. 이런 기능이 있다면 우리가 할 수 있는 기능들이 더 많아지겠네요. 프로그램을 실행시키고 특정 동작도 시켜 볼 수 있을 것 같습니다.

　　우리가 만든 프로그램으로좌표를 찾아서 저장해 둘 수 있을 것 같습니다. 먼저 윈도우의 좌측하단에 "찾기"의 좌표를 찾아봅니다. 제 경우 찾기의 위치는 대략 255, 1757입니다. 마우스 커서를 이동할 때는 moveTo()함수를 사용합니다. 따라서 마우스를 이동하려면 pyautogui.moveTo(255, 1757) 입니다. 그런데 이동을 해서 클릭을 해야 하니 click() 함수를 이용합니다. pyautogui.click()을 그대로 호출해 주면 됩니다. 이 두가지를 하나로 표현하면 pyautogui.click(255,1757) 입니다. PowerPoint라고 검색창에 타이핑을 하고 싶습니다. 이럴 경우에는 pyautogui.typewrite('PowerPoint' , interval=0.1)과 같이 사용할 예정입니다. PowerPoint를 입력하는데 각 키보드를 누를 때의 인터벌을 0.1초 두라는 의미입니다. 마지막으로 엔터를 쳐야 겠죠? pyautogui.press('enter')와 같이 press() 함수를 호출해 주면 됩니다. keyboard와 관련된 변수는 pyautogui.KEYBOARD_KEYS를 출력해 보면 알 수 있다고 합니다.

```
1  import pyautogui as pag
2  import time as t
3
4  t.sleep(3)                              # 잠깐 기다렸다 실행시키기 위해서
5
6  pag.click(255, 1757)       # 윈도우 찾기에서 클릭
7  t.sleep(0.5)
8
9  pag.typewrite('PowerPoint', interval=0.1) # 파워포인트를 입력하고
10 t.sleep(0.5)
11
12 pag.press('enter')        # 엔터키를 누른다
13
14
```

글로 설명드린 내용을 그대로 코딩을 했습니다. import 할 때, pyautogui나 time을 모두 입력하는 대신 짧게 사용하기 위해서 as절을 사용한 것이 기존과 약간 다른 점입니다. 다음은 sleep을 써서 동작간에 잠깐씩 쉬는 시간을 주었습니다. 여러분 컴퓨터에 파워포인트가 설치되어 있다면 파워포인트가 실행이 됩니다. 이와 같이 간단하게 프로그램 실행을 자동화 할 수 있습니다.

사무실에서 동료들과 다음과 같은 얘기를 했던 것이 기억이 납니다.

어느 회사에서 재택 근무를 하는데 회사에서 직원들이 컴퓨터를 떠나지 않고 일을 하는지 확인하는 다음과 같은 방법을 썼다고 합니다. 요즘은 컴퓨터를 이용해서 하는 일의 거의 전부이다보니 마우스나 키보드의 입력이 몇 분 동안 없으면 경고가 뜨도록 되어 있었다고 합니다. 잠시 딴짓을 하기 위해서 혹은 몇 분 동안 입력이 없으면 경고가 뜬다는 강박감을 없애기 위해서 회전하는 선풍기에 마우스를 연결해서 자동으로 움직이게 했었다고 합니다. 유튜브에서 본 것 같기도 합니다.

만일 이런 것이 필요하다면 우리는 더이상 무식한 방법을 사용할 필요 없이 간단하게 프로그램을 만들어 무한 반복하도록 하면 되지 않을까요?

```python
import pyautogui as pag
import time as t
import random

max_x = pag.size().width
max_y = pag.size().height

while(True):
    x = random.randint(0, max_x)
    y = random.randint(0, max_y)
    pag.moveTo(x, y)
    print(x, y)
    t.sleep(5)
```

max_x 좌표와 max_y를 구하는 방식은 size() 함수에 width 또는 height 변수를 접근해서 얻어올 수 있습니다. 그리고 새롭게 random이라는 패키지를 import 했는데 이는 임의의 숫자를 만들 수 있는 것입니다. random 패키지에서 randint() 함수는 두 개의 매개 변수를 갖는데 첫번째 숫자와 두번째 숫자 사이에서 임의의 숫자를 생서해서 반환합니다. 따라서 매번 호출을 할 때마다 x와 y의 값이 변경이 되어집니다. 변경 된 값으로 moveTo() 함수를 이용해서 마우스를 이동시키고 sleep() 함수를 이용해서 5초를 쉽니다. 여기서 시간을 너무 짧게 두면 프로그램을 종료시키기 어렵습니다.

11. 화면 캡춰하기

pyautogui 패키지에는 재미있는 기능이 하나 또 있습니다. 바로 화면을 캡춰할 수 있는 기능이 그것입니다. 사용 방법도 아주 간단합니다. screenshot() 함수를 호출하면 됩니다. 매개변수로 파일명을 주게되면 png 이미지로 저장이 되고, 특정 영역을 저장하고 싶다면 region=(0, 0, 100, 100)과 같이 영역을 설정해 주면 됩니다. region은 x, y에서 시작해 너비와 높이가 각각 100인 사각형 영역의 screenshot을 만듭니다.

필요에 따라서 다양한 용도로 사용을 할 수 있을텐데요. 여기서는 간단하게 일정 영역을 캡춰하는 기능만 간단하게 보여드리도록 하겠습니다.

12. 알아두면 좋은 것들

파이썬은 많은 패키지를 사용합니다. 패키지를 설치하기 위해서는 pip를 사용합니다.

pip install 패키지_이름

그런데 잘 사용하던 패키지가 어느날 갑자기 동작을 안하거나 내가 원하는 결과가 안나올 때가 있습니다. 이럴 경우는 대부분 패키지가 새로운 기능과 함께 업그레이드 되거나 최신 환경에 동작을 하지 않아 변경된 것이 대부분입니다. 따라서 이럴 때는 다음과 같이 업데이트를 해 줍니다.

pip install - - upgrade 패키지_이름

다른 패키지가 아니라 pip 자체를 업그레이드 해야 할 경우도 많습니다. pip는 패키지들의 정보를 가지고 있기 때문에 반드시 최신 버전으로 업그레이드를 해 두는 것이 좋습니다.

python -m pip install --upgrade pip

회사 내에서 pip로 패키지를 설치할 때, 설치가 되지 않는 경우도 발생을 합니다. 회사 내에서 사용하는 네트워크의 인증서 또는 방화벽 문제라고 합니다. 이럴 경우는 다음과 같은 명령을 통해서 패키지를 설치할 수 있습니다.

pip --trusted-host pypi.org --trusted-host --trusted-host files.pythonhosted.org install 패키지_명

알면 쉽게 사용하지만 모르면 많아 아쉽습니다. 별것 아닌데 많은 시간을 뺏기기도 하죠.

13. 데이터베이스

실제 유용하게 사용할 수 있는 프로그램을 만들기 위한 프로젝트를 시작하기에 앞서 어려운 주제를 시작해보고자 합니다. 바로 데이터베이스 입니다. 이름에서 보여지는 바와 같이 여러가지 자료를 담고 있는 파일입니다. 예전에는 파일하나였지만 요즘은 하나의 커다란 시스템이라고 봐야 합니다. 여기서 여러가지 자료란 사람의 이름, 주민번호 그리고 주소와 같이 문자나 숫자로 된 텍스트 정보를 시작으로 사진, 문서, 영상 등 모든 정보들을 망라해서 저장하고 검색하고 색인할 수 있는 시스템이 바로 데이터베이스 입니다.

굳이 데이터베이스를 사용하지 않고 엑셀을 이용해서 정보를 관리할 수도 있습니다. 실상 우리 업무에서도 많이 사용을 하고 있죠.

데이터베이스는 주로 대용량 데이터를 저장하는데 사용을 하기도 하지만 주소록이나 금전 출납부와 같은 소용량의 데이터들의 관리에도 많이 사용이 됩니다. 데이터베이스는 한사람이 사용하는 경우도 있지만 많은 경우에 있어서 여러사람이 동시에 접근해서 데이터를 추가하고 삭제하고 수정하는 일들이 빈번히 일어납니다. 이런 경우의 데이터베이스는 개인 컴퓨터가 아닌 서버로서 운영이 됩니다.

여러가지 데이터베이스가 있지만 우리가 사용할 데이터베이스는 sqlite라는 녀석입니다. 영어권에서는 '에스큐엘라이트' 라고 읽습니다. 서버에 사용되는 것이 아니라 응용 프로그램에서 사용이 됩니다. 작고 가볍고 빠른 장점을 가지고 있으며 우리가 사용하는 안드로이드 스마트폰에서도 사용될 만큼 널리 사용이 되고 있습니다.

데이터베이스를 계속해서 설명드리는 것 보다는 하나씩 코딩을 해 가면서 이해를 돕고자 합니다. 먼저 데이터베이스를 살펴볼 수 있는 툴을 설치하도록 하겠습니다.

https://sqlitebrowser.org/dl/

sqlite 브라우저는 sqlite 데이터베이스를 만들고 들어 있는 데이터를 확인하고 수정을 할 수 있습니다.

앞의 링크에서 본인의 컴퓨터에 맞는 버전을 선택해서 설치를 합니다. 요즘의 컴퓨터라면 그리고 윈도우라면 "DB Browser for SQLite - Standard installer for 64-bit Windows"를 설치하면 됩니다. 참고로 윈도우에서 설정 → 시스템 → 정보를 찾아들어가면 32 비트인지 64 비트인지 찾을 수 있습니다.

설치 과정 중에 Shortcuts에서 DB Browser(SQLite) 아래의 Desktop과 Program Menu 중 최소 하나는 체크를 하시기 바랍니다. 그래야 윈도우의 메뉴나 바탕화면에서 sqlite 브라우저의 단축 아이콘을 찾을 수 있습니다.

간단하게 데이터베이스는 엑셀과 비교할 수 있을 것 같습니다. sqlite가 db라는 확장자를 가지고 있듯이 엑셀은 xlsx 또는 xls의 확장자를 가지고 있습니다. 그리고 엑셀 안에는 여러 개의 시트가 있을 수 있죠. 엑셀은 최소한 하나의 시트는 있어야 어떤 정보를 저장할 수 있습니다. 시트는 어떻게 구성이 되어있나요? 시트는 셀들로 구성이 되어 있고 테이블 형태입니다. 이것이 엑셀의 구조입니다. sqlite는 db 파일안에 테이블들을 가지고 있습니다. 최소한 하나는 가지고 있어야 데이터를 저장할 수 있고, 일반적으로 여러 개의 테이블들을 가지고 있습니다. 결국은 데이터베이스 안에 있는 이 테이블들이 정보를 가지고 있게 되는 구조입니다.

SQLite의 이해

에스큐엘라이트, sqlite는 많은 사용자가 동시에 접속해서 사용하는 용도가 아닌 개인용 어플리케이션의 데이터베이스로 많이 사용이 되고 있다고 말씀드렸습니다. 특히 데이터베이스가 필요한 안드로이드 스마트폰용 어플리케이션에서는 100% sqlite를 사용하고 있다고 해도 무방하지 않을까 싶습니다. 파이썬에도 sqlite가 기본으로 설치되어 있어서 별도로 설치를 할 필요 없이 바로 사용을 할 수 있습니다.

다음은 파이썬에서 sqlite를 사용하는 순서를 설명하기 위한 코드입니다.
첫번째로 데이터베이스와 파이썬을 연결합니다.
두번째, 커서를 생성합니다. 커서는 데이터베이스를 조작하고 결과를 받아오기 위한 것입니다.
세번째, 데이터베이스에 질의를 합니다. 질의에는 데이터베이스 내에 자료를 저장할 공간을 만들고, 자료를 저장하고 수정하고 삭제하는 모든 행위를 의미합니다.
네번째로 질의 결과를 받아서 처리합니다.
다섯번째, 마지막으로 커서와 데이터베이스 연결을 닫습니다.

이 설명대로 구현이 된 것이 다음의 코드입니다.

```
Run  Tools  Git  Window  Help          MyRPA - 022_sqlite.py                        ─   □   ×

                              ▲▼   🗂 022_sqlite ▼    ▶  🏭  ■   | Git: ✔ ✔ ⤴ ⟲ ↺   Q  ⚙  ◑

🐍 022_sqlite.py  ×                                                               ⋮   🔔
                                                                                      Notifications
  1    import sqlite3                                                    ✔2  ∧  ∨

  2

  3    conn = sqlite3.connect(r".\files\db\myfirst.db")       # 데이터베이스 연결
  4    cursor = conn.cursor()                                 # 커서 생성
  5    cursor.execute('SELECT * FROM AddressBook')            # 쿼리 실행
  6    for row in cursor.fetchall():                          # 결과 처리
  7        print(row)
  8    cursor.close()                                         # 커서 닫기
  9    conn.close()                                           # 데이터베이스 연결 닫기
 10
```

sqlite를 사용하는 순서가 중요하므로 앞서 설명드린 5단계를 한줄 한줄 코드를 보면서 다시 설명해 보겠습니다. sqlite의 최신 버전이 v3입니다. 그래서 sqlite를 sqlite3라고 버전과 함께 표기하기도 합니다.

```
3    conn = sqlite3.connect(r".₩files₩db₩myfirst.db")  # 데이터베이스 연결
```

첫번째, 데이터베이스를 연결합니다. connect() 함수에 데이터베이스의 물리적 위치를 지정해줍니다. 만약에 해당 위치에 파일이 없다면 데이터베이스 파일을 만들어줍니다.

```
4    cursor = conn.cursor()  # 커서 생성
```

두번째, 커서를 생성합니다. sqlite를 사용하면서 가장 중요한 요소 중의 하나가 바로 이 커서입니다. 이 커서를 통해서 데이터베이스내에 자료를 저장할 테이블을 만들고 자료를 추가, 수정, 삭제를 합니다. 더불어 검색한 결과를 받아오는 것 역시 커서입니다. 데이터베이스에 명령을 내리고 그 결과값을 받아오는 장소를 가리키기도 합니다.

```
5    cursor.execute('SELECT * FROM AddressBook')  # 쿼리 실행
```

세번째, 데이터베이스에 질의를 합니다. 질의 혹은 질문이라는 한국어가 있는데 영어로 Query라는 것을 그대로 발음해서 쿼리라고들 합니다. 프로그래밍을 하는 거의 대부분이 쿼리라고 부르며 쿼리는 SQL, Structured Query Language라는 표준 언어를 사용해서 데이터베이스에 질문을 던집니다. SQL문에서 CREATE문은 데이터베이스 내에 데이터를 담고 있는 Table을 만들때, SELECT문은 Table내의 정보를 가지고 올때, INSERT문은 데이터를 추가할 때, UPDATE문은 데이터를 수정할 때, DELETE문은 데이터를 삭제할 때 각각 사용합니다. 그 외에도 다른 문장들이 있지만 우리가 배울 것은 앞의 다섯가지 CREATE, SELECT, INSERT, UPDATE, DELETE의 다섯가지입니다.

```
6    for row in cursor.fetchall(): # 결과 처리
7        print(row)
```

네번째, 결과를 처리합니다. 세번째에서 쿼리로 던진 결과는 커서에 담겨있습니다. 커서에서 `fetchall()`이라는 함수로 모든 결과를 가지고 옵니다. 가지고 온 결과를 다양한 방법으로 처리할 수 있겠습니다만, 여기서는 `for` 문을 이용해서 모두 출력을 하고 있습니다.

```
8    cursor.close() # 커서 닫기
9    conn.close() # 데이터베이스 연결 닫기
```

마지막으로 커서를 닫고, 다음으로 데이터베이스와의 연결을 끊음으로서 데이터베이스 관련 조작을 완료할 수 있습니다.

테이블 만들기

데이터베이스와 연결하고 커서를 만들고 쿼리를 던지고 결과를 처리하고 연결을 닫는 순서로 `sqlite`를 운용하는 방법이라고 앞서 말씀드렸습니다. 데이터베이스를 사용하기 위해서는 우선 데이터를 저장할 테이블이 필요합니다. 이번 장에서는 테이블을 만드는 과정을 살펴보도록 하겠습니다.

```
3    con = sqlite3.connect(r".\files\db\myfirst.db")
```

첫번째로 데이터베이스와 연결을 합니다. 아직까지는 데이터베이스를 만들지 않았으므로 이 문장은 데이터베이스 파일을 만드는 명령에 해당합니다. 따라서 현재 프로젝트 하위에 `files`라는 폴더 아래에 `db`라는 안에 `myfirst.db`라는 데이터베이스를 만들라는 의미입니다. 만일 데이터베이스 파일이 있다면 `con`이라는 변수를 통해 연결이 됩니다. 데이터베이스가 없다면 데이터베이스를 만들고 `con`과 연결이 됩니다. 다만 현재 프로젝트 아래에 `files`가 없거나 `db`라는 폴더가 없다면 에러가 발생합니다. 따라서 해당 폴더는 미리 만들어져 있어야 합니다.

앞서 살펴보긴 했는데 경로 앞에 붙어 있는 'r'은 RAW의 약자로 따옴표 안의 문자열을 있는 그대로 인식하라는 의미입니다. 왜냐하면 역슬래시와 알파벳이 합쳐지면 특수한 의미를 갖는 문자열이 되기 때문입니다. 앞에서도 설명 드리긴 했으나 다시 한번 상기 드립니다.

```
4    cur = con.cursor()
```

두번째로 데이터베이스를 커서와 연결합니다. 데이터베이스와 관련된 대부분의 동작은 바로 이 커서를 기반으로 수행이 됩니다.

```
5    cur.execute("CREATE TABLE CustomerCode(id integer unique, name text);")
6    cur.execute("CREATE TABLE AddressBook(id integer, cellNo text, addr text);")
```

세번째로 데이터베이스에 쿼리를 보냅니다. 여기서는 두 개의 쿼리를 보내는데 execute( ) 함수에 매개변수를 넣어서 전달을 하고 있습니다. CREATE문이 Table을 만드는 SQL문입니다. SQL은 Structured Query Language로 시퀄(SQL)이라고 부르기도 합니다.

네번째는 쿼리에 대한 결과를 처리해야하는 부분입니다. 그런데 Table을 생성하는 명령에는 테이블을 만들거나 테이블이 있으면 에러를 발생시키는 두 가지 동작 밖에 없기 때문에 별도로 처리해야 할 사항이 없습니다. 실제로 위의 코드는 처음 실행할 때는 에러를 발생시키지 않지만 두 번째 실행을 하면 앞의 그림에서 보듯이 에러가 발생합니다. 에러를 보면 CustomerCode Table이 이미 존재하기 때문에 발생했습니다. 에러의 발생을 막는 방법도 별도로 알아봐야겠습니다.

```
7    cur.close()
8    con.close()
```

마지막으로 커서와 연결을 모두 close( ) 함수를 통해서 닫습니다.

데이터베이스의 테이블을 만드는 CREATE문에 대해서 알아보겠습니다. 우선 CREATE문의 형식은 다음과 같습니다.

CREATE TABLE 테이블명 (필드이름 형식, 필드이름2 형식 …);

예제코드의 CREATE문은 각각 다음과 같습니다.

```
CREATE TABLE CustomerCode(id integer unique, name text);
CREATE TABLE AddressBook(id integer, cellNo text, addr text);
```

CustomerCode라는 테이블과 AddressBook이라는 테이블을 각각 만들라는 명령입니다. CustomerCode 테이블은 id와 name이라는 필드가 있고, id는 정수형 데이터만 받을 수 있고 unique, 유일한 값만을 가질 수 있습니다. name은 text 값이네요. text라면 숫자나 문자 등 모든 문자열이 들어갈 수 있습니다.

AddressBook이라는 테이블에는 정수형 id와 핸드폰 번호가 들어갈 cellNo와 주소가 들어갈 addr 필드가 있고 그 형식은 text 입니다. 마지막에 괄호를 닫고 세미콜론(';')을 찍는 것을 잊지 마세요.

CustomerCode 테이블에는 unique, 유일한 값의 id라는 필드가 있습니다. 여기서 유일하다는 의미는 우리의 전화번호나 주민번호와 같이 데이터베이트 Table 내에 중복된 값이 들어갈 수 없다는 의미입니다.

우리가 먼저 설치한 DB Browser를 통해서 우리가 만든 데이터베이스를 열어보면 다음과 같습니다. 데이터베이스 구조를 보면 우리가 만든 그대로 만들어져 있음을 볼 수 있습니다. INSERT문을 통해 데이터를 추가하지 않았기 때문에 우리가 볼 수 있는 것은 여기까지입니다.

14. 예외 처리

앞서 살펴본 데이터베이스 테이블을 만드는 코드를 실행했을 때, 처음에는 에러가 없이 데이터베이스를 만들고 그 내부에 테이블을 잘 만들었습니다. 그러나 두 번째 실행을 했을 때는 다음과 같이 에러가 발생을 했습니다.

```
C:\PythonProject\MyRPA\venv\Scripts\python.exe C:\PythonProject\MyRPA\023_sqliteDBCreate.py
Traceback (most recent call last):
  File "C:\PythonProject\MyRPA\023_sqliteDBCreate.py", line 5, in <module>
    cur.execute("CREATE TABLE CustomerCode(id integer unique, name text);")
sqlite3.OperationalError: table CustomerCode already exists

Process finished with exit code 1
```

에러 메시지는 소스코드 5번째 라인에서 발생을 했고 CustomerCode 테이블이 이미 존재하는데 또 만들려고 했기 때문에 발생했다고 알려주고 있습니다. 그리고 exit code 1로 프로그램을 종료하고 있습니다. 이것은 프로그램이 끝까지 동작하지 않고 중간에 종료되었음을 보여주는 것입니다.

따라서 이런 경우는 프로그램을 끝까지 에러 없이 동작을 할 수 있도록 프로그램을 만들어주거나 혹은 에러가 발생을 해도 무시하고 프로그램을 진행할 수 있게 처리를 해 줘야 합니다. 일반적인 경우는 에러를 수정을 해야 합니다. 에러가 발생했다는 것은 프로그래머가 의도한 방향과 다르게 동작을 했다는 것이므로 다른 큰 오류를 발생시킬 소지가 크기 때문입니다.

하지만 이 경우는 이미 테이블이 존재하기 때문에 테이블을 만들 수 없어 에러가 발생한 것입니다. 이미 존재하기 때문에 그냥 무시하고 넘어가도 문제가 없다는 것입니다. 이런 경우에는 예외적으로 에러가 발생했지만 무시하고 다음으로 넘어 갈 수 있는 방법이 있습니다. 이런 방법을 예외처리라고 합니다.

```
try:
    수행할 코드
except:
    예외가 발생했을 때 실행할 코드
```

수행할 코드는 에러가 발생한 부분을 넣으면 되고, 예외가 발생했을 때 실행할 코드는 에러 발생시 추가로 수행해야 할 코드를 넣습니다. 하지만 우리의 경우에는 왜 에러가 발생했는지 정도를 넣어줘도 되겠습니다. 그래서 샘플로 작성한 코드는 다음과 같습니다.

```python
import sqlite3

con = sqlite3.connect(r".\files\db\myfirst.db")
cur = con.cursor()
try:
    cur.execute("CREATE TABLE CustomerCode(id integer unique, name text);")
    cur.execute("CREATE TABLE AddressBook(id integer, cellNo text, addr text);")
except:
    print("Database table creation error 발생")

cur.close()
con.close()
```

except, 즉 에러가 발생하면 print() 함수를 통해서 에러가 발생했음을 사용자에게 알려주는 것입니다. GUI가 들어가 있는 프로그램이라면 메시지 박스를 통해서 사용자에게 알람을 주는 것도 좋은 방법 중의 하나가 되겠습니다.

마지막 라인에 exit code 0로 프로그램이 종료되는데 이 코드가 프로그램이 정상적으로 종료되었다는 메시지입니다.

이러한 방법 말고 에러를 원천적으로 막는 방법도 있습니다만, 그 방법은 조금더 sqlite에 대해서 학습을 한 후에 배워보도록 하겠습니다.

15. 데이터베이스 2

데이터 추가하기

데이터베이스를 만들고 데이터가 저장이 될 테이블을 만들었습니다. 이제는 테이블에 필요한 정보들을 어떻게 넣는지 살펴보도록 하겠습니다. 우리는 SQL 문장 중에서 INSERT 문을 이용하여 데이터를 저장하게 됩니다. INSERT문의 형식은 다음과 같습니다.

INSERT INTO 테이블명 VALUES (필드1, 필드2, … , 필드n);

테이블 명을 앞에 써 주고, VALUES 다음의 괄호 안에 테이블을 만들때 정의된 필드의 순서대로 ',' 를 구분자로 하여 값들을 넣어주면 됩니다. 그리고 괄호를 닫고 마지막에 세미콜론으로 마무리를 합니다. 이와 같은 INSERT 문을 파이썬에서 어떻게 사용하는지 다음의 코드를 보면서 설명을 드리겠습니다.

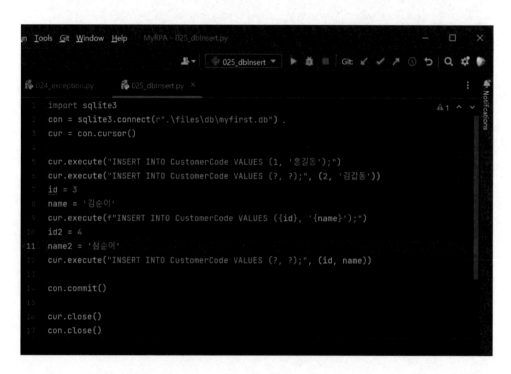

다시 코드를 보면서 설명을 하겠습니다만, 이번 장에서 가장 중요한 사항은 두 가지입니다. 첫번째는 INSERT문에 대한 이해이고 두번째는 SQL 명령을 내린 후에 실제로 데이터베이스에 정보를 업데이트 하기 위해서는 con.commit()을 호출하여 커서에 반영된 INSERT를 실제의 데이터베이스에 저장을 해야만 한다는 것입니다.

한줄씩 코드를 살펴보겠습니다. INSERT 문을 execute() 함수에서 사용하는 방식은 크게 두 가지가 있습니다.

```
5    cur.execute("INSERT INTO CustomerCode VALUES (1, '홍길동');")
```

첫번째 방식입니다. 커서에서 execute() 함수를 이용해서 앞서 설명한대로 INSERT문으로 id와 name에 각각 1과 '홍길동'을 입력하고 있습니다. 하지만 이런 방법은 실제 프로그래밍에서 사용하기 어렵습니다. 왜냐하면 실제로 데이터베이스 들어갈 정보는 사용자로 부터 화면에서 입력을 받거나 또는 파일에서 불러와 데이터 베이스에 저장을 하는 경우가 대부분이기 때문입니다. 우리는 이 INSERT문의 형식을 실제 데이터를 변수로 받아서 데이터베이스에 저장하는 방식을 나중에 살펴보겠습니다.

```
6    cur.execute("INSERT INTO CustomerCode VALUES (?, ?);", (2, '김갑동'))
```

두번째 방식은 VALUES 다음의 괄호에 필드의 개수 만큼 ?를 넣어줍니다. 그리고 INSERT문 다음의 괄호 안에 각각 값을 넣어주는 방식입니다. 이 방식이 실제로 많이 사용됩니다. 하지만 두 번째 괄호 안의 입력될 값들이 변수로 바뀌어 실제 프로그래밍에서는 사용이 됩니다.

다음의 두 예는 앞선 첫번째와 두번째가 실제로 사용되는 방식을 보여줍니다.

```
7    id = 3
8    name = '김순이'
9    cur.execute(f"INSERT INTO CustomerCode VALUES ({id}, '{name}');")
```

첫번째 방식이 변수를 사용하는 방법으로 변경이 되었습니다. 문자열에 f를 이용하여 변수를 사용하는 방법으로 전에 print() 함수에서 사용하는 방법을 설명드렸던 적이 있습니다. 이런 방식으로 INSERT문을 용도에 맞게 수정해서 사용할 수 있습니다. 이 방식을 세번째 방식이라고 하겠습니다.

```
10   id2 = 4
11   name2 = '삼순이'
12   cur.execute("INSERT INTO CustomerCode VALUES (?, ?);", (id, name))
```

INSERT문을 사용하는 마지막 방식입니다. 이 코드는 두번째 방식이 변수를 사용하는 방식으로 변경이 된 것입니다. execute() 함수에서 INSERT문에 필드 값에 해당하는 부분에 ?를 사용하고, 두 번째 매개변수에서 ?와 대응하는 변수들의 이름을 넣어주는 방식입니다.

세번째와 네번째 방식이 실제 프로그램에서 사용할 수 있는 방식입니다. 어떤 것이 읽기 쉽게 보이시나요? 우리는 네번째 방식을 주로 사용하게 될 것입니다. 파이썬에서 sqlite를 사용하는 SQL문에서 각각의 필드 값들을 사용할 때는 네번째 방식을 사용하는 것이 일반적입니다.

처음 나오는 commit() 함수입니다.

우리는 지금까지 cur 변수, 즉 커서를 이용해서 데이터베이스를 조작하는 동작들을 했습니다. 이는 커서에서만 동작을 할 뿐, 실제 데이터베이스까지 정보가 전달되는 것이 아닙니다. 따라서 커서를 가지고 데이터베이스에서 데이터를 추가, 수정, 삭제한 경우에는 반드시 commit() 함수를 통해서 커서에서 작업한 내용이 데이터베이스에 반영이 되도록 해야 합니다.

지금까지 입력한 내용이 제대로 데이터베이스에 들어가 있는지 확인하기 위해서 DB Browser를 이용해 확인해 보면 다음과 같이 네 개의 레코드가 들어가 있음을 볼 수 있습니다.

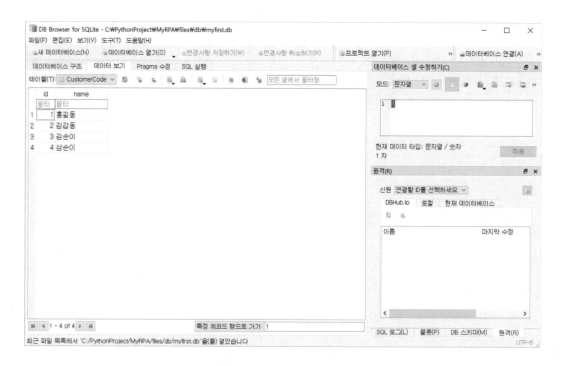

데이터베이스에서 필드는 id 및 name과 같이 테이블에 열 이름에 해당하는 것이며, 레코드는 몇 행인지를 이야기 합니다. 다시 얘기하면 레코드는 들어가 있는 자료의 수입니다.

다음은 addressBook 테이블에 정보를 INSERT하는 코드입니다. 실제로 많이 사용하는 코드의 형태이니 잘 살펴봅시다.

먼저 다음과 같이 리스트에 대해서 설명을 드리겠습니다.

address = ['인천시 연수동', '경기도 여주시', '서울 강서구', '부산 기장구']

cellNumber라는 변수에 '[ ]'를 이용해서 주소를 넣었습니다. 문자열이니 작은 따옴표를 이용해서 주소를 넣었고, 각 주소 사이는 콤마로 구분을 했습니다. 작은 따옴표 뿐만 아니라 큰 따옴표를 이용해도 무방합니다. 이와 같은 형태의 자료구조를 리스트라고 합니다. 컴퓨터에서 숫자는 항상 0부터 시작을 합니다. 그래서 각각의 주소를 접근할 때는 다음과 같이 사용을 할 수 있습니다.

address[0]	인천시 연수동
address[1]	경기도 여주시
address[2]	서울 강서구
address[3]	부산 기장구

똑같은 방식으로 cellNumber를 접근할 수 있겠죠?
리스트를 이해했다면 다음 코드를 이해할 수 있습니다.

```
import sqlite3
con = sqlite3.connect(r".\files\db\myfirst.db")
cur = con.cursor()

cellNumber = ['010-1234-5678', '010-4456-2345', '010-5434-5345', '010-2407-6520']
address = ['인천시 연수동', '경기도 여주시', '서울 강서구', '부산 기장구']

for i in range(1, 5, 1):
    cur.execute("INSERT INTO AddressBook VALUES (?, ?, ?);",
                (i, cellNumber[i-1], address[i-1]))

con.commit()
cur.close()
con.close()
```

```
8    for i in range(1, 5, 1):
9        cur.execute("INSERT INTO AddressBook VALUES (?, ?, ?);",
10           (i, cellNumber[i-1], address[i-1]))
```

먼저 for 문입니다. range()를 보면 1부터 시작해서 5보다 작을 때까지 1씩 증가하면서 execute() 함수를 실행합니다. 따라서 i는 1, 2, 3, 4까지 변합니다.

execute() 함수 내에 INSERT문을 보면 총 세 개의 변수에 값을 입력하도록 되어 있습니다. 첫번째 변수인 i는 앞서 설명 드린 바와 같이 1에서 4까지 증가를 합니다. 다음은 cellNumber 리스트입니다. i - 1을 했으므로 cellNumber는 adress 리스트와 마찬가지로 [0], [1], [2], [3]까지 순차적으로 변경되며 리스트 안에 있는 값들을 저장하게 됩니다. 따라서 AddressBook 테이블에는 다음과 같은 정보가 저장이 됩니다.

id	cellNo	addr
1	010-1234-5678	인천시 연수동
2	010-4456-2345	경기도 여주시
3	010-5434-5345	서울 강서구
4	010-2407-6520	부산 기장구

잠시 AddressBook이라는 테이블을 생성하는 코드를 보겠습니다.

```
CREATE TABLE AddressBook(id integer, cellNo text, addr text);
```

id, cellNo, addr 세개의 필드가 있습니다. 그리고 CustomerCode를 생성하는 코드도 보겠습니다.

CREATE TABLE CustomerCode(id integer unique, name text);

두 개의 테이블이 다른 점은 unique 속성을 가진 필드가 있느냐 없느냐 입니다. unique 속성이 있는 CustomerCode 테이블에 정보를 두 번 입력했을 때가 기억나시나요? unique 속성이 깨지기 때문에 에러가 발생했었죠. 기억이 나시나요? 기억이 나지 않는다면 소스코드 중에서 025_dbInsert.py를 실행해 보기 바랍니다.

AddressBook에 정보를 입력하는 앞의 코드 026_dbInsert2.py는 어떨까요? unique라는 속성을 가진 필드가 없기 때문에 여러번 실행을 시켜도 에러가 발생하지 않습니다. 에러가 발생하지 않는다는 이유는 무엇일까요? 실행할때마다 4개의 데이터가 추가된다는 얘기입니다. 여러번 실행해 보시고 DB Browser를 이용해 AddressBook 테이블을 살펴보시기 바랍니다. 눈으로 확인할 수 있습니다.

잠시 CustomerCode 테이블에 있는 데이터를 보면서 테이블간의 관계를 설명해 보겠습니다.

id	name
1	홍길동
2	김갑동
3	김순이
4	삼순이

AddressBook과 CustomerCode 테이블을 놓고 보면 id라는 공통된 필드가 있습니다. 공통된 필드를 이용하면 '홍길동'의 전화번호나 주소를 찾을 수 있습니다. CustomerCode 테이블에서 '홍길동'을 찾고 '홍길동'의 id '1'을 확인합니다. 다시 AddressBook 테이블에서 id '1'을 찾고 그에 해당하는 cellNo와 addr을 찾으면 '홍길동'에 대한 모든 정보를 확인 할 수 있습니다. 이와 같은 간단한 아이디어가 데이터베이스에서는 사용이 됩니다. 한가지 더 추가한다면 CustomerCode에는 하나의 id에 하나의 사람 밖에 없습니다. 하지만 AddressBook에는 id가 unique하지 않기 때문에 동일한 id가 존재할 수 있습니다. 026.dbInsert2.py가 여러번 실행이 되어도 에러가 발생하지 않는 것처럼요. 이 얘기는 한 사람이 여러 개의 전화번호와 주소를 가질 수 있다는 얘기가 됩니다. unique 옵션에 대해서 확실하게 이해를 하셨기 바랍니다.

데이터 검색하기

데이터베이스 각 테이블에 데이터를 입력하였습니다. 우리는 DB Browser를 통해서 데이터를 볼 수 있고 수정할 수 있고 삭제도 할 수 있습니다. GUI 툴이므로 어렵지 않게 방법을 익힐 수 있을 것입니다. 간단하게 설명을 드리면 DB Browser 앱에서 테이블을 열고 엑셀의 셀처럼 이동을 할 수 있습니다. 수정을 하고자 하는 셀을 선택하고 오른쪽 상단의 셀 수정하기에서 직접 수정을 할 수 있습니다. 그리고 최종 반영을 하기 위해서는 파일 메뉴에서 '변경사항 저장하기'를 통해서 데이터베이스에 최종 반영할 수 있습니다.

DB Browser앱의 유용한 기능 중에 하나는 SQL문을 직접 실행해 볼 수 있다는 것입니다.

쿼리문을 다음과 같이 작성을 했습니다. SQL문은 대소문자를 가리지 않습니다. 하지만 이해를 쉽게하기 위해서 SQL문은 대문자로 사용하기도 합니다만 특별한 표준은 없는 것 같습니다.

select * from AddressBook

SELECT문은 데이터를 검색할 때 사용합니다. *이 있는 부분은 테이블의 필드명들을 콤마로 구분해서 넣는 곳인데 *를 입력할 경우 전체의 필드를 보여주라는 의미입니다. from 다음에는 테이블명이 위치합니다. 이 SQL문의 의미는 AddressBook 테이블에 있는 모든 데이터를 보여달라는 의미입니다. 이렇게 SQL문을 입력하고 Play(▶) 아이콘을 클릭하면 실행을 할 수 있습니다. 가운데 칸에 결과가 나타난 것을 볼 수 있습니다. 마지막으로 맨 아래칸에는 SQL문 실행에 대한 정보를 알려주고 있습니다.

검색을 위한 SELECT문인데 전체 테이블의 내용을 보여줬습니다. 그러면 id가 3인 정보 중에서 주소(addr)과 id를 순서대로 출력해 보도록 하겠습니다.

SELECT addr, id FROM AddressBook WHERE id = 3

SELECT 다음에 addr, id와 같이 필드명을 넣었습니다. 출력은 이 순서대로 됩니다. FROM 다음에는 테이블 이름을 입력했습니다. 마지막에 WHERE가 처음으로 등장을 했는데 여기에 조건을 넣으면 됩니다. =, >, < 등의 조건 연산문을 사용할 수 있습니다. 그럼 실제로 실행한 결과를 다음에 보시죠.

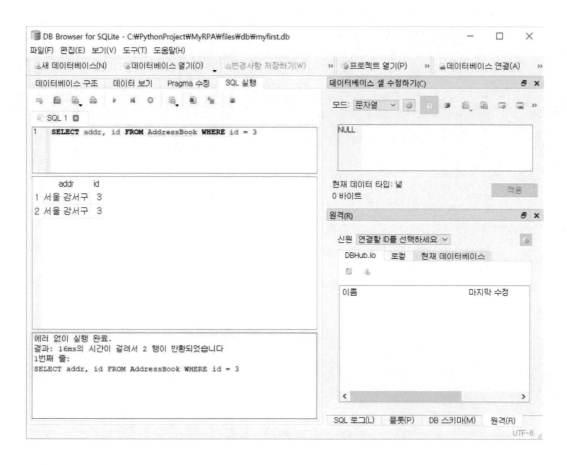

다음은 조금은 복잡한 SELECT문을 보도록 하겠습니다. 두 개의 테이블을 합쳐서 검색하는 방법입니다. 이런 경우도 있다는 것을 알아두면 좋을 것 같습니다.

```
SELECT a.id, c.name, a.cellNo, a.addr
    FROM AddressBook as a, CustomerCode as c
    WHERE a.id = c.id
```

먼저 FROM에 보면 두 개의 테이블이 있어 콤마로 구분하고 있고 as 구문을 써서 AddressBook은 a로 CustomerCode는 c와 같이 약자로 쓸 수 있게 선언을 해 줬습니다. 그리고 출력을 할 필드들은 테이블이름과 필드 이름을 '.'을 이용해서 명시하고 있습니다. 마지막으로 WHERE 절에는 a.id와 c.id가 같아야 한다는 조건을 걸었습니다. 결과는 다음과 같습니다.

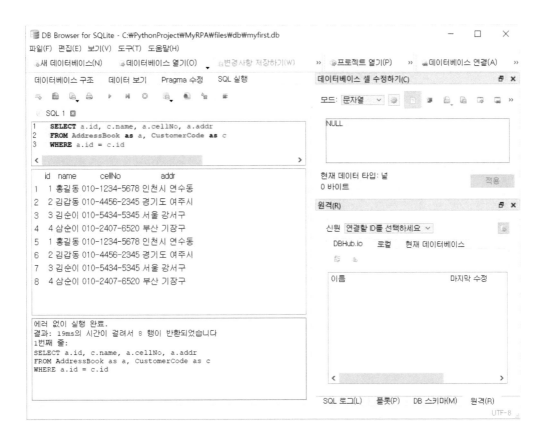

지금까지 세 가지의 SELECT 구문을 DB Browser를 통해서 테스트 해 봤습니다. 이 세가지 모두를 어떻게 파이썬으로 구현하는지 차례대로 살펴보겠습니다.

앞에서 사용했던 SELECT문은 그대로 사용을 할 수 있습니다. SELECT문이 실행이 되면 해당 결과는 커서에 저장이 됩니다. 커서에 저장된 정보는 fetchall() 이라는 함수를 통해 가지고 올 수 있습니다. 우리는 fetchall() 함수를 호출하고 돌려받는 결과 리스트를 for 문을 통해서 하나씩 출력해 볼 것입니다.

print() 함수에 리스트를 출력하는 두 가지 방법을 모두 적었습니다. 실행되는 코드에는 result[0], result[1], result[2]와 같이 하나씩 출력하는 방법이 있습니다. 또한 리스트를 그대로 출력할 수도 있습니다. 이 부분은 주석처리된 print() 함수를 참고하시기 바랍니다.

그리고 결과를 검색하는 것이기 때문에 commit()을 호출할 필요는 없습니다.

```
ctor  Run  Tools  Git  Window  Help        MyRPA - 027_dbSelect.py                    —   □   ✕

                        ⚑ ▾   ☕ 027_dbSelect ▾   ▶  🐞 ▪  Git: ✓ ✓ ↗ ⊙ ↺   Q ⬆ ◑

  🐍 027_dbSelect.py ✕                                                                    ⋮  🔔

   1    import sqlite3
   2    con = sqlite3.connect(r".\files\db\myfirst.db")
   3    cur = con.cursor()
   4
   5    cur.execute("SELECT * FROM AddressBook;")
   6    results = cur.fetchall()
   7    for result in results:
   8        print(result[0], result[1], result[2])
   9        # print(result)
   10   # con.commit()
   11   cur.close()
   12   con.close()
```

두번째 조건문이 있는 SELECT문은 SQL문에서 결과를 출력하는 부분까지만 보여드리도록 하겠습니다.

```
5    cur.execute("SELECT addr, id FROM AddressBook WHERE id = 3;")
6    results = cur.fetchall()
7    for result in results:
8        print(result[0], result[1])
9        # print(result)
```

다른 부분이라면 출력하는 필드가 두 개이기 때문에 result[2]를 삭제했습니다. 그대로 둘 경우 에러가 발생하는데 이유는 리스트에는 두 개 밖에 없는데 세 번째 요소를 호출하기 때문입니다.

세번째 SELECT문도 크게 다른점이 없습니다. 다만 SELECT문 자체가 길어서 여러 줄로 나눠쓰는 부분이 조금 새롭습니다.

```
cur.execute("SELECT a.id, c.name, a.cellNo, a.addr " ₩
            "FROM AddressBook as a, CustomerCode as c " ₩
            "WHERE a.id = c.id;")
results = cur.fetchall()
for result in results:
    print(result)
```

지금까지 SELECT문에 대해서 배웠습니다. 하지만 이전에 INSERT문에서 사용했던 ?와 변수를 SELECT문에서도 사용하는 방법을 살펴봐야겠습니다. 대부분 SELECT문에서 변수와 연결이 되는 부분은 WHERE 절입니다.

```
id = 1
cur.execute("SELECT a.id, c.name, a.cellNo, a.addr " ₩
            "FROM AddressBook as a, CustomerCode as c " ₩
            "WHERE a.id = ? and c.id = ?;", (id, id))
```

```
Run:    027_dbSelect ×
    C:\PythonProject\MyRPA\venv\Scripts\python.exe C:\PythonProject\MyRPA\027_dbSelect.py
    1 010-1234-5678 인천시 연수동
    2 010-4456-2345 경기도 여주시
    3 010-5434-5345 서울 강서구
    4 010-2407-6520 부산 기장구
    1 010-1234-5678 인천시 연수동
    2 010-4456-2345 경기도 여주시
    3 010-5434-5345 서울 강서구
    4 010-2407-6520 부산 기장구

    Process finished with exit code 0
```

데이터 수정하기

데이터베이스 안에 있는 데이터 수정에 대한 방법을 소개합니다. 데이터베이스의 데이터를 수정할 때 사용하는 SQL은 UPDATE문 입니다. UPDATE 구문의 구성은 다음과 같습니다.

UPDATE 테이블명 SET 필드명1 = 값, 필드명2 = 값 WHERE 조건;

이제는 어느 정도 SQL 구문에 조금은 익숙해졌을 것으로 생각하고 실제 테이블에 있는 값을 수정해 보겠습니다. CustomerCode 테이블에는 id와 name이 입력이 되어 있습니다. 그런데 '김삼순' 씨 이름이 '삼순이'로 잘못 들어가 있음을 확인하고 변경하려고 합니다. 변경을 한 후에는 제대로 입력이 되었는지 출력까지 해보려고 합니다.

```python
con = sqlite3.connect(r".\files\db\myfirst.db")
cur = con.cursor()


id = 1
name = '김삼순'
cur.execute("UPDATE CustomerCode SET name = ? WHERE id = ?;", (name, id))
con.commit()


cur.execute("SELECT * FROM CustomerCode WHERE id = ?;", (id, ))
results = cur.fetchall()
for result in results:
    print(result)

cur.close()
con.close()
```

```
5    id = 1
6    name = '김삼순'
7    cur.execute("UPDATE CustomerCode SET name = ? WHERE id = ?;", (name, id))
8    con.commit()
```

UPDATE문의 WHERE절에 id가 ?와 같다고 입력이 되었고 첫 줄에서 id라는 변수에 1을 지정함으로써 id가 1인 조건이 완성이 됩니다. id가 1일때 변경될 필드는 name 이고 그 값은 name이라는 변수에 지정된 '김삼순' 입니다.

데이터베이스에서는 주로 Key 값을 기준으로 WHERE절에서 조건을 명시합니다. Key값은 주민번호와 같이 주로 숫자로 되거나 문자가 포함이 될 경우 길이가 정해지게 됩니다. 왜 다른 필드를 많이 사용하지 않고 Key 값을 주로 사용하느냐 하면 문자열에는 공백이 들어갈 수 있는 등의 오류 가능성이 있어서 입니다. 우리가 주민번호를 사용할 때, 숫자의 길이가 정해져 있지만 이름의 경우에는 성과 이름을 띄어쓰는 경우도 있을 수 있고, 입력하는 사람에 따라서 이름 사이에 공백을 둘 수도 있는 등의 가능성이 있기 때문입니다. 그래서 주민번호 또는 전화번호와 같은 주요 입력값들 중에서 길이가 정해지거나 특정 패턴이 있는 값들을 Key 값이라고 합니다. 앞선 예제들에서 Key 값은 id입니다.

```
10   cur.execute("SELECT * FROM CustomerCode WHERE id = ?;", (id, ))
```

한가지 execute() 함수의 두번째 매개 변수를 보면 id 다음에 콤마가 들어가 있습니다. 만일 여기에 콤마가 없이 id라는 변수 하나만 있을 경우에는 에러가 발생합니다. 최소 두 개 이상의 파라메터가 들어가야 하는 것으로 보입니다. 따라서 하나의 매개변수만 있을 경우에는 콤마를 넣어줘야 합니다.

그러면 Key값은 아니지만 조건문에 name이 '김삼순'인 이름을 '삼순이'로 다시 변경하고자 할 때는 어떻게 코드를 바꿀 수 있을까요? 고민해 보시고 다음의 코드와 비교해 보시기 바랍니다.

```
1    newName = '삼순이'
2    name = '김삼순'
3    cur.execute("UPDATE CustomerCode SET name = ? WHERE name = ?;",
4            (newName, name))
5    con.commit()
6
7
8    id = 1
9    cur.execute("SELECT * FROM CustomerCode WHERE id = ?;", (id, ))
10   results = cur.fetchall()
11   for result in results:
12       print(result)
```

마지막의 print문에서 보여지는 결과는 다음과 같습니다.

데이터 삭제하기

데이터베이스를 다루는데 있어 마지막인 데이터 삭제입니다. 데이터를 삭제하는데 사용하는 SQL문은 DELETE문 입니다. 지금까지 여러가지 SQL문을 봐 왔기 때문에 낯설지는 않아 보입니다. 형식은 다음과 같습니다.

DELETE FROM 테이블명 WHERE 조건문

name이 '삼순이'인 데이터를 지우는 코드를 만들고 다음에는 이름이 '삼순이'인 데이터가 얼마나 있는 지를 출력해 보는 코드를 살펴보도록 하겠습니다.

```python
import sqlite3
con = sqlite3.connect(r".\files\db\myfirst.db")
cur = con.cursor()


name = '삼순이'
cur.execute("DELETE FROM CustomerCode WHERE name = ?;", (name, ))
con.commit()


cur.execute("SELECT count(*) FROM CustomerCode WHERE name = ?;", (name, ))
results = cur.fetchall()
for result in results:
    print(result)

cur.close()
con.close()
```

```
C:\PythonProject\MyRPA\venv\Scripts\python.exe C:\PythonProject\MyRPA\033_dbDelete.py
(0,)


Process finished with exit code 0
```

DELETE문은 앞서 설명드린 형식과 실제로 코드를 보면 충분히 이해를 할 수 있을 것이라 생각합니다. 다른 SQL 문장들과 다른점이 없기 때문입니다.

```
9   cur.execute("SELECT count(*) FROM CustomerCode WHERE name = ?;", (name, ))
```

그런데 SELECT문 안에는 우리가 지금까지 보지 못했던 count가 있습니다. 괄호가 있으니 함수 같아 보이기도 합니다. 맞습니다. 몇 개의 레코드가 있는지를 반환해주는 함수입니다. SELECT문 다음에 오는 *는 모든 필드를 얘기한다고 했습니다. 따라서 name이 '삼순이' 레코드의 개수를 출력합니다. 이미 앞에서 지웠기 때문에 출력은 (0,)과 같이 출력이 됩니다.

여기까지가 우리가 기초적으로 알아야 할 sqlite3를 이용한 데이터베이스를 다루는 내용이었습니다. 데이터를 추가하고 검색하고 수정하고 마지막으로 삭제하는 부분까지 배웠습니다. 배운 부분을 활용해서 실제 프로젝트에서 어떻게 사용되는지는 책의 후반부에서 유용한 프로그램을 만들면서 배워볼 예정입니다.

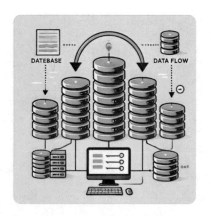

제3장 RPA1 - 편지봉투, PPT와 엑셀

　지금까지 우리가 배운 파이썬의 기능을 이용해서 편지 봉투를 출력하는 프로그램을 만들어보고자 합니다. 이 기능은 업무에서 여러 가지 다른 형태로 변경하여 사용하실 수 있는 RPA, Robotic Process Automation 중의 하나가 되리라고 생각합니다.

　아이디어는 이렇습니다.

　주소록 엑셀 파일이 있습니다. 그리고 파워포인트로 편지봉투를 만들었습니다. 편지 봉투에 보내는 사람은 정해져있겠지만 받는 사람은 주소록에서 가지고 와서 각각 입력해야 합니다. 그런데 그 숫자가 1000개가 넘는다고 가정해 봅시다. 이럴 경우 수작업으로 일일이 만들기 어렵습니다. 물론 스티커에 출력해 붙이는 쉬운 방법도 있겠습니다만, 이 예는 다양한 업무에 활용이 가능하리라고 생각합니다.

　예를 들어 회사에서 대규모 컨퍼런스를 할 때, 컨퍼런스 참석자의 소속회사 및 이름을 각각 출력해야 한다고 할 때 유용하게 사용할 수도 있겠고, 대규모 우편물을 보낼 때도 응용할 수 있을 것입니다.

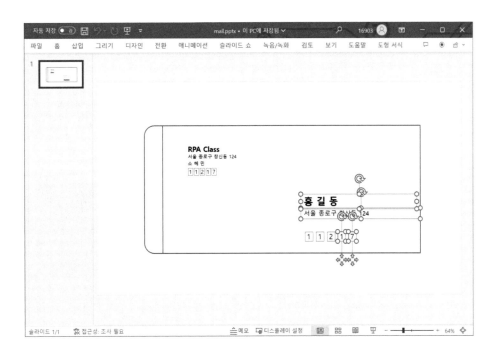

　편지 봉투는 파워포인트 파일로 만들었습니다. 이름과 주소는 길이가 길 수 있기 때문에 봉투 끝까지 만들었고, 우편번호는 다섯자리이므로 다섯칸을 만들어 넣었습니다. 이 파일을 열어서 페이지를 복사하면서 주소록에서 주소를 읽어 입력하는 것입니다.

주소는 이미 앞에서 사용을 했었던 은행 주소 파일을 사용하고자 합니다. 다섯자리 우편번호가 있고 주소가 있습니다. 그리고 수신은 은행명 + 점포명을 사용하면 좋겠습니다.

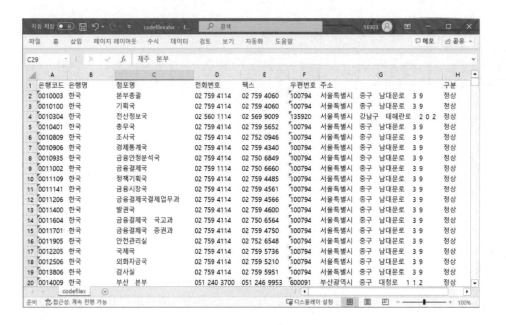

엑셀 파일을 순서대로 읽어 우편번호, 주소, 수신인을 찾고 원본 파워포인트 파일을 복사하고 받는 사람 위치에 출력을 해 주면 됩니다.

1. 파워포인트 준비하기

파워포인트에서 편지지 모양을 만듭니다.

아래와 같이 만들어진 파워포인트 파일에서 받는 사람 영역에 출력을 하기 위해서는 파이썬이 어디가 받는 사람을 출력할 곳이고, 어디가 주소를 입력할 곳이고 어디가 우편번호를 출력할 곳인지 알 수 있어야 합니다.

파이썬에서는 변수라는 것을 이용해서 값들을 저장하듯이 파워포인트에 우리가 추가한 각각의 텍스트 박스들도 이름을 가지고 있어야 접근을 할 수 있습니다. 각 텍스트 박스나 문자를 출력할 도형에 이름을 부여해야 합니다. 이름을 부여하기 위해서는 홈 → 선택 → 선택 창을 선택하면 다음의 그림과 같이 파워포인트 우측에 도형, 텍스트 박스 등이 나타납니다. 여기서 우리는 이름을 입력할 텍스트 박스에 name이란 이름을 주소를 출력할 텍스트 박스에 address라는 이름을 부여했습니다. 마지막으로 우편번호는 작은 박스 5개로 이루어져 있으므로 숫자를 각각 출력해야 합니다. 그래서 우편번호 박스의 이름을 좌측부터 각각 pCode1에서 pCode5까지 지정을 해 줬습니다.

편지봉투에 주소록을 이용해 받는 사람과 주소, 우편번호를 출력하기 이전에 선언해 놓은 name, address 그리고 pCode1에서 pCode5까지 어떻게 파이썬으로 접근을 할 수 있는지를 보는 것이 중요합니다. 그래야 새로운 값으로 출력을 할 수 있으니까요.

```
1    import collections
2    import collections.abc
3    from pptx import Presentation
```

collections와 collections.abc는 Presentation에서 사용하는 패키지로 파이썬에 내장된 기본 패키지입니다. 그리고 파워포인트를 파이썬에서 사용하기 위한 패키지 pptx에서 Presentation을 import 하고 있습니다. 이 패키지를 설치하기 위해서는 다음과 같이 터미널 창에 입력해 주시면 됩니다.

pip install python-pptx

python-pptx의 자세한 내용은 python-pptx에서 제공하는 공식 웹 페이지를 통해서 볼 수 있습니다.

https://python-pptx.readthedocs.io/en/latest/user/quickstart.html

```
5    prs = Presentation(r".\files\mail.pptx")
6    slide = prs.slides[0]
```

Presentation 클래스에 만들어 놓은 파워포인트 파일의 경로를 입력해서 초기화를 해 줍니다. 따라서 prs 는 파워포인트 파일 자체를 가리키게 됩니다. 두번째 줄에서는 slide 변수에 첫번째 슬라이드를 가리키도록 해 줍니다. 프로그래밍에서는 0부터 시작하므로 slides[0]은 첫번째 슬라이드를 가리키는 것입니다. 여러분께 서는 슬라이드가 여러장 있는 파일을 이용해서 slides에 다른 번호를 넣어 테스트를 할 수 있습니다.

```
8    shape_list = slide.shapes
9    shape_idx = {}
```

slide는 우리가 만든 파워포인트 파일의 첫번째 슬라이드의 모든 콘텐츠들을 shapes라는 Presentation의 변수를 통해서 모두 읽어 옵니다. 해당 페이지에 있는 모든 요소들의 값을 읽어옵니다. 읽어온 파워포인트 슬라이드에는 다양한 구성요소가 들어 있습니다. 각각의 구성요소는 폰트 종류, 크기, 텍스트, 색상 등 다양한 정보를 가지고 있을 것입니다. 이 정보들을 모두 shape_list라는 변수에 저장을 하였습니다.

다음은 shape_idx가 정의되어 있습니다. [ ]로 정의가 될 때는 리스트라는 것으로 여러 개의 정보를 콤마로 분리해서 저장을 하고 있었습니다. 이번에는 { }, 중괄호 입니다. 중괄호를 통해서 선언이 되는 변수타입은 '딕셔너리' 입니다. 말 그대로 사전이라는 의미죠. 사전이 어떻게 사용이 되는지 보겠습니다. 다음은 딕셔너리의 예입니다.

dic = { "홍길동" : "010-1234-8657", "김갑동" : "02-9384-2922", "박문수" : "010-3432-9405" }

딕셔너리 내의 값들은 콤마로 구분이 됩니다. 따라서 위의 dic이라는 딕셔너리에 들어 있는 요소의 개수는 총 3개 입니다. 그리고 각 딕셔너리의 요소는 "키 : 값" 형태로 되어 있습니다. 첫번째 요소의 키는 "홍길동" 이고 값은 "010-1234-8657" 이 되는 것입니다. "홍길동", "김갑동", "박문수" 가 키이며, 그에 대응되는 값들이 각각의 전화번호입니다. 딕셔너리라는 이름과 같이 키를 가지고 해당 요소를 찾을 수 있으며 키를 가지고 값을 찾는 방법은 다음과 같습니다.

value = dic["박문수"]

없는 키 값으로 위와 같이 코딩을 하면 어떻게 될까요? 실행할 때 에러가 발생하고 맙니다. 따라서 찾으려는 키가 딕셔너리에 있는지 먼저 확인이 필요합니다. 키를 찾아보기 위해서는 in 이라는 것으로 먼저 확인을 할 수 있습니다.

"박문수" in dic

위와 같이 입력을 하면 True라는 값을 반환합니다. 다음과 같이 값을 변수로 받아서 코딩에서 사용을 할 수 있습니다. 다음의 경우는 True를 반환하게 됩니다. 만약에 "박문수" 대신 "소혜민"을 입력한다면 어떻게 될까요? 그럴 경우엔 False를 반환합니다.

val = "박문수" in dic

다시 우리의 코드로 돌아와서 두 번째 줄을 보면 shape_list를 딕셔너리 형태로 변수를 만들었습니다.

```
11    for idx, value in enumerate(shape_list):
12        print(idx, value.name)
13        shape_idx[value.name] = idx
14
15    print(shape_idx)
```

이 코드는 for문을 이용해서 앞에서 만든 딕셔너리 shape_idx에 데이터를 넣는 부분입니다.

먼저 처음보는 enumerate() 함수가 보입니다. 이 함수는 순서와 값들을 하나씩 꺼내주는 역할을 합니다. 코드를 간단하게 사용하기 위해서 이 함수를 사용합니다. 이 for문에서 idx는 0부터 1씩 증가를 하게 되고 shape_list의 구성요소가 처음부터 순서대로 value에 담기게 됩니다.

파워포인트에서 가지고 온 모든 구성요소를 담고 있는 shape_list에서 구성요소의 이름과 순서(idx)를 조합해서 딕셔너리를 만드는 것입니다. 실행을 시켜보면 idx와 value.name을 출력하는 print() 함수가 출력하는 내용을 보면 이해가 될 것입니다. 그리고 다음 부분은 딕셔너리에 정보를 넣는 과정입니다. 키를 [ ]안에 넣고 값, idx를 넣어주면 됩니다.

shape_idx[value.name] = idx

마지막에 있는 print() 함수에서 출력을 한 shape_idx를 보면 어떻게 딕셔너리가 만들어졌는지를 알 수 있습니다.

{'사각형: 둥근 모서리 1': 0, '직사각형 5': 1, 'TextBox 12': 2, 'TextBox 13': 3, 'TextBox 14': 4, '직사각형 15': 5, '직사각형 16': 6, '직사각형 17': 7, '직사각형 18': 8, '직사각형 19': 9, 'name': 10, 'address': 11, 'pCode1': 12, 'pCode2': 13, 'pCode3': 14, 'pCode4': 15, 'pCode5': 16}

값이 10번에서 16번까지가 우리가 이름을 부여한 name, address, pCode1에서 pCode5까지가 모두 담겨 있는 것을 볼 수 있습니다. 이렇게 딕셔너리를 만든 이유는 무엇일까요?

편지지가 담겨있는 파워포인트 파일에는 여러가지가 들어 있습니다. 앞서 출력해 본 shape_idx와 같이 '사각형: 둥근 모서리', '직사각형 5' 등이 우리가 만든 순서대로 들어 있습니다. 즉, 굴비를 엮듯이 우리가 마우스로 클릭해서 사각형을 하나 만들면 첫 굴비를 엮을 때 사각형을 넣고, 다시 마우스로 원을 클릭해서 파워포인트에 추가를 하면 처음 엮은 사각형 다음에 원을 넣는 식으로 파워포인트에 여러가지 정보를 추가하는 것입니다. 여기서 중요한 것이 순서입니다.

파워포인트 파일을 만들고 주소나 이름이 들어갈 곳에 이름을 정해준 바 있습니다. 하지만 파이썬에서 이 이름을 가지고서는 제어를 할 수 없고 파워포인트 한 페이지 내에서 몇 번째 요소인지가 중요합니다. 그 몇 번째인지를 파악하기 위해서 딕셔너리에 순서를 저장해 둔 것입니다. 한번 확인해 보겠습니다. 터미널 창에 출력된 shape_idx에서 키 'name'의 값은 10입니다. 이 10이라는 값이 중요한데 파워포인트의 페이지에서 10번째의 요소가 이름을 출력하기 위해서 파워포인트에서 이름을 준 'name'이라는 것을 알 수 있습니다.

추가로 enumerate()에 대해서 살펴보도록 하겠습니다. 가끔은 왜 이렇게 어렵게 사용하나 싶지만 배워 놓고 나면 다른 방식을 잘 쓰지 않게되죠. 다음을 보면 enumerate() 함수를 사용한 것과 사용하지 않고 구현한 두 가지 방식을 볼 수 있습니다. 어느 것을 써도 결과는 똑같습니다.

```
for idx, value in enumerate(shape_list):
    shape_idx[value.name] = idx
print(shape_idx)


idx = 0
for value in shape_list:
    shape_idx[value.name] = idx
    idx += 1
print(shape_idx)
```

먼저 끝에서 두번째 줄의 idx += 1은 idx = idx + 1과 같다는 의미입니다. 첫번째는 앞서 본 내용으로 세 줄로 구현이 되어 있고, 풀어쓴 두 번째 방법은 3줄이 5줄로 늘어나 있습니다. 하지만 이해 하기는 좀 더 쉬워 보입니다.

이와 같이 쉬운 것을 어렵게 쓴 파이썬 코드들이 꽤 있습니다. 하지만 한번 알고 나면 짧은 것을 사용하게 되는게 인지상정인지도 모르겠습니다.

2. 받는사람 바꿔보기

편지 봉투에서 받는사람의 이름을 바꿔보겠습니다. '홍길동' 에서 '소혜민' 으로 바꿔보도록 하겠습니다. 이렇게 하나를 바꿀 수 있다면 이름 뿐만 아니라 주소와 우편번호까지 모두를 바꿀 수 있을 것입니다. 먼저 코드를 살펴보겠습니다.

035_PPTXnewname.py

```python
import collections
import collections.abc
from pptx import Presentation
from pptx.util import Pt
from pptx.dml.color import RGBColor

prs = Presentation(r".\files\mail.pptx")
slide = prs.slides[0]

shape_list = slide.shapes
shape_idx = {}

for idx, value in enumerate(shape_list):
    shape_idx[value.name] = idx

name = "name"
str = "소 혜 민 귀하"
fontsize = 24
fontbold = True

shape = shape_list[shape_idx[name]]
text_frame = shape.text_frame
text_frame.clear()
p = text_frame.paragraphs[0]
run = p.add_run()
run.text = str

font = run.font
font.name = '맑은 고딕'
font.size = Pt(fontsize)
font.bold = fontbold
font.italic = None
font.color.rgb = RGBColor(0, 0, 0)

prs.save(r".\files\mail_newname.pptx")
```

새롭게 import된 패키지를 빼고 보면 추가된 부분은 for문 다음부터입니다. for문 이하의 내용은 기존에 파워포인트의 편지지에서 받는 사람의 이름을 바꾸고 폰트의 크기도 바꾸고 폰트의 모양을 Bold체로 바꾸고 있습니다. 또한 코드를 보면 폰트의 종류도 바꿀 수 있고, 폰트의 색상도 바꿀 수 있습니다. 이 부분을 한줄 한줄 설명을 하겠습니다만, 모두 이해하고 외워서 나중에 사용할 필요는 없습니다. 필요할 때 우리는 검색을 통해서 각 패키지에서 제공하는 정보를 찾아서 구현 방법을 참고하여 우리 프로그램에 사용할 수 있습니다. 아니면 이미 방법을 찾아 구현을 해 놓은 분들의 블로그를 찾아서 방법을 찾고 활용할 수도 있습니다.

프로그래밍의 분야는 너무나도 다양합니다. 지금 우리는 파워포인트를 제어하고 있고 조만간 엑셀에서 정보를 읽어들일 것입니다. 아마도 이 책을 읽고 계신 분들은 파워포인트와 엑셀은 능숙하게 사용하시겠죠? 파워포인트와 엑셀의 다양한 기능을 배우는데 짧지 않은 시간이 걸렸을 것입니다. 그런데 이제 막 파이썬을 배우는 우리가 모든 기능을 쉽게 배워쓰기가 쉬울까요? 아마도 쉽지는 않을 것 같습니다. 이 책에서 바라는 것은 원하는 파이썬의 기본 기능을 배우는 것입니다. 거기에 추가로 우리가 원하는 기능을 구현하는데 있어서 파이썬의 어떤 패키지가 알맞을지 그리고 어떻게 필요한 정보와 코드들을 찾아서 빨리 적용을 하는지를 습득하는 것이 우리의 최종 목표입니다. 코드 한줄 한줄 다 이해하지 못한다고 스트레스 받지 말라는 얘기입니다. 처음에는 기능 하나 구현하는데 패키지를 찾는 것도 한줄의 참고할 만한 코드를 찾는 것도 꽤나 시간이 오래 걸릴 수 있습니다. 하지만 점차 그 시간이 줄어들게 되고 각각의 패키지를 사용하는 것이 손에 익게 될 것입니다.

파워포인트 하나를 사용하는 것을 우리는 위와 같이 간단한 코드로 사용을 할 수 있습니다. 저는 이 정보를 다음의 사이트에서 찾았습니다.

https://python-pptx.readthedocs.io/en/latest/user/text.html

그럼 코드를 하나씩 살펴보도록 하겠습니다.

```
import collections
import collections.abc
from pptx import Presentation
from pptx.util import Pt
from pptx.dml.color import RGBColor
```

맨 아래 두 줄이 새롭게 추가된 패키지들 입니다. 모두 python-pptx의 하위 패키지입니다. Pt는 폰트의 크기(size)를 지정하는데 사용하는 패키지입니다. RGBColor는 폰트의 색깔을 지정할 수 있는 기능을 가지고 있는 패키지입니다.

중간 부분의 코드는 이미 살펴본 코드였습니다. 파워포인트 슬라이드에서 정보를 얻어와 우리가 업데이트할 텍스트 박스의 정보를 딕셔너리에 저장해 두었죠. 딕셔너리에서 파워포인트의 각 구성요소의 이름과 그것이 몇 번째에 있는 구성 요소인지를 저장해 두었습니다. 다음은 새롭게 변경을 할 받는 사람과 관련된 정보들입니다.

```
name = "name"
str = "소 혜 민 귀하"
fontsize = 24
fontbold = True
```

먼저 받는 사람의 이름이 들어갈 텍스트박스의 이름을 "name" 으로 정의를 했고 name의 위치에 들어갈 값은 "소 혜 민 귀하"입니다. 다음은 폰트의 크기를 24로 정의했고 폰트볼드는 참(True)값을 주었습니다.

```
shape = shape_list[shape_idx[name]]
```

앞서 shape_idx를 출력했을 때, 다음과 같은 결과를 얻었습니다.

{'사각형: 둥근 모서리 1': 0, '직사각형 5': 1, 'TextBox 12': 2, 'TextBox 13': 3, 'TextBox 14': 4,
'직사각형 15': 5, '직사각형 16': 6, '직사각형 17': 7, '직사각형 18': 8, '직사각형 19': 9, 'name': 10,
'address': 11, 'pCode1': 12, 'pCode2': 13, 'pCode3': 14, 'pCode4': 15, 'pCode5': 16}

shape_idx는 딕셔너리이고 name은 "name"을 가지고 있기 때문에 shape_idx["name"]과 같으며 딕셔너리는 키를 넣었을 때, 그에 해당하는 값을 돌려주므로 결국 이 코드는 shape_list[10]과 같습니다. 이해가 되시나요?

그럼 shape는 shape_list의 열번째 구성요소인 텍스트 박스가 되는 것입니다. 파워포인트에서 "홍길동"으로 되어 있는 부분입니다.

```
text_frame = shape.text_frame
text_frame.clear()
p = text_frame.paragraphs[0]
run = p.add_run()
run.text = str
```

모든 텍스트 박스는 text_frame을 가지고 있습니다. 이 텍스트 프레임(text_frame)은 세로 정렬을 어떻게 할 것인지, 좌우 여백은 얼마나 줄 것인지, 수평이 아닌 회전이 되어 있는지, 3D 효과를 가지고 있는지 등등의 옵션을 가질 수 있습니다. 그리고 비어 있는 것처럼 보여도 최소한의 문장이 입력되어 있다고 합니다.
첫줄에서는 텍스트 프레임을 가지고 오고, 두번째 줄에서는 clear() 함수를 이용해서 모든 내용을 삭제를 합니다. 이렇게 삭제하고 paragraphs[0]을 이용하여 문장의 첫번째로 이동을 합니다.
텍스트 프레임에서 add_run()을 이용해서 새로운 텍스트를 추가하는 역할을 합니다. 이런 문장의 단위를 run이라고 하는데 동일한 서식을 가진 가장 작은 단위입니다. 그리고 나서 run의 text에 문자열 "소 혜민 귀하"를 할당하는 것입니다. 이것으로 인해서 파워포인트 슬라이드 내의 받는 사람에 해당하는 문장이 변경이 됩니다.

```
font = run.font
font.name = '맑은 고딕'
font.size = Pt(fontsize)
font.bold = fontbold
font.italic = None
font.color.rgb = RGBColor(0, 0, 0)
```

run에서 font 정보를 얻어와서 폰트 이름, 크기, 볼드체 여부, 이탤릭체와 색상을 변경합니다. 폰트의 크기를 변경할 때는 Pt() 패키지를 이용하고, 색상을 바꿀 때는 RGBColor() 클래스에서 순서대로 빨간색, 초록색, 파란색의 값을 각각 넣어 최종 색상을 지정합니다. RGB에 대한 정보를 알기 위해서는 여러가지 방법이 있습니다. RGB 색깔로 인터넷 검색을 해도 좋습니다. 그 중의 한 예로 다음의 페이지를 참고해 보세요.

https://www.rapidtables.org/ko/web/color/RGB_Color.html

페이지에서 R, G, B 값을 변경하거나 색상표에서 골라서 나온 R, G, B 값을 찾아 코드에 반영하면 변경된 폰트의 색상을 감상할 수 있습니다.

```
prs.save(r".₩files₩mail_newname.pptx")
```

　마지막으로 Presentation 패키지의 save() 함수를 사용해서 파일을 저장할 수 있습니다. 변경된 파일을 열어보면 다음과 같이 우리가 변경한 내용을 감상할 수 있습니다.

3. 엑셀 주소록 읽기

파워포인트 편지봉투에 출력할 엑셀은 초반에 살펴본 금융결제원에서 다운로드 받은 codefilex.xls을 사용하겠습니다. 전국 은행코드 및 은행이름과 주소를 담고 있으며 개수는 해외 지사의 정보까지 있어 무려 28,682개 입니다. 앞에서 살펴본 바와 비슷합니다.

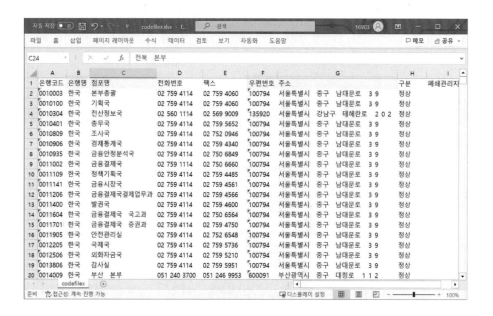

이 엑셀 파일에서 우리가 필요한 정보는 은행명 + 점포명 + "귀하", 우편번호는 다섯자리이어야 하고 파워포인트에 다섯칸이 있으므로 숫자를 하나씩 각각 나누어야 하며, 마지막으로 주소입니다.

```python
import openpyxl

wb = openpyxl.load_workbook(r".\files\codefilex.xlsx")
ws = wb['codefilex']

name = ''
postcode = ''
addr = ''

for i in range(2, 100): # 첫번째 줄은 제목이 나타남
    name = f"{ws.cell(i, 2).value} {ws.cell(i, 3).value} 귀하"
    postcode = ws.cell(i, 6).value
    addr = ws.cell(i, 7).value

    print(name, postcode, addr)
```

openpyxl 패키지를 사용하는 프로그램입니다. load_workbook() 함수를 이용해서 엑셀 파일 codefilex.xlsx를 열었습니다. 그리고 wb['codefilex']와 같은 방법으로 워크시트를 받아옵니다.

출력할 변수 name, postcode와 addr을 선언해 줬습니다. 이 변수들은 다음에 올 for문에서 채워지게 됩니다. 3만여개나 되는 파일을 모두 출력할 수는 있으나 파워포인트로 페이지를 만든다고 했을 때, 무려 3만 페이지나 되기 때문에 컴퓨터 성능 뿐만 아니라 저장소도 많이 차지하게 될 것이기 때문에 이번 테스트 코드에서 100번째 줄까지만 출력하도록 설정을 했습니다. 그리고 for문의 range()에서 2부터 시작을 하도록 했습니다. 첫번째 줄은 주소록 테이블의 제목이기 때문입니다.

name에는 두번째와 세번째의 은행명과 점포명에 "귀하"를 더했고, postcode는 6번째 셀의 값입니다. 마지막 7번째 셀의 값이 addr입니다.

몇 가지 조건을 걸어두면 좋을 것 같습니다. 첫번째로 은행명과 점포명의 길이가 각각 1이상이 되었으면 좋겠습니다. 비어 있지 않았으면 좋겠습니다. 주소도 마찬가지이구요. 주소는 최소 10글자 이상의 길이를 가져야 적당한 것으로 고려하고자 합니다. 마지막으로 우편번호입니다. 우편번호는 현재 다섯자리가 표준입니다. 따라서 우편번호의 길이가 5개보다 길거나 짧다면 에러가 발생할 것입니다. 이런 제약을 넣어 코드를 수정해 보겠습니다.

기존에 print() 함수가 있던 부분에 if문을 넣었습니다. 그렇게 했을 경우에 출력창에 보이는 바와 같이 22번째 부터 출력을 하고 있습니다. 22번째 이전까지는 모두 어딘가 우리가 확인하고자 하는 조건에 안 맞았기 때문일껍니다.

if문을 보면 조건이 하도 많기 때문에 한 줄에 하나의 조건만을 걸었고 모두 and 조건을 걸었습니다. 즉, if문 안에 있는 조건들이 모두 맞아야지만 print() 함수가 출력이 되는 것입니다. 조건문에서 len()이라는 함수는 문자열의 길이를 알려주는 파이썬 내장 함수입니다. '홍길동'이라면 숫자 3을 넘겨주죠. 다음으로 addr.strip()과 같이 사용된 strip() 함수는 문자열 좌우에 붙어 있을 수 있는 공백 문자를 제거해 주는 역할을 합니다. '서울시 '라는 문자열을 예를 들어보자면 '서울시' 다음에 공백이 하나 있습니다. 그 공백을 없애주는 것입니다.

다음으로 if문을 try: ~ except: ~ 문으로 예외 처리를 해 주었습니다. 주소록에는 아무런 정보도 들어있지 않은 경우가 있는데 이 경우에는 if 문 안의 조건문에서 에러가 발생합니다. 이런 경우에 대비해 에러가 나도 무시하고 except문 이하를 실행하라는 것입니다. except문의 pass는 아무런 동작을 하지 않을 것이니 무시하고 넘어가라는 의미입니다. 즉, except: 문은 try:와 짝이 되어야 하기 때문에 넣어준 것인데 except: 문에서 해 줄 것이 없으니 pass라는 약속어를 써서 그냥 넘기도록 한 것입니다.

4. 슬라이드 복사하기

파워포인트로 편지 봉투를 만들었고, 편지 봉투에 받는 사람을 내가 원하는 이름으로 출력하고, 주소록을 담고 있는 엑셀 파일에서 내용을 조건에 맞게 출력을 해 봤습니다. 그런데 한가지 해보지 않은 것이 파워포인트 슬라이드를 추가해 보지 않았습니다.

최종 목표는 하나의 주소록에 해당하는 파워포인트 페이지를 각각 만드는 것입니다. 주소록에서 조건에 맞는 숫자만큼 파워포인트 페이지를 만들어야 한다는 것이죠. 이렇게 하기 위해서는 출력할 파워포인트에 페이지를 추가하고 원본 파워포인트 파일에서 내용을 복사해 오는 과정이 선행이 되어야 합니다. 이번에는 새로운 슬라이드를 추가하고 기존 파일에서 읽어오는 과정을 만들어 볼 것입니다.

```python
import collections
import collections.abc
from pptx import Presentation
import copy

prs = Presentation(r".\files\mail.pptx")
source_slide =prs.slides[0]

slide_layout = prs.slide_layouts[6] #빈 페이지
copy_slide = prs.slides.add_slide(slide_layout)

for shape in source_slide.shapes:
    el = shape.element
    newel = copy.deepcopy(el)
    copy_slide.shapes._spTree.insert_element_before(newel, 'p:extLst')

prs.save(r".\files\copymail.pptx")
```

이 코드를 실행하고 나면 동일한 편지 봉투가 들어가 있는 두 페이지의 파워포인트 파일이 만들어집니다.

```
1    import collections
2    import collections.abc
3    from pptx import Presentation
4    import copy
```

Presentation 패키지를 사용하기 위해서 import를 했고, 이를 위한 collections와 collection.abc를 import 했습니다. 마지막에는 copy라는 파이썬의 내장 패키지를 import 했는데 이는 복사와 관련된 다양한 기능을 지원하고 있습니다.

```
6    prs = Presentation(r".₩files₩mail.pptx")
7    source_slide =prs.slides[0]
```

파워포인트 파일을 열고 slides[0]와 같이 첫번째 슬라이드를 source_slide에 넣습니다.

```
9    slide_layout = prs.slide_layouts[6] #빈 페이지
10   copy_slide = prs.slides.add_slide(slide_layout)
```

Presentation의 slide_layouts[6]는 새로운 슬라이드를 만드는 것인데 6번째는 비어있는 슬라이드를 말합니다. 파워포인트에서 새로운 슬라이드를 추가할 때, 다음의 그림에서 보는 바와 같이 새 슬라이드를 선택할 수 있습니다. 여기서 보면 0번째부터 시작해서 6번째가 빈 화면을 가진 슬라이드 입니다. slide_layouts[6]은 바로 이 빈 화면을 이야기하는 것입니다.

다음은 Presentation에 해당하는 prs에서 slides에 add_slide() 함수를 이용하여 슬라이드를 하나 추가하고 있습니다. 추가하는 슬라이드는 빈 화면에 해당하는 slide_layout입니다.

새 슬라이드를 만들 때, 빈 화면 레이아웃으로 만드는 과정입니다. 원본 파일이 첫 페이지에 있고, 다음 페이지는 아무것도 없는 빈 화면이 생성이 됩니다.

```
12   for shape in source_slide.shapes:
13       el = shape.element
14       newel = copy.deepcopy(el)
15       copy_slide.shapes._spTree.insert_element_before(newel, 'p:extLst')
```

for문은 원본 슬라이드를 가리키는 source_slide의 모든 shapes들을 순환합니다. 파워포인트의 각 구성요소, 여기서는 shape라고 부르는 것들은 다양한 속성, 예를 들면 배경색이나 좌우 여백과 같은 것들을 가지고 있다고 말씀드렸습니다.
for문의 첫 줄에서는 이러한 shape의 element를 el이라는 변수에 넣고 있습니다.

다음은 copy 패키지의 deepcopy() 함수에 파워포인트의 슬라이드에서 가져온 하나의 el(element) 변수를 매개변수로 넘겨주고 있습니다. deepcopy는 파이썬에서 사용하고 있는 복사의 한 종류입니다. 변수의 대입에 대해서 알고 넘어가야겠습니다. 파이썬 코드를 별도의 py 파일을 만들지 않고 테스트 하는 방법은 파이썬

콘솔을 사용하는 것입니다. 파이썬 콘솔은 파이참의 하위 터미널이 있는 부분에서 선택할 수 있습니다.

파이썬 콘솔은 >>>로 시작하는데 여기에 파이썬 코드를 넣으면 됩니다. deepcopy를 설명하기 위해서 앞의 그림과 같이 변수에 값을 할당하고 변경을 한 후에 출력을 해 보았습니다. a에 1을 넣고 b에 a를 넣은 후에 a의 값을 변경하고 a와 b의 값을 출력해 보면 우리가 원하는 대로 출력이 됨을 알 수 있습니다. 그런데 리스트와 같은 변수들은 어떨까요?

정수형 숫자를 가지고 테스트를 했던 결과와는 조금 다른 결과가 나왔습니다. 리스트 a에 1, 2를 각각 넣었고, b = a로 b에 a를 입력했습니다. 그리고 리스트 a의 첫번째 값을 1에서 3으로 바꾸고 a와 b를 출력했는데 a 뿐만 아니라 b도 바뀌는 현상이 발생을 했습니다.

이런 문제 때문에 deepcopy라는 것이 만들어졌습니다. deepcopy를 사용해서 코딩을 한 결과를 보시죠.

deepcopy( ) 함수를 활용했을 때는 우리가 원하는 값이 나왔습니다. 그렇다면 파이썬은 왜 이러는 것일까요?

프로그램에서 변수를 하나 만드는 것은 공간을 하나 만드는 일입니다. 파이썬도 마찬가지로 변수를 하나 선언하면 메모리에 a라고 이름 붙여진 공간을 하나 만듭니다. 그리고 b = a와 같이 b를 선언하면서 값을 넣을 때, a와 크기가 같은 공간 b를 만들고 a가 가지고 있는 값을 공간 b에 넣습니다. 이것이 일반적인 경우입니다. 그리고 공간은 늘어나지 않고 항상 같은 크기로 존재를 합니다. 숫자 0이 들어가건 숫자 1,000,000이 들어가건 같은 공간을 차지하고 있습니다.

그런데 공간이 가변적으로 늘어나거나 줄어드는 변수들이 있습니다. 예를 들면 리스트가 그 대표적인 경우입니다. 리스트는 append( )라는 함수를 이용해서 현재의 값에다 추가적인 값을 넣을 수 있습니다. 크기는 무한정 늘어날 수 있습니다. 이런 경우 b = a와 같이 했을 때, 추가적인 메모리 공간을 만들게 되면 메모리 뿐만 아니라 속도 등 여러가지 문제가 발생할 수 있습니다. 그래서 이렇게 가변적인 변수들은 b = a와 같이 했을 때, b를 위해서 a와 동일한 크기의 공간을 만드는 것이 아니라 이름만 만들어 놓고 a와 동일한 공간을 가리키도록 만들어 놓습니다. 이렇게 사용해도 일반적으로 문제가 되는 경우가 대부분입니다. 그런데 숫자를 저장해 놓은 변수처럼 새로운 공간을 메모리에 만들고 a의 내용들을 모두 b에 실질적으로 복사해 넣으라는 것이 바로 deepcopy입니다.

마지막으로 insert_element_before( ) 함수를 이용해서 새로 만든 슬라이드에 복사를 해 넣습니다. 이런 과정을 반복하면서 슬라이드가 복사됩니다.

파워포인트 슬라이드의 복사 과정은 현재 페이지에 있는 내용을 비어있는 슬라이드를 만들고 하나씩 복사해서 새로운 슬라이드에 붙여 넣는 과정이 되는 것입니다. 그런데 deepcopy( )를 사용하지 않는다면 어떻게 될까요? 같은 구성요소를 가리키는 텍스트 박스나 도형등을 새로운 페이지에 위치시키게 되므로 첫 페이지에는 아무것도 없는 상태가 됩니다.

예제 프로그램을 실행시켜서 결과물로 나온 파워포인트 파일을 열어보고 다음과 같이 deepcopy( ) 함수를 사용하지 않은 방법으로도 테스트 해 보시기 바랍니다.

```
# newel = copy.deepcopy(el)
newel = el
```

정상적으로 복사된 파워포인트 파일은 다음과 같이 두페이지로 동일한 내용이 보여집니다.

5. 편지봉투 출력하기

드디어 계획을 했던 프로젝트, 편지 봉투에 주소록을 읽어와 출력하는 것을 만들어 보겠습니다. 앞서서 기초적인 사항들을 모두 훑어봤기 때문에 하나씩 하나씩 조합을 해 나가면 될 것 같습니다.

완성되지도 않은 프로그램 코드를 보니 90여줄이 됩니다. 기존과 같이 파이참을 스크린샷 뜨는 것도 안됩니다. 그래도 전체 코드는 있어야 참고가 될 것 같아 우선 다음과 같이 넣었습니다. 이 코드는 편지봉투를 열기 → 파워포인트 업데이트를 위한 슬라이드 내 구성요소 목록 만들기 → 주소록 열기 → for문의 형태로 되어 있습니다. 다시 for문으로 들어가면 제목을 뺀 두 번째 부터 100번째까지 반복을 하도록 되어 있는데 그 순서는 받는 사람 출력하기 → 주소 출력하기 → 우편번호 출력하기 → 새로운 페이지 만들어 구성요소들 복사해 넣기의 순서로 이루어져 있습니다. 먼저 코드를 살펴보시기 바랍니다.

039_envelopAddr.py

```python
import collections
import collections.abc
from pptx import Presentation
from pptx.util import Pt
from pptx.dml.color import RGBColor
import copy
import openpyxl

# 편지봉투 열기
prs = Presentation(r".\files\mail.pptx")
slide = prs.slides[0]
shape_list = slide.shapes
shape_idx = {}
source_slide = prs.slides[0]

for idx, value in enumerate(shape_list):
shape_idx[value.name] = idx

# 주소록 열기
wb = openpyxl.load_workbook(r".\files\codefilex.xlsx")
ws = wb['codefilex']

for i in range(2, 100): # 첫번째 줄은 제목이 나타남
        name = f"{ws.cell(i, 2).value} {ws.cell(i, 3).value} 귀하"
postcode = ws.cell(i, 6).value
addr = ws.cell(i, 7).value

# print(name, postcode, addr)
### 받는 사람
shape = shape_list[shape_idx['name']]
text_frame = shape.text_frame
text_frame.clear()
p = text_frame.paragraphs[0]
run = p.add_run()
run.text = name

font = run.font
font.name = '맑은 고딕'
font.size = Pt(18)
font.bold = True
font.italic = None
```

```
font.color.rgb = RGBColor(0, 0, 0)

### 주소
shape = shape_list[shape_idx['address']]
text_frame = shape.text_frame
text_frame.clear()
p = text_frame.paragraphs[0]
run = p.add_run()
run.text = addr

font = run.font
font.name = '맑은 고딕'
font.size = Pt(16)
font.bold = True
font.italic = None
font.color.rgb = RGBColor(0, 0, 0)

### 우편번호
shape = shape_list[shape_idx['pCode1']]
text_frame = shape.text_frame
text_frame.clear()
p = text_frame.paragraphs[0]
run = p.add_run()
try:
        run.text = postcode
except:
        ...

font = run.font
font.name = '맑은 고딕'
font.size = Pt(14)
font.bold = True
font.italic = None
font.color.rgb = RGBColor(0, 0, 0)

### 편지봉투 복사
slide_layout = prs.slide_layouts[6] # 빈 페이지
copy_slide = prs.slides.add_slide(slide_layout)

for shape1 in source_slide.shapes:
        el = shape1.element
        newel = copy.deepcopy(el)
```

 프로그램 코드를 본 소감이 어떠신가요? 복잡하게 느껴지나요? 차근차근 살펴보시면 모두 앞에서 배웠던 코드들입니다. 좀 길고 중복된 부분이 있어서 그렇지 처음 보는 코드는 아닙니다. 우선 실행을 시켜 보겠습니다. 그리고 그 결과를 보면 다음과 같습니다.

우리가 원하는대로 두번째 부터 100번째까지의 주소록을 모두 파워포인트에 각각 출력하는 것은 성공한 듯 보입니다만, 출력된 것이 영 깔끔하지가 않습니다.

첫번째로 받는 사람의 은행명과 지점명 그리고 '귀하'가 너무 멀리 떨어져 있어 수정이 필요해 보입니다. 두 번째는 우편번호입니다. 코드가 너무 길어질 것 같아서 우선 첫번째 박스에 우편번호를 모두 출력하도록 코딩을 한 탓에 첫번째 줄에 세로로 나타납니다. 이 부분도 수정을 해야겠습니다. 먼저 코드들을 간단하게 살펴보고 수정해야 할 부분에 대해서도 이야기해 볼까 합니다.

```
import collections
import collections.abc
from pptx import Presentation
from pptx.util import Pt
from pptx.dml.color import RGBColor
import copy
import openpyxl
```

이미 한번씩 다 살펴본 내용입니다. python-pptx에서 사용하는 collections와 collections.abc를 import했고 다음은 파워포인트를 자체와 폰트의 크기를 지정하는데 사용하는 Pt, 폰트의 색상을 지정할 때 사용하는 RGBColor 클래스를 import 했습니다. 그리고 deepcopy를 사용하기 위한 파이썬 내장 패키지 copy도 import했습니다. 마지막으로 엑셀 주소록을 하나 하나씩 살펴보기 위한 openpyxl이 있습니다.

```
# 편지봉투 열기
prs = Presentation(r".\files\mail.pptx")
slide = prs.slides[0]
shape_list = slide.shapes
shape_idx = {}
source_slide = prs.slides[0]


for idx, value in enumerate(shape_list):
    shape_idx[value.name] = idx
```

Presentation 클래스를 이용해 편지봉투 파워포인트 파일을 열고 shape_idx라는 딕셔너리를 만듭니다. 파이썬에서 파워포인트의 어떤 내용을 변경하거나 참조하기 위해서는 파워포인트 내의 구성요소인 shape가 몇 번째 위치하고 있는지를 알아야 합니다. 우리가 파워포인트의 구성요소들에 부여한 이름을 가지고 몇 번째 위치에 있는지를 파악하기 위해서 딕셔너리를 만들어 둡니다.

그리고 원본 슬라이드를 가지고 있어야 새로운 슬라이드를 추가할 때 사용할 수 있으므로 source_slide에 프리젠테이션 파일의 첫번째 슬라이드를 저장합니다. 컴퓨터에선 0부터 숫자를 세는 것이 기본이라 사람 기준의 첫번째 슬라이드는 컴퓨터 기준 0번째가 됩니다. 그래서 slides[0]으로 표기합니다.

```
# 주소록 열기
wb = openpyxl.load_workbook(r".₩files₩codefilex.xlsx")
ws = wb['codefilex']
```

엑셀로 된 주소록 파일을 열고 실제 데이터가 들어 있는 ws에 'codefilex'라는 시트를 할당해 둡니다.

```
# 주소록 열기
wb = openpyxl.load_workbook(r".₩files₩codefilex.xlsx")
ws = wb['codefilex']
```

for 반복문의 시작입니다. 이 for 문에서는 제목을 뺀 두 번째 줄 부터 100번째 줄까지 총 99개 줄의 정보를 읽습니다. name에 저장되는 값은 엑셀의 두번째 컬럼에 있는 은행명과 세번째 컬럼에 있는 지점명에 '귀하'를 더한 값입니다. postcode는 6번째 컬럼에 있는 우편번호가 그대로 저장이 되고, addr에는 7번째 컬럼에 있는 주소가 각각 저장됩니다. 나중에 코드를 보고 읽기 쉽게 이름을 부여했습니다.

```
### 받는 사람
shape =
shape_list[shape_idx['name']]
text_frame =
shape.text_frame
text_frame.clear()
p = text_frame.paragraphs[0]
run = p.add_run()
run.text = name


font = run.font
font.name = '맑은 고딕'
font.size = Pt(18)
font.bold = True
font.italic = None
font.color.rgb = RGBColor(0, 0, 0)

### 주소
shape = shape_list[shape_idx['address']]
text_frame = shape.text_frame
text_frame.clear()
p = text_frame.paragraphs[0]
run = p.add_run()
run.text = addr


font = run.font
font.name = '맑은 고딕'
font.size = Pt(16)
font.bold = True
```

```
font.italic = None
font.color.rgb = RGBColor(0, 0, 0)

### 우편번호
shape = shape_list[shape_idx['pCode1']]
text_frame = shape.text_frame
text_frame.clear()
p = text_frame.paragraphs[0]
run = p.add_run()
run.text = postcode


font = run.font
font.name = '맑은 고딕'
font.size = Pt(14)
font.bold = True
font.italic = None
font.color.rgb = RGBColor(0, 0, 0)
```

다음은 for문에서 '받는 사람', '주소' 그리고 '우편번호'를 파워포인트에 직접 입력하는 부분입니다. 앞에서 이미 설명 드렸지만 우편번호는 맨 첫 칸에 다섯자리를 모두 출력했습니다. 나중에 이 부분은 각각의 다섯 칸에 나누어 출력하도록 수정을 할 예정입니다. 그러면 우편번호 부분이 한 개에서 다섯개로 늘어나서 위의 세 칸이 아니라 총 7칸으로 늘어나게 됩니다. for 문이 지금보다도 더 늘어나게 된다는 얘기죠.

그런데 세 칸을 좌우로 비교해 보면 많은 부분이 동일하죠. 총 13줄이고 그 중에서 다른 부분은 shape_idx 딕셔너리에 넣어 주는 파워포인트의 구성요소 이름, 실제로 파워포인트에 입력이 될 run.text에 들어갈 정보가 있는 부분, 마지막으로 폰트 크기 부분만 다릅니다. 이렇게 동일한 부분이 대부분이고 특정 부분만 바뀌는 것들은 함수로 바꿀 수 있습니다. 바뀌는 부분은 매개변수로 넘겨주면 됩니다.

현재 13줄 X 3 = 39줄인데 함수로 만들면 절반 이하로 만들 수 있습니다. 나중에 우편번호까지 다섯개로 나누게 되면 총 소스코드는 13 X 7 = 91줄이 될 것이고 함수를 만들면 20줄 내외로 줄어들지 않을까 예상이 됩니다. 이처럼 유사하게 반복되는 부분을 함수로 만들면 이해하기도 쉽고 소스코드의 양도 줄어드는 긍정적인 효과가 있습니다.

```
### 편지봉투 복사
slide_layout = prs.slide_layouts[6] # 빈 페이지
copy_slide = prs.slides.add_slide(slide_layout)

for shape1 in source_slide.shapes:
el = shape1.element
newel = copy.deepcopy(el)
copy_slide.shapes._spTree.insert_element_before(newel, 'p:extLst')
```

for문의 마지막은 편지 봉투를 복사하는 것입니다. 빈 페이지를 만들고 거기에 각 엘리먼트를 복사해 넣음으로써 새 페이지를 만듭니다.

```
prs.save(r".\files\envelops.pptx")
```

마지막으로 지금까지 만든 슬라이드를 envelops.pptx로 저장을 합니다.

6. 함수로 소스를 간소하게

이미 앞에서 설명한 바와 같이 함수를 사용하는 목적은 읽기 쉽고 간단하게 코드를 만드는데 있습니다.

40_envelopAddr2.py

```python
for i in range(2, 100): # 첫번째 줄은 제목이 나타남
    name = f"{ws.cell(i, 2).value} {ws.cell(i, 3).value} 귀하"
    postcode = ws.cell(i, 6).value
    if postcode == None:
            postcode = ' '
    addr = ws.cell(i, 7).value

    copyContentsToPPT(shape_list, shape_idx, 'name', name, 18)
    copyContentsToPPT(shape_list, shape_idx, 'address', addr, 16)

    copyContentsToPPT(shape_list, shape_idx, 'pCode1', postcode[0:1], 14)
    copyContentsToPPT(shape_list, shape_idx, 'pCode2', postcode[1:2], 14)
    copyContentsToPPT(shape_list, shape_idx, 'pCode3', postcode[2:3], 14)
    copyContentsToPPT(shape_list, shape_idx, 'pCode4', postcode[3:4], 14)
    copyContentsToPPT(shape_list, shape_idx, 'pCode5', postcode[4:5], 14)

    ### 편지봉투 복사
    slide_layout = prs.slide_layouts[6] # 빈 페이지
    copy_slide = prs.slides.add_slide(slide_layout)

    for shape1 in source_slide.shapes:
            el = shape1.element
            newel = copy.deepcopy(el)
            copy_slide.shapes._spTree.insert_element_before(newel, 'p:extLst')
```

소스코드는 변경한 코드의 일부분입니다. 이 소스코드는 전체 중에서 for문만 가지고 왔습니다. 앞의 소스코드에서 살펴볼 것은 크게 두 가지네요. 우선은 함수를 살펴봐야겠습니다. 함수 copyContentsToPPT()가 바로 새롭게 만들어진 함수입니다. 먼저 가깝게 있는 for문을 보면 이전코드 대비 우선은 코드 길이가 꽤 짧아진 것을 볼 수 있습니다. 짧아진 이유는 긴 코드 대신에 함수를 호출했기 때문입니다. copyContentsToPPT() 함수를 7회 호출하고 있는 것을 보실 수 있습니다. 이 함수에서는 매개변수로 5개를 전달하고 있습니다. 순서대로 shape_list, shape_idx, 파워포인트에서 부여한 이름, 엑셀에서 읽은 값 마지막으로 폰트 사이즈를 전달하고 있습니다. 다섯개 중에서 세번째에서 다섯번째는 파워포인트에서 변경이 되어야 할 부분들로 받는 사람, 주소 그리고 우편번호입니다.

여기선 shape_list와 shape_idx를 왜 보내는지를 이해하고 넘어가면 좋겠습니다. shape_list와 shape_idx는 우리 코드에서는 별도로 넘겨줄 필요가 없습니다. 왜냐하면 코드의 실행 순서상 shape_list와 shape_idx가 먼저 만들어지기 때문입니다. 이렇게 어느 곳에서나 사용할 수 이는 변수를 글로벌 변수라고 합니다. 그리고 함수 내에서만 사용하는 변수는 로컬 변수라고 하죠.

함수는 가능하면 글로벌 함수를 직접 불러다 쓰는 것을 지양해야 합니다. 왜냐하면 어느 함수에서 불러서 변경을 했는지 파악하기 어렵기 때문입니다. 그리고 코드를 이해하기도 어렵습니다. 그래서 명시적으로 두 개의 변수를 함수의 매개변수를 통해서 넘겨주는 것입니다.

또 하나는 우리가 지금까지 보내 못했던 리스트의 활용 방법이 나오고 있습니다. 바로 다음과 같은 내용

인데요.

postcode[0:1]

　postcode는 문자열인데 위와 같이 사용하고 있습니다. 이것은 postcode라는 문자열에서 0번째에서 시작해서 1이전까지의 문자열을 반환하라는 의미입니다. 즉 첫번째 문자를 얘기하는 것입니다. 두번째는 코드에 있는 바와 같이 [2:3]이 되겠죠. 만약에 3번째에서 5번째까지라면 어떻게 표현을 해야 할까요? 맞습니다. [3:6] 입니다. [3:5]라고 하면 5가 포함되지 않기 때문이죠. 이런 방식으로 다섯자리의 우편번호를 한자리씩 떼서 각각의 pCode1 ~ 5까지에 넣고 있는 것입니다.

　다음은 프로젝트의 상단에 만들어준 함수 copyContentsToPPT( )에 대한 설명입니다.

40_envelopAddr2.py

```python
import collections
import collections.abc
from pptx import Presentation
from pptx.util import Pt
from pptx.dml.color import RGBColor
import copy
import openpyxl

def copyContentsToPPT(s_list, s_idx, shape_name, txt, fontsize):
    shape = s_list[s_idx[shape_name]]
    text_frame = shape.text_frame
    text_frame.clear()
    p = text_frame.paragraphs[0]
    run = p.add_run()
    run.text = txt

    font = run.font
    font.name = '맑은 고딕'
    font.size = Pt(fontsize)
    font.bold = True
    font.italic = None
    font.color.rgb = RGBColor(0, 0, 0)
```

　사실 함수의 내용을 보는 것 이외에 다른 부분은 크게 설명드릴 사항이 없습니다. 각각의 값을 입력했던 것을 매개변수로 채워 넣기만 했죠. 함수를 만들지 않았다면 name, address, pCode1, pCode2, pCode3, pCode4, pCode5에 해당하는 함수 내의 코드를 모두 7번 반복했어야 합니다. 그런데 7번의 반복 대신에 함수를 7번 호출하는 것으로 끝이났으니 엄청난 코드의 다이어트를 한 셈입니다. 더불어 7번 반복되다보면 반복하는 중에 우리가 실수로 코드를 넣는다면 우리가 읽어보고 오류를 수정하는 부분도 그만큼 많아집니다. 함수로 만들어서 반복을 최소화하면 읽기 편하고 오류 찾기도 수월합니다.

　여기서 전 한가지를 더 함수화 하고 싶습니다.

copyPPTSlide( )

　for문의 마지막을 앞의 함수로 만들고, 그 함수의 바디는 다음과 같이 작성을 하고 싶습니다.

```
    def copyPPTSlide():
slide_layout = prs.slide_layouts[6] # 빈 페이지
copy_slide = prs.slides.add_slide(slide_layout)

for shape1 in source_slide.shapes:
    el = shape1.element
    newel = copy.deepcopy(el)
    copy_slide.shapes._spTree.insert_element_before(newel, 'p:extLst')
```

그리고나서 for문을 보면 다음과 같이 간소해져서 이해하기가 훨씬 수월해 보입니다.

```
for i in range(2, 100): # 첫번째 줄은 제목이 나타남
    name = f"{ws.cell(i, 2).value} {ws.cell(i, 3).value} 귀하"
    postcode = ws.cell(i, 6).value
    if postcode == None:
            postcode = ' '
    addr = ws.cell(i, 7).value

    copyContentsToPPT(shape_list, shape_idx, 'name', name, 18)
    copyContentsToPPT(shape_list, shape_idx, 'address', addr, 16)

    copyContentsToPPT(shape_list, shape_idx, 'pCode1', postcode[0:1], 14)
    copyContentsToPPT(shape_list, shape_idx, 'pCode2', postcode[1:2], 14)
    copyContentsToPPT(shape_list, shape_idx, 'pCode3', postcode[2:3], 14)
    copyContentsToPPT(shape_list, shape_idx, 'pCode4', postcode[3:4], 14)
    copyContentsToPPT(shape_list, shape_idx, 'pCode5', postcode[4:5], 14)

    copyPPTSlide()
```

마지막으로 코드를 살펴보니 미처 설명드리지 못한 부분이 있네요. 바로 for문 내의 if문입니다. 일반적으로 우편번호가 있으면 에러가 나지 않는데 우편번호가 없는 주소들이 있습니다. 이 주소들로 인해서 postcode에 아무것도 없다는 None이라는 값이 저장이 되고 아무것도 없는데 postcode[0:1]과 같이 계산을 하다보니 에러가 발생해서 프로그램 실행이 멈추는 문제가 있어서 추가한 코드입니다. None만 아니면 postcode[0:1]과 같은 연산은 에러가 발생하지 않았습니다. 나중에는 우편번호가 5자리가 아닌 것들을 걸러낼 것이긴 한데 우선은 이렇게 에러를 해결하고 넘어가려고 합니다.

7. 버그 수정1 - 받는사람

버그란? 벌레라는 의미입니다. 이 단어가 프로그래밍 안으로 들어오면 버그란 프로그램 내에 숨어있는 오류를 이야기 합니다. 프로그래밍에서 가장 어려운 부분이기도 한 버그 수정!, 또는 디버깅

프로그래머들을 가끔 밤새 하나의 버그를 잡지 못해서 힘들어하곤 합니다. 그러다가 잠이 들었는데 꿈 속에서 힌트가 생각나 벌떡 일어나 해결한 경험도 다들 한번씩은 있죠. 이런게 버그랍니다. 어떨땐 너무나 쉽게 해결되기도 하고요.

우리가 만든 프로그램에는 어떤 오류들이 숨어 있는지 확인해 봐야겠습니다. 이미 제목을 봐서 아시겠지만 다음과 같이 받는 사람이 엉망으로 나타납니다. 아무래도 공백 때문에 그렇겠죠?

그렇다면 어떻게 해야 보기 좋게 바꿀 수가 있을까요?

공백을 없애는 방법을 알아 보겠습니다.

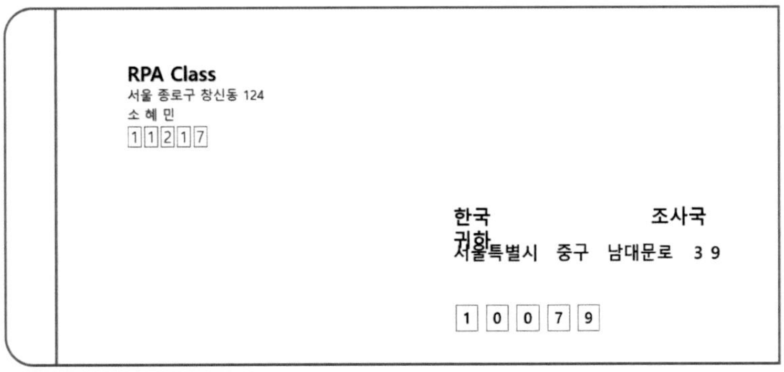

RPA Class
서울 종로구 창신동 124
소 혜 민
`1` `1` `2` `1` `7`

한국   조사국
거활특별시 중구 남대문로 3 9

`1` `0` `0` `7` `9`

사실은 버그랄 것도 없이 공백을 없애주면 될 문제입니다. 우선 전체 코드를 실행시키면 항상 파일이 만들어지니 파워포인트로 저장되는 루틴을 동작안하도록 막아야겠습니다. 그리고 터미널에 name을 출력시켜 진짜 공백이 문제인지 확인해 보겠습니다.

042_envelopBug.py

```
47  for i in range(2, 100): # 첫번째 줄은 제목이 나타남
48      name = f"{ws.cell(i, 2).value} {ws.cell(i, 3).value} 귀하"
49      postcode = ws.cell(i, 6).value
50      if postcode == None:
51          postcode = ' '
52      addr = ws.cell(i, 7).value
53      print(name)
54
55      copyContentsToPPT(shape_list, shape_idx, 'name', name, 18)
56      copyContentsToPPT(shape_list, shape_idx, 'address', addr, 16)
57
58      copyContentsToPPT(shape_list, shape_idx, 'pCode1', postcode[0:1], 14)
59      copyContentsToPPT(shape_list, shape_idx, 'pCode2', postcode[1:2], 14)
60      copyContentsToPPT(shape_list, shape_idx, 'pCode3', postcode[2:3], 14)
61      copyContentsToPPT(shape_list, shape_idx, 'pCode4', postcode[3:4], 14)
62      copyContentsToPPT(shape_list, shape_idx, 'pCode5', postcode[4:5], 14)
63
64      copyPPTSlide()
65
```

for문에서 print() 함수를 이용해서 name을 출력해서 정말로 공백이 있는지를 확인해 보려고 합니다. 공백이 보인다면 아주 쉽게 그 공백들을 없앨 수 있으니까요. 그런데 copyContentsToPPT() 함수들과 copyPPTSlide()함수는 주석처리를 해서 실행이 안되게 하고 싶습니다. 이럴 경우엔 앞의 그림과 같이 마우스로 그 영역을 선택을 합니다. 다음으로 'Ctrl + /'를 누르면 자동으로줄 맨앞에 '#'을 추가해서 주석 처리를 해 줍니다. 주석 처리된 문장을 선택한 후 동일하게 'Ctrl + /'를 실행하면 주석이 사라지게 됩니다. 주석처리를 하였다면 실행해 봅니다.

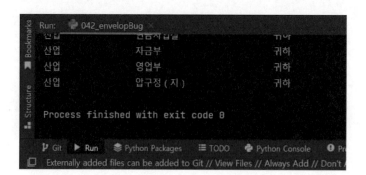

그림의 실행된 결과를 보면 은행이름과 지점명 사이가 공간이 많이 떠 있습니다.

그래서 이 문자열을 하나로 합치기 전에 좌우의 공백을 없애주는 것이 좋을 것 같습니다. 파이썬에서는 내장함수 중에서 공백을 없애주는 삼형제가 있습니다. lstrip(), rstrip(), strip() 입니다. 각각은 좌측, 우측, 양쪽의 공백을 없애주는 함수입니다.

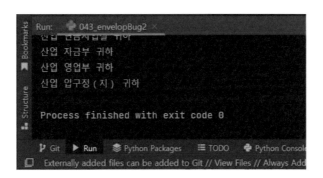

```
for i in range(2, 100): # 첫번째 줄은 제목이 나타남
    name = f"{ws.cell(i, 2).value.strip()} {ws.cell(i, 3).value.strip()} 귀하"
```

ws.cell(i, 2).value는 은행 이름입니다. 이 은행이름에 공백이 있기 때문에 공백을 없애주기 위한 strip() 함수를 사용합니다. 그러면 공백이 사라지게 되는 것입니다.

앞의 그림에서 콘솔창에 출력된 결과를 보면 공백들이 없어진 것을 볼 수 있습니다. 이렇게 확인이 끝나고 나면 디버깅을 위해서 주석처리를 해 두었던 부분의 코드들을 원상복귀 시킵니다. 그리고나서 실행을 해서 최종 결과물인 파워포인트 파일을 확인하면 됩니다.

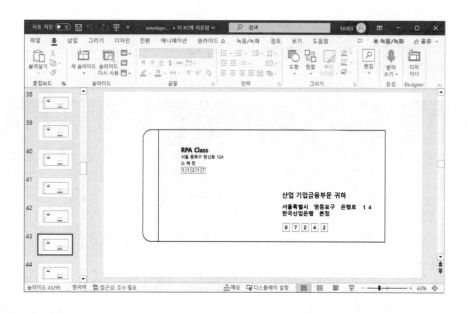

파워포인트 파일을 열어보면 앞의 그림과 같이 받는 사람이 잘 표현되고 있음을 볼 수 있습니다. 하나의 문제를 해결했습니다.

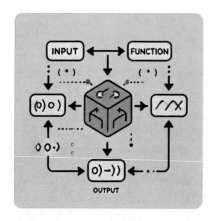

8. 버그수정2 - 첫페이지와 끝페이지가 같아요

받는 사람이 잘 보이니 편지지 출력은 완료 된 것 같았지만 이상한 것을 발견했습니다. 첫 페이지와 마지막 페이지가 같은 겁니다. for문을 보면 제목을 뺀 두 번째 부터 99번째까지 슬라이드를 추가해서 만들고 있는데 맨 앞 페이지와 맨 뒷 페이지의 내용이 같습니다. 한장 더 프린트 된다고 크게 문제가 되진 않겠지만 정확하게 해야겠죠?

원인을 따져봅니다.

원래 파워포인트 파일에는 한장이 있었습니다. for문을 시작하면 원래 있던 한장에 받는사람, 주소, 우편번호를 출력합니다. 그리고 현재의 페이지를 복사해서 추가합니다. 추가한 페이지는 두번째 페이지에 위치해서 모두 두 장이 됩니다. 이 순간에는 첫 페이지와 둘째 페이지가 같게 됩니다. 다시 for문의 두 번째 즉, i가 2일 때는 첫 페이지에 받는사람, 주소와 우편번호를 바꿉니다. 그러니까 엑셀 파일의 주소와 역순이 됩니다. 그런데 복사를 할 때, 첫 페이지를 복사해서 맨 뒷 페이지로 넣습니다. 순서대로 보면 2, 1, 2가 됩니다. 두 바퀴를 돌았는데 파일이 세 개 입니다. 세 번째 즉, i가 3일 때는 for문이 끝나면 3, 1, 2, 3이 됩니다. 페이지 수가 많아도 맨 마지막 주소는 첫 페이지에 그리고 다음부터는 순서대로 생성이 되는 것입니다.

어디가 문제인가요?

맨 마지막에는 for문 끝에서 슬라이드를 추가합니다. 여기서 추가하는 슬라이드는 다음의 for문을 위한 것입니다. 그런데 for문의 마지막 주소록에서도 다음의 슬라이드를 추가하게 됩니다. 이 부분이 문제가 되겠습니다. 따라서 마지막 for문에서 복사하는 부분을 실행하지 않으면 됩니다.

이를 위해서는 for문의 마지막을 알아내는 방법이 필요하겠습니다. for문을 보면 2부터 시작해서 100보다 작을 때까지, 즉 99까지 진행이 됩니다. 이 얘기는 99번째 주소록을 읽어서 쓴 다음에는 슬라이드를 추가하는 copyPPTSlide() 함수를 호출하지 않으면 됩니다.

```
46
47    count = 100
48  ⊟for i in range(2, count):
49        name = f"{ws.cell(i, 2).value.strip()} {ws.cell(i, 3).value.strip()} 귀하"
50        postcode = ws.cell(i, 6).value
51        if postcode == None:
52            postcode = ' '
53        addr = ws.cell(i, 7).value
54
55        copyContentsToPPT(shape_list, shape_idx, 'name', name, 18)
56        copyContentsToPPT(shape_list, shape_idx, 'address', addr, 16)
57
58        copyContentsToPPT(shape_list, shape_idx, 'pCode1', postcode[0:1], 14)
59        copyContentsToPPT(shape_list, shape_idx, 'pCode2', postcode[1:2], 14)
60        copyContentsToPPT(shape_list, shape_idx, 'pCode3', postcode[2:3], 14)
61        copyContentsToPPT(shape_list, shape_idx, 'pCode4', postcode[3:4], 14)
62        copyContentsToPPT(shape_list, shape_idx, 'pCode5', postcode[4:5], 14)
63
64        if i == count-1:
65            break
66        copyPPTSlide()
67
68    prs.save(r".\files\envelops3.pptx")
```

for문을 시작하는 곳, 그리고 copyPPTSlide() 함수 앞 부분이 조금 바뀌었습니다. 하나씩 살펴보도록 하겠습니다.

```
count = 100
for i in range(2, count):
```

range(2, 100)으로 끝나는 for문을 count라는 변수를 써서 바꿨습니다. 별 의미는 없어 보입니다. 다음으로 바뀐 곳으로 가 보겠습니다.

```
if i == count-1:
    break
copyPPTSlide()
```

앞에서 만든 변수 count가 if문에서 사용되고 있습니다. i는 2부터 99까지 바뀌는 for문 내의 변수입니다. 그런 i가 count-1과 같다면 break하라는 의미네요. '=='은 '같다면'의 의미입니다. '='이 하나만 쓰이면 입력이라는 의미죠. i가 99라면 즉, 마지막 for문을 돌고 있다면 break 하라는 의미입니다. 여기서 break란 for문을 빠져나가라는 의미입니다. 결국 i가 99라면 copyPPTSlide() 함수를 실행하지 않고 for문을 종료하는 것입니다.

if문은 다음과 같이 바꿔서 쓸 수도 있습니다.

```
if i != count-1:
    copyPPTSlide()
```

i가 99가 아니라면 copyPPTSlide()를 실행하라!
다음과 같이 바꾸는 것도 가능합니다.

```
if i < count-1:
    copyPPTSlide()
```

조건문은 논리만 맞으면 되기 때문에 무엇을 써도 무방합니다.

9. 버그수정3 - 우편번호 문제

이번엔 논리적인 오류를 수정해 보고자 합니다. 지금까지 우리는 주소록에 있는 정보들이 편지봉투에 제대로 출력이 되는지만을 살펴왔습니다. 그런데 잘 보면 우편번호가 없거나 우편번호가 다섯자리가 아닌 번호들이 들어가 있는 주소들이 있습니다. 인터넷을 검색해보니 2015년 8월 1일을 기점으로 이전에는 6자리 우편번호 체계에서 5자리 우편번호 체계로 바뀌었다고 합니다. 우편번호는 정확하게 다섯자리 숫자로 이루어져야 한다는 것입니다. 물론 해외 우편번호는 다를 수 있습니다. 여기서는 국내 은행 지점을 위해서만 편지봉투를 프린트 하는 것으로 하겠습니다. 그렇다면 우리는 우편번호의 자리수가 모두 5자리인 정보를 가진 것들만 편지봉투로 출력을 하면 되겠습니다. 여기서는 파이썬의 len()이라는 내장함수가 활약을 할 차례입니다.

```python
48  for i in range(2, count):
49      name = f"{ws.cell(i, 2).value.strip()} {ws.cell(i, 3).value.strip()} 귀하"
50      postcode = ws.cell(i, 6).value
51      if postcode == None:
52          postcode = ' '
53
54      if len(postcode) == 5:
55          addr = ws.cell(i, 7).value
56
57          copyContentsToPPT(shape_list, shape_idx, 'name', name, 18)
58          copyContentsToPPT(shape_list, shape_idx, 'address', addr, 16)
59
60          copyContentsToPPT(shape_list, shape_idx, 'pCode1', postcode[0:1], 14)
61          copyContentsToPPT(shape_list, shape_idx, 'pCode2', postcode[1:2], 14)
62          copyContentsToPPT(shape_list, shape_idx, 'pCode3', postcode[2:3], 14)
63          copyContentsToPPT(shape_list, shape_idx, 'pCode4', postcode[3:4], 14)
64          copyContentsToPPT(shape_list, shape_idx, 'pCode5', postcode[4:5], 14)
65
66          if i < count-1:
67              copyPPTSlide()
68
69  prs.save(r".\files\envelops4.pptx")
```

copyContentsToPPT() 함수와 copyPPTSlide() 함수가 있는 부분이 postcode의 길이가 5일 때만 실행이 되도록 변경이 되어 있습니다. 이렇게 실행해 보면 기존에 98개의 주소록이 출력되던 것에서 postcode의 길이가 5인 68개의 주소만 출력이 됩니다.

이것으로서 주소록의 정보를 이용해서 편지봉투를 출력하는 프로젝트가 종료 되었습니다.

count = 25000 그러니까 2만5천 개의 주소록을 돌리는데 걸린 시간은 총 20분이 걸렸습니다. 2만5천개의 주소 중에서 다섯자리의 우편번호를 가진 정보는 총 17610개입니다. 그리고 만들어진 파일의 크기는 46.6Mb나 됩니다.

업무적으로 이 프로젝트를 활용한다면 얼마나 시간을 절약할 수 있을까요?

슬라이드를 복사하고, 엑셀에서 각각을 복사해서 넣고 우편번호는 다섯자리니 타이핑을 한다고 하면 10초 정도면 될까요? 그러면 10 x 17610이고 쉬지 않고 한다는 가정하에 한시간, 3600초로 나누면 48.9시간이 걸립니다. 산술적인 계산이긴 합니다만, 업무를 자동화 할 수 있다는 것은 그만큼 효율적이라는 얘기가 되겠죠.

이 예제 프로젝트는 업무 중에 이름표 등을 만들 때, 사용할 수 있지 않을까요?

이 프로젝트에는 아직도 하나의 버그가 남아 있습니다. 바로 중복된 페이지가 남아 있을 가능성이 있다는 것입니다. 모두 정확하게 우편번호가 들어있다면 발생하지 않을 에러이지만 맨 마지막에 있는 데이터의 우편번호가 5자리가 아니라면 어떤 문제가 발생할까요? 그리고 이 문제는 어떻게 해결할 수 있을까요?

제4장 RPA2 - 엑셀파일 비교 프로젝트

업무에서 자료를 관리하는 프로그램은 바로 엑셀입니다. 엑셀로 자료를 만들다보면 여러 개의 버전이 만들어지는데 각 버전마다 무엇이 바뀌었는지 손으로 짚어가며 비교를 하는 경우가 왕왕 있습니다.

자료가 몇 개 안된다면 손으로 하나씩 짚어가면서 비교할 수도 있겠지만 그것도 숫자로면 이루어진 테이블이라면 실수할 수 있는 가능성이 높아지겠죠. 거기에 자료의 개수라도 많다고 한다면 비교하는 것 자체가 노가다일 수도 있습니다.

엑셀을 비교할 때, 가능한 두 가지 경우와 불가능한 나머지의 파일 형식이 있습니다.
여기서는 그 두 가지의 경우를 살펴보고 각각 비교를 할 수 있는 프로그램을 만들어 보려고 합니다. 첫번째는 고정된 포맷에 내용만 변경되는 경우입니다.

손익 계산서와 같은 경우입니다. 행과 열의 개수가 정해지고 항목의 순서도 변하지 않는 그런 데이터들입니다. 거의 대부분 숫자만 바뀌겠죠. 아니면 항목의 이름이 살짝 변하는 경우일껍니다. 이런 파일의 경우 버전이 바뀌면서, 혹은 분기가 바뀌면서 데이터가 바뀌는 경우가 있습니다. 이런 종류의 파일에서는 셀의 내용이 바뀐 경우, 숫자의 경우 숫자가 커진 경우, 작아진 경우로 나눠서 바뀐 값과 셀의 색상을 바꿔서 표시해

주면 좋겠다는 생각을 했습니다.

　두번째는 다음과 같은 파일입니다.

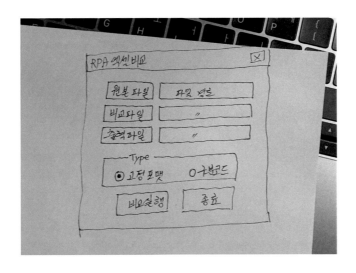

　일반적인 데이터 파일입니다. 앞선 프로젝트에서 편지지에 주소를 출력할 때 사용했던 주소록 파일입니다. 이 경우의 데이터는 추가되고 삭제될 수 있습니다. 거기에 수정이 되는 세 가지 경우가 있습니다. 첫번째 경우보다 추가 및 삭제되는 경우가 있습니다. 비교하고 비교당하는 자료의 개수가 서로 다를 수 있습니다. 행의 수가 다를 수는 있으나 열의 수는 같아야 하겠죠. 이 두번째 경우에서 더 중요한 요소가 있습니다. 바로 '은행코드' 입니다. 은행코드와 같이 유일한 값이 들어있어야 한다는 것입니다. 이 유일한 값이 있어야 두 개의 파일을 비교하면서 순서가 바뀌더라도 찾아가서 비교를 할 수 있는 것입니다. 다시 한번 강조하자면 이 경우에는 주민번호와 같이 유일무이한 값이 파일내에서 존재해야 합니다.

　이런 두 가지의 경우에 대해서만 엑셀 파일의 비교가 가능합니다. 제한적인 엑셀파일 비교이긴 합니다만, 이 두가지 경우에 대해서 GUI를 얹어서 프로젝트를 진행하기로 합니다.

　GUI 디자인을 해 봤습니다. 직접 엑셀 파일을 우리 프로그램에서 보여주지 않을 것이기 때문에 조그만 윈도우를 만들고 원본파일, 비교파일, 출력파일 버튼을 만듭니다. 각각의 버튼을 클릭하면 파일을 선택할 수 있는 열어 파일 경로에 출력을 해 줍니다. 파일 타입은 행과 열의 개수가 똑같은 두 개의 엑셀 파일을 비교하는 고정 포맷과 유일한 값을 가진 구분코드를 가진 엑셀 파일을 비교하는 두 종류가 있을 수 있습니다. 그리고 맨 하단에는 비교를 실행할 것인지 종료할 것인지의 버튼을 둡니다. 이번 프로젝트는 이렇게 개발을 해보고자 합니다.

1. 화면 만들기

GUI 화면 디자인은 QT Designer로 합니다. GUI 중에서 꼭 필요한 요소에 대해서 다음과 같이 만들어 주고 그 외에의 디자인은 이 프로젝트를 진행하면서 어떻게 해도 무방합니다. QT Designer를 실행하고 아무것도 없는 화면을 먼저 만들기 위해서 Dialog without Buttons를 선택하고 디자인을 진행합니다.

Type	Text	Object Name	비 고
Push Button	원본파일	pbOri	-
	비교파일	pbComp	-
	출력파일	pbOut	-
	비교실행	pbExec	-
	종료	pbQuit	-
Radio Button	고정포맷	rbStatic	-
	구분코드	rbKey	-
Line Edit	-	leOri	enabled no check
	-	leComp	enabled no check
	-	leOut	enabled no check

프로젝트를 따라하면서 꼭 지켜야 편안하게 따라 올 수 있는 부분은 Object Name입니다. 코드에서 Name이 항상 사용되므로 주의해 주시기 바랍니다. 또 한가지 Line Edit 위젯들은 우측의 Property Editor의 enabled 항목에 체크가 되어 있는 것을 해제해 주시기 바랍니다. 각 Line Edit 위젯에는 파일경로와 파일 이름이 출력될 것이기 때문에 실수로 타이핑이 안되도록 막기 위함입니다.

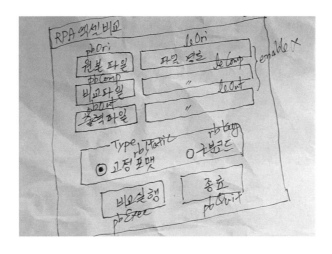

QT Designer로 디자인을 해 봅니다. 프로그램을 개발할 때, 바로 코딩을 하는 것이 아니라 미리 디자인을 하는 단계가 있습니다. 내가 계획하여 만드는 프로그램이던 아니던 프로그램을 어떻게 만들어야겠다는 사양서라는 것으로 부터 프로그램을 기획하게 됩니다. 프로그램 개발을 요구하는 측에서 어떤 기능이 필요하다고 요구하는 문서를 사양서라고 합니다. 사양서를 받으면 개발자들은 사양서를 분석하고 그 다음이 디자인을 하게 됩니다. 현재 우리는 디자인 단계에 있는 것입니다. 이 디자인 단계가 끝나면 GUI를 만들고 코딩을 진행합니다. 코딩 중간 중간 테스트 하는 단계를 거치고 최종 검수 단계를 거쳐 최종 사용자에게 프로그램이 전달됩니다.

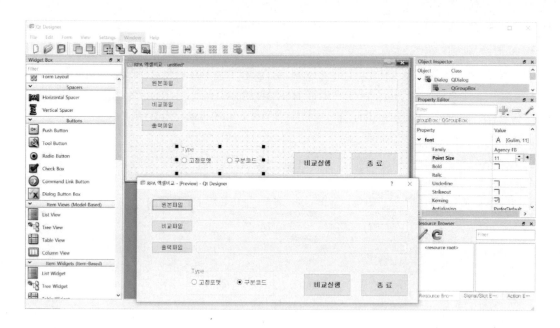

Dialog는 제목, windowTitle을 'RPA 엑셀비교'로 하고 sizePolicy하위의 horizontal Policy와 Vertical Policy를 모두 Fixed로 변경합니다. 이렇게 하면 우리가 디자인한 사이즈를 사용자가 변경할 수 없게 됩니다. QGroupBox로 Type을 표기하고 마우스 오른쪽 버튼을 눌러 Send to Back을 선택합니다. 그렇지 않으면 고정포맷과 구분코드 위에 QGroupBox가 올라가 옵션을 선택할 수 없게 됩니다. Font Size나 Font Bold를 선택해서 보기 좋게 각각의 위젯들을 배치합니다. 마지막으로 UI는 excelComp.ui로 UI 폴더에 저장을 합니다.

처음 계획했던 것보다 좌우로 넓어진 화면을 만들었습니다. 생각해 보니 파일의 경로가 길면 다 안보일 수도 있겠다는 생각에서 입니다.

이번엔 execlComp.ui를 excelComp.py로 소스파일로 변환을 해 줍니다.

   (venv) PS C:₩PythonProject₩MyRPA> pyside6-uic .₩Ui₩excelComp.ui -o .₩excelComp.py

다음엔 변환된 파일을 실행시키기 위해서 파이썬 코드와 연결을 해야겠습니다.

2. UI 연결

QT Designer로 GUI를 만들고 excelComp.py 파일로 변환을 했습니다.

기억을 더듬어 보겠습니다. QT Designer로 만든 UI 파일을 파이썬 파일로 변환을 한 후에는 파이썬 코드와 위와 같이 연결해서 실행을 시켜봤습니다. UI를 변환한 파이썬 파일을 사용하기 위한 기본 코드는 다음과 같습니다. 다음의 기본 코드에서 필요한 파일을 import하고 MainWindow 클래스를 확장하고 UI를 변환한 파이썬 파일의 UI를 초기화 하는 함수 setupUi()를 호출해 주기만 하면 됩니다. 위의 실행 예에서 기본코드만 추려보면 다음과 같습니다.

```python
import sys
from PySide6.QtWidgets import QApplication, QMainWindow

class MainWindow(QMainWindow):
    def __init__(self):
        super().__init__()

if __name__ == "__main__":
    app = QApplication(sys.argv)
    mainWindow = MainWindow()
    mainWindow.show()
    sys.exit(app.exec())
```

우리는 이 파일을 기본으로 놓고 새로 만든 UI 파일을 가지고 와서 합치는 작업을 합니다.

우선 변환된 py파일, 이 경우엔 파일의 이름을 excelComp.py로 줬습니다. 해당 파일을 열어보면 Ui_Dialog 라는 이름으로 클래스가 선언이 되어 있는 것을 볼 수 있습니다.

```
excelComp.py
class Ui_Dialog(object):
```

```
046_excelComp.py
from excelComp import Ui_Dialog
```

from 다음에는 UI를 변경한 파이썬 파일 이름 excelComp 그리고 import에서는 class로 정의된 이름을 조합 해서 import를 해 주고 있습니다.

```
class MainWindow(QMainWindow, Ui_Dialog):
```

파이썬에서 만든 QMainWindow를 기반으로 UI를 만드는데 거기에 우리가 만든 UI 파일에 있는 클래스 Ui_Dialog를 추가해 줍니다.

```
def __init__(self):
    super().__init__()
    self.setupUi(self)
```

__init__(self) 함수는 class에서 자동으로 호출이 되는 함수입니다. super().__init__()는 QMainWindow 클래스에 있는 __init__() 함수를 호출을 하는 것입니다. QMainWindow 클래스가 __init__() 함수에 의해서 초기화가 되면 기본 윈도우의 기능들이 모두 초기화가 됩니다. 다음으로 우리가 만들고 변환한 excelComp.py에 있는 setupUi(self) 함수를 호출하여 우리가 디자인한 UI를 호출하여 화면에 그려주게 되는 것입니다.

이렇게 QT Designer로 만든 UI를 실행시켰습니다. 그런데 아쉽게도 일부가 잘려서 잘 보이지 않습니다. 이럴 경우에는 다시 QT Designer를 열어서 각 위젯의 크기를 넉넉하게 조정합니다. 다음으로 py 파일로 변환을 해야겠죠? 변환 후에는 다시 실행을 해 보면서 내가 원하는 대로 화면에 보여지는지를 확인합니다. 만족할만한 결과가 나올 때까지 반복을 합니다.

최종 화면에서는 버튼들과 라인에디트 및 라디오 버튼의 모든 텍스트가 잘 출력되고 있습니다. 화면에 보이는 구성요소는 잘 된 것 같으니 각각의 위젯들을 클릭하고 선택했을 때, 동작하는 코드들을 만들어 보겠습

니다.

먼저 우리는 세 가지 위젯을 사용했습니다. Push Button, Radio Button 그리고 Line Edit입니다. Push Button 중 pbOri, pbComp, pbOut은 각각 입력파일, 비교파일 및 출력될 파일 이름을 선택하게 되며, 여기서 선택된 파일들의 경로와 이름이 Line Edit에 표시하려고 합니다. Line Edit에는 결국 결과 값만을 표시할 것 이기 때문에 별도로 사용자와의 직접적인 소통은 필요 없습니다. 사용자가 Push Button을 누를 때, 동작이 필 요하므로 Push Button 만 먼저 연결을 합니다. 그리고 Radio Button은 비교하고자 하는 파일이 행과 열의 개 수가 고정된 고정 포맷인지, Unique한 Key값을 사용하는 형태인지에 따라서 프로그램이 어떻게 동작할지를 정 해주기 위한 옵션 버튼입니다.

047_excelComp2.py

```python
class MainWindow(QMainWindow, Ui_Dialog):
    def __init__(self):
        super().__init__()
        self.setupUi(self)
        self.pbOri.clicked.connect(self.pbOriClick)
        self.pbComp.clicked.connect(self.pbCompClick)
        self.pbOut.clicked.connect(self.pbOutClick)
        self.pbExec.clicked.connect(self.pbExecClick)
        self.pbQuit.clicked.connect(self.pbQuitClick)

        self.rbKey.clicked.connect(self.rbKeyClick)
        self.rbStatic.clicked.connect(self.rbStaticClick)

        self.rbStatic.click()
        print(self.rbStatic.isChecked())
        print(self.rbKey.isChecked())

    def pbOriClick(self):
        print("원본파일")

    def pbCompClick(self):
        print("비교파일")

    def pbOutClick(self):
        print("출력파일")

    def pbExecClick(self):
        print("실행")

    def pbQuitClick(self):
        print("종료")

    def rbKeyClick(self):
        print("구분코드")

    def rbStaticClick(self):
        print("고정포맷")
```

앞의 코드는 UI에 보여지는 위젯들과 실제로 수행이 될 코드들을 연결시키고 해당 위젯들을 클릭했을 때, 간단한 메시지를 터미널에 출력하는 코드입니다. 이 코드를 기반으로 하여 메시지 대신에 각종 동작들을 넣 어 보도록 하겠습니다.

```python
self.pbOri.clicked.connect(self.pbOriClick)
```

self.pbOri는 Push Button 중에서 원본 파일을 위한 버튼입니다. 이 버튼에는 버튼의 동작을 나타내는

clicked라는 동작이 있고, 해당 동작에 괄호 안에 있는 함수와 연결하라는 것이 connect() 함수입니다.

'pbOri 버튼이 클릭되면 pbOriClick()이라는 함수를 호출하세요' 라는 의미입니다. pbOriClick() 함수는 우리가 임의로 만들어 준 함수 입니다. Push Button 뿐만 아니라 Radio Button도 같은 방식으로 실제로 동작 할 함수들과 연결 해주는 코드를 위에서 볼 수 있습니다.

```
self.rbStatic.click()
print(self.rbStatic.isChecked())
print(self.rbKey.isChecked())
```

self.rbStatic.click()은 어떤 동작을 할까요? 바로 마우스로 '고정 포맷' 버튼을 누른 효과를 나타냅니다. 만약에 이 코드가 없다면 두 개의 Radio Button이 전혀 선택이 되지 않은 상태로 남아 있습니다. 하지만 이 코드로 인해서 프로그램을 실행하면 '고정 포맷'이 선택 된 상태로 보여집니다.

Radio Button의 isChecked() 함수는 Radio Button이 선택된 상태라면 True를 그렇지 않다면 False를 반환 하도록 되어 있어 프로그래밍을 하면서 어느 버튼이 선택이 되었는지를 파악할 수 있습니다. 실행을 해 보면 rbStatic.click()으로 인해서 '고정 포맷' Radio Button이 Click한 것과 같은 효과로 인해서 "고정 포맷" 이 출력되고 isChecked() 함수에 의해서 각각 True와 False를 출력합니다.

프로그램이 실행 된 이후에는 각 위젯들을 클릭하면 해당하는 함수에 있는 print()에 의해서 터미널에 메 시지가 출력이 됩니다. 위젯과 메시지가 일치하는지 확인하시기 바랍니다.

3. 파일 오픈 다이얼로그

원본파일, 비교파일, 출력파일 버튼은 각각 pbOri, pbComb, pbOut입니다. 이 버튼들을 각각 누르면 파일을 선택할 수 있는 창이 나타나서 xlsx 파일을 선택할 수 있는 창이 나타나 파일을 선택하거나 저장할 파일명을 지정하도록 할 예정입니다.

파이썬에서는 공통으로 많이 사용되는 윈도우들을 기본 제공하고 있었는데 우리는 메시지 박스를 이미 살펴본 바 있습니다. 이번에는 파일 오픈 다이얼로그입니다. 이 다이얼로그 윈도우는 파일을 오픈 할 경우 뿐만 아니라 저장할 파일명을 지정할 수도 있습니다. 먼저 완성 후 실행한 화면을 먼저 보겠습니다.

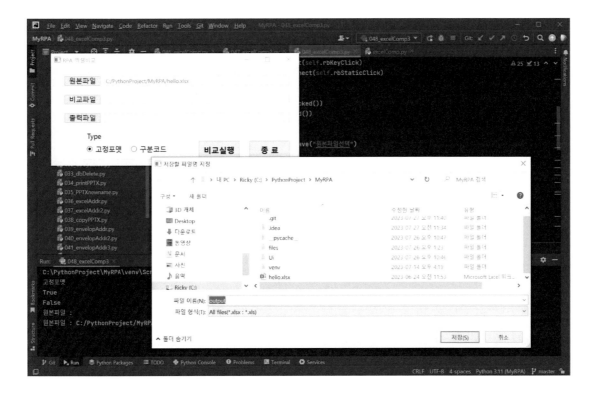

파일 선택하는 세 개의 버튼을 각각 클릭했을 때, 파일을 선택하거나 저장할 수 있는 파일을 입력할 수 있고 각각은 Line Edit 위젯에 그림과 같이 출력됩니다. 화면에 보이는 파일 저장 윈도우의 제목도 지정을 했고, 파일 형식도 우리가 지정을 할 것입니다. 하나의 함수를 통해서 파일 열기와 저장을 모두 지원할 예정입니다. 그럼 이전 코드 대비 변경된 내용만 살펴보도록 하겠습니다.

```
import sys
from PySide6.QtWidgets import QApplication, QMainWindow, QFileDialog
from excelComp import Ui_Dialog

#################################################################

        def pbOriClick(self):
                fname = self.fileOpenAndSave("원본파일선택")
                self.leOri.setText(fname)
                print(f"원본파일 : {fname}")

        def pbCompClick(self):
                fname = self.fileOpenAndSave("비교파일선택")
                self.leComp.setText(fname)
                print(f"비교파일 : {fname}")

        def pbOutClick(self):
                fname = self.fileOpenAndSave("저장할 파일명 지정", False)
                self.leOut.setText(fname)
                print(f"출력파일 : {fname}")

#################################################################

        def fileOpenAndSave(self, str, open=True):
                filter = "All files(*.xlsx : *.xls) ;; " ₩
                    "Excel 통합 문서(*.xlsx) ;; " ₩
                    "Excel 97 - Excel 2003 통합 문서(*.xls)"
                if open:
                        fname =
                        QFileDialog.getOpenFileName(self, str, '.₩₩', filter)
                else:
                        fname =
                            QFileDialog.getSaveFileName(self, str, '.₩₩', filter)

                # print(fname)
                return fname[0]
```

먼저 QFileDialog를 import합니다. QFileDialog는 Pyside6의 QtWidgets에 포함되어 있습니다. 순서대로 코드를 보면 pbOriClick(), pbCompClick(), pbOutClick()과 같이 화면에서 각 버튼 위젯들을 클릭했을 때 connect()함수에 의해서 연결이 되는 함수들에서 맨 아래의 fileOpenAndSave() 함수를 호출하도록 하였습니다. 각 버튼에 연결된 connect() 함수들에서는 매개변수를 "원본파일선택", "비교파일선택"로 지정하고 있고, '출력 파일'에 해당하는 pbOut 버튼에 대해서는 "저장할 파일명 지정"과 함께 False값을 던져주고 있습니다.

```
fname = self.fileOpenAndSave("원본파일선택")
self.leOri.setText(fname)
```

이렇게 fileOpenAndSave()를 호출하면 파일을 선택할 수 있는 아주 낯익은 화면이 뜹니다. 화면에서 파일을 선택해서 Open 버튼을 클릭하면 해당 파일의 경로와 파일이름이 fname에 담겨옵니다. 이렇게 담겨온 파일은 각 버튼의 오른쪽에 있는 Line Edit 위젯에 출력을 합니다. 출력을 할 때는 setText()라는 함수를 이용해서 파일 오픈 다이얼로그에서 받은 파일 경로와 이름을 매개변수로 던져서 출력하도록 하였습니다.

QFileDialog 패키지는 파일을 열때, 저장할 때 모두 사용이 되는데요. 열때는 "원본파일선택"과 "비교파일선택"에서 사용이되고 파일 저장을 위한 다이얼로그는 "출력파일" 버튼을 눌렀을 때 동작을 합니다.

어떻게 하나의 함수로 두 개의 경우를 대응하는지 살펴보도록 하겠습니다.

```
def fileOpenAndSave(self, str, open=True):
```

비밀은 함수의 매개 변수에 있습니다. 잘 아시는 바와 같이 self는 내 클래스 내에서 호출을 했다는 의미이고 두번째는 파일을 오픈하거나 저장할 윈도우의 제목을 받는 매개변수 입니다. 세번째 매개변수, 호출할 때 실제로 두 번째 매개변수 open은 넣어주지 않으면 자동으로 True가 되는 구조입니다. 이러다보니 앞의 버튼 두 개에서는 윈도우 제목에 해당하는 문자열만 매개변수로 넘겨주고 파일을 저장하는 마지막 버튼에서는 파일을 오픈하는 것이 아니므로 False를 넘겨 주고 있습니다.

```
filter = "All files(*.xlsx : *.xls) ;; Excel 통합 문서(*.xlsx) ;; " ₩
         "Excel 97 - Excel 2003 통합 문서(*.xls)"
```

필터는 파일을 저장하고 불러 올 때, 어떤 형식의 파일을 불러오고 저장을 할 것인가를 지정하는 문자열입니다. 앞 부분에 설명이 들어가고 괄호 안에 콜론으로 파일의 확장자를 입력하도록 되어 있습니다. 일반적으로 맨 앞엔 지원하는 All files를 넣습니다. All files는 어떤 확장자를 갖느냐 하면 괄호 안에 엑셀 통합문서인 xlsx와 xls를 각각 넣어줬습니다. 별표는 파일 명이 어떤 것이 와도 상관 없다는 것을 나타내고 '.' 다음에 오는 글자가 확장자입니다. All files를 선택한 경우에는 *.xlsx와 *.xls 모두를 파일 오픈 창에서 볼 수 있습니다. 그 다음에 선택할 수 있는 형식은 ';;'와 같이 세미콜론 두개를 겹쳐씀으로써 분리를 하고 있습니다. 두번째는 최근 엑셀의 통합문서로 확장자가 xlsx입니다. 두번째를 선택했을 때는 확장자가 xlsx만 보이고 xls는 보이지 않습니다.

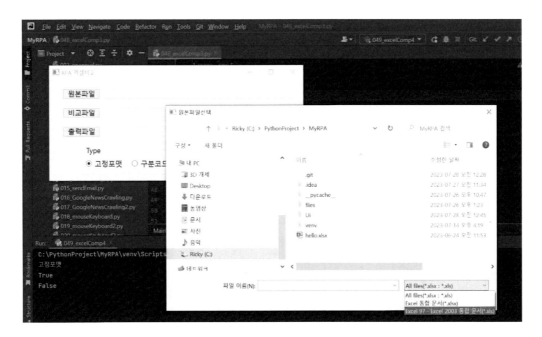

그림과 같은 화면에서 파일의 확장자를 선택할 수 있습니다.

```
if open:
    fname = QFileDialog.getOpenFileName(self, str, '.₩₩', filter)
```

```
        else:
            fname = QFileDialog.getSaveFileName(self, str, '.₩₩', filter)
```

if문은 파일을 열때 또는 파일을 저장할 때를 구분해서 화면을 띄우기 위해서 매개변수에 들어 있는 open 변수가 True이면 파일 오픈 윈도우를 False이면 파일 저장 윈도우를 띄우도록 구성이 되어 있습니다. 두 경우 모두 경로와 파일명이 합쳐져서 fname에 저장이 됩니다. getOpenFileName()과 getSaveFileName() 함수 모두 같은 순서 같은 내용의 매개 변수를 넘기고 있습니다. str은 윈도우의 제목을, '.₩₩'은 파일을 열거나 저장할 기본 위치를 나타내고 맨 마지막은 앞서서 설명드린 필터입니다.

기본위치를 지정해준 '.₩₩'은 프로그램이 실행되는 위치입니다. 만약에 이전에 파일을 열었던 위치나 저장했던 위치를 표시하고 싶다면 해당 폴더의 경로를 어딘가에다가 저장을 해 놨다가 파일을 열거나 저장할 때, 불러다 써야 합니다. 우리는 그런 정보를 저장하지는 않겠습니다만, 알고 계셔야 할 것 같아 간단하게 부연 설명을 하고 넘어갑니다.

fname은 튜플이라는 데이터 형으로 fname[0]에는 경로와 파일명이 들어 있고, fname[1]에는 필터 중에서 사용자가 선택한 것이 들어 있습니다. fname[0]를 이용해서 경로만 빼 낼 수가 있습니다. 이렇게 빼 놓은 정보를 저장해 두었다가 나중에 getOpenFileName() 함수나 getSaveFileName() 함수를 이용할 때, '.₩₩'를 대신해서 사용할 수 있습니다. 빼 내기 위해서는 기본 패키지 os를 import하고 os.path.dirname() 함수를 이용하면 됩니다.

```
import os
print(os.path.dirname(fname[0]))
```

4. 입력값 확인

많은 부분이 준비가 되었습니다. 세 개의 버튼을 이용해서 원본파일과 비교할 파일 그리고 출력할 파일을 모두 선택했습니다. 그러면 옵션을 선택하고 마지막으로는 비교실행 버튼을 눌러 프로그램을 시작시켜야겠죠. 그런데 우리의 의도와는 다르게 세개의 파일을 모두 선택하지 않은 상태에서 비교실행을 누른다면 어떻게 될까요?

아직 프로그램 코딩을 하지는 않았지만 하게 된다면 원하는 파일이 없으니 에러가 발생할 것입니다. 그래서 실행 버튼을 누르면 처음에 하는 것이 바로 내가 필요한 입력값들이 모두 입력이 되었는지를 확인하는 과정이 필요합니다. 이번에는 그 과정을 살펴보도록 하겠습니다.

검토를 해 봐야 할 것은 눈에 보이는 위젯 중에서 Line Edit 위젯 세개와 라디오 버튼 두 개가 있습니다. 이 중에서 라디오 버튼의 경우 프로그램을 시작하면서 고정 포맷으로 자동으로 설정이 될 수 있겠끔 click() 함수를 이용해서 선택이 되도록 해 놨습니다. 따라서 파일의 경로와 이름이 들어갈 Line Edit 위젯 세개만 확인을 하면 됩니다. 바로 앞서 배운 파이썬 기본 패키지 os를 이용하는 방법은 os.path.isfile() 함수에 매개변수로 파일경로와 파일 이름이 함께 들어간 변수를 넘겨서 확인하는 방법이 있습니다. 파일이 있다면 True, 없다면 False를 돌려 줍니다. 하지만 출력파일은 파일이 없는데 출력용으로 생성할 것이라는 의미이기 때문에 이 함수를 이용해서는 안됩니다. 경로 정도는 확인을 할 수 있겠네요.

또 다른 방법은 Line Edit가 입력을 받을 수 없는 상태이기 때문에 해당 위젯의 텍스트가 들어 있으면 파일 경로가 있다는 것으로 파악하는 방법입니다. 쉽고 간단하게 처리를 할 수 있겠습니다.

그러면 이런 문제가 있을 경우에는 어떤 방법으로 사용자에게 알림을 주는 것이 좋을까요? 터미널에 메시지를 보여줄 수도 없으니 아마도 메시지 박스가 가장 쉬운 방법이 아닐까 싶습니다. 우리는 이 두 가지 방법을 사용해서 정보가 제대로 들어 있는지 확인하고 없다면 메시지 박스를 이용해서 사용자에게 정보를 공유하는 방법으로 코딩을 진행해 보겠습니다.

다음은 원래 소스코드 중에서 변경되거나 추가된 내용만 발췌를 했습니다. QMessageBox 패키지는 012_messagebox2.py에서 이미 한번 다뤘으니 소스코드를 참고해도 좋겠습니다. QMessageBox의 사용을 위해서 먼저 import를 하고 시작합니다.

049_excelComp4.py

```
import sys
from PySide6.QtWidgets import QApplication, QMainWindow, QFileDialog, ₩
    QMessageBox
from excelComp import Ui_Dialog

# from 012_messagebox2.py ###############################
    def showMsgBox(self, wndTitle, title, info, icon, btns, dbtn):
        msgbox = QMessageBox()
        msgbox.setWindowTitle(wndTitle)
        msgbox.setText(title)
        msgbox.setInformativeText(info)
        msgbox.setIcon(icon)
```

```
                msgbox.setStandardButtons(btns)
                msgbox.setDefaultButton(dbtn)
                return msgbox.exec()

        #########################################################
```

showMsgBox( ) 함수는 QMessageBox( )를 쉽게 사용하기 위해서 만든 함수입니다. msgbox에 QMessageBox( )를 할당합니다. setWindowTitle( ) 함수는 메시지박스 윈도우의 타이틀을 지정하고 setText( ) 함수는 메시지박스 내의 메시지에 대한 제목을 setInformativeText( ) 함수는 메시지 박스에 상세한 메시지 내용을 지정합니다. 다음은 setIcon( ) 함수를 통해서 메시지 박스 좌측에 아이콘을 지정할 수 있습니다. 여기에 들어갈 수 있는 아이콘은 QMessageBox.Warning, Question, Information, Critical의 네 가지를 지정할 수 있습니다. 다음은 setStandardButtons( ) 함수를 이용해서 버튼들을 설정해 줄 수 있습니다. 버튼의 종류는 Ok, Open, Save, Cancel, Close, Discard, Apply, Reset, RestoreDefaults, Help, SaveAll, Yes, YesToAll, No, NoToAll, Abort, Retry, Ignore, NoButton을 지정할 수 있습니다. 하나만 지정하는 것이 아니라 여러 개도 지정가능한데 버튼을 '|'로 연속해서 지정해 주면 됩니다. Yes와 No 버튼을 표시하고 싶다면 QMessageBox.Yes | QMessageBox.No와 같이 지정을 합니다. 마지막에는 setDefaultButton( )이 있습니다. 이 함수는 하나의 버튼을 지정해 줍니다. 여러개의 버튼들 중에서 어느 버튼에 포커스를 가지게 할 것인가를 지정합니다.   포커스를 갖는다는 것은 메시지박스가 나타나고 두 개 이상의 버튼이 있을 때, 버튼 주변이 파란색으로 되어 있는 버튼을 이야기 하며 이 상태에서 엔터나 스페이스바 버튼을 눌렀을 때 마우스로 해당 버튼을 클릭하는 효과를 가져오게 됩니다.

다음은 엑셀을 비교하기 전에 조건들을 검사하는 과정입니다. 모든 파일들의 경로가 제대로 입력이 되었는지를 확인하고 제대로 입력이 되지 않았다면 메시지박스를 출력하고 pbExecClick( ) 함수의 다음을 실행하지 않고 종료를 시킵니다. 다음은 라디오 버튼을 확인해서 고정포맷이나 구분코드 쪽을 선택하게 됩니다.

```
        def pbExecClick(self):
                if len(self.leOri.text()) < 5 or ₩
                len(self.leComp.text()) < 5 or ₩
                len(self.leOut.text()) < 5:

                        self.showMsgBox("에러",
                                "파일 입력 오류",
                                "파일이 모두 선택되거나 입력되지 않았습니다.",
                                QMessageBox.Warning,
                                QMessageBox.Ok,
                                QMessageBox.Ok)
                return

                if self.rbKey.isChecked():
                        print("구분코드 엑셀 비교 실행")
                else:
                        print("고정포맷 엑셀 비교 실행")
```

여기선 len( )이라는 파이썬이 내장 함수를 이용해서 각 Line Edit 위젯에서 text( )를 뽑아서 길이를 확인하는 것으로 조건 검사를 합니다. 각 조건에서 텍스트의 길이가 5보다 작은 경우, 세 개 중에서 하나라도 길이가 5보다 작은 경우에 대해서 메시지박스를 출력합니다. 출력 파일은 파일이 존재하지 않기 때문에 검사가 안되지만 원본파일과 비교파일의 경우엔 파이썬 os.path 패키지를 써서 확인할 수 있습니다. isfile( ) 함수입니다. 즉 os.path.isfile( )로 파일이 있으면 True, 없으면 False를 반환하는 함수입니다. 하지만 QFileDialog에서 파일을 선택하도록 되어 있기 때문이니 정확한 파일명이 들어왔다는 가정하에 값이 들어왔는지를 확인하기 위해서 길이만 체크를 합니다. if 조건문이 총 세개가 있고 각 조건문은 or로 연결을 합니다. 즉, 세 개의 조건 중에서 어느 하나라도 맞으면 메시지 박스를 사용자에게 보여주고 그 다음엔 return을 통해서 그 이하의 함수는 실행하지 않고 끝내게 됩니다.

다음 if 문에서는 rbKey가 체크가 되어 있는지를 isChecked() 함수를 통해서 확인을 합니다. 체크가 되어 있다면 구분코드로, 그렇지 않다면 고정 포맷 부분을 터미널에 출력하게 됩니다. 우리는 이 조건에 따라서 어떤 프로그램을 실행할지 선택이 됩니다.

이젠 실제 엑셀을 비교하는 루틴을 개발할 차례입니다.

5. 고정 포맷 엑셀 비교

고정 포맷의 엑셀 비교는 간단합니다. 다만 고정 포맷의 엑셀을 비교하기 위해서는 조건이 있습니다. 바로 정보가 들어 있는 행과 열의 수가 일치 해야지만 각각의 셀들을 비교를 할 수 있겠습니다. 서로 다른 행의 개수와 열의 개수를 가진 파일의 비교는 무의미 할 것입니다.

순수하게 셀 안에 들어 있는 값들을 비교할 것입니다. 따라서 비교되는 값들이 들어 있는 셀의 색이나 폰트 크기 또는 테두리가 있고 없음에 상관 없이 순수하게 셀 내의 값만 비교를 하게 됩니다.

005_readExcel3.py에서 우리는 엑셀 파일의 내용을 출력하는 코드를 이미 만들어본 바 있습니다. 그 소스를 기반으로 하여 for문을 통해서 각 셀들을 비교하는 간단한 코드를 만들어 보겠습니다.

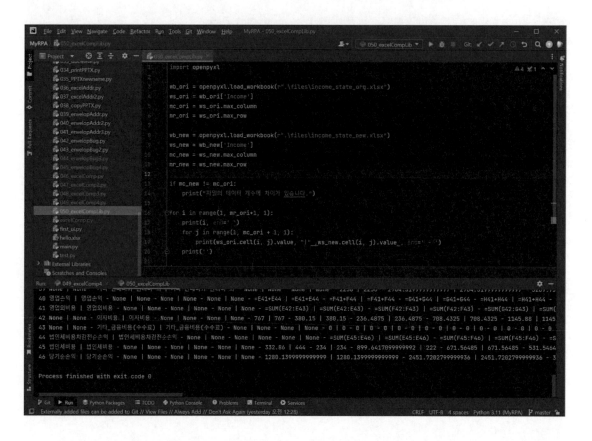

두 개의 엑셀을 입력으로 받았습니다. 그리고 입력된 파일에서 max column을 뽑아서 같지 않을 경우 메시지를 출력했습니다. 메시지가 출력된다면 비교에서 오류가 발생할 것입니다. 예제 파일은 크기가 같으므로 메시지가 출력되지 않았습니다. for문에서는 원본 파일인 ws_ori, 비교할 파일 ws_new를 셀별로 출력하도록 print() 함수를 구성했습니다. 005_readExcel3.py의 설명을 찾아봤다면 위의 코드는 별도의 설명이 없어도 이해할 수 있을 것입니다.

우리가 파악해야 할 사항은 출력되는 결과물 입니다.

터미널에 출력되는 결과물을 보면 원본과 사본 파일의 내용을 볼 수 있습니다. 우선 '|' 를 사이에 두고 원본과 사본의 내용이 있습니다. 비교의 예는 "영업외비용 | 영업외비용"과 같이 문자열인 경우 "None |

None"과 같이 값이 없는 경우, 값이 없으면 None이 출력됩니다. 다음은 숫자 형식으로 "332.86 | 444", 마지막으로 수식이 들어간 "=SUM(42:43) | =SUM(42:43)"와 같이 4가지로 나눌 수 있습니다.

결국 두 개의 파일을 비교할 때, 출력되고 있는 원본과 사본의 내용입니다. 위와 같이 네 가지 경우로 나눠지겠는데 모두 비교를 해서 같은지 다른지만 검사하면 됩니다. 그런데 여기서 보이는 문제점은 함수가 들어 있을 경우입니다. 함수가 들어 있는 경우는 실제로 값은 다르지만 같은 함수식만 보일 것이기 때문에 비교 결과를 나타낼 수 없습니다.

함수를 제외하고는 서로 다르면 다르다는 표시로 셀의 색상을 변경하고 "이전값 → 변경값"과 같이 표시해 주면 값이 어떻게 바뀌었는지 파악이 쉬워 보입니다. 그런데 숫자의 경우는 조금더 세분화 해서 보여주고 싶습니다. 숫자가 커졌을 때와 작아졌을 때를 구분해서 셀의 색깔을 바꿔준다면 눈에 더 띄지 않을까요?

한가지가 더 있습니다. 우리는 파일명만 입력을 받는 것으로 프로그램의 GUI 디자인을 만들었는데 우리 코드에서는 시트의 이름까지 정해주었습니다. 무조건 첫번째 시트만 자동으로 선택하기 위해서는 어떻게 해야할 것인지 방법을 찾아야겠습니다

```python
import openpyxl
from openpyxl.styles import PatternFill

wb_ori = openpyxl.load_workbook(r".\files\income_state_org.xlsx")
ws_ori = wb_ori.active
mc_ori = ws_ori.max_column
mr_ori = ws_ori.max_row


wb_new = openpyxl.load_workbook(r".\files\income_state_new.xlsx")
ws_new = wb_new.active
mc_new = ws_new.max_column
mr_new = ws_new.max_row


if mc_new != mc_ori or mr_ori != mr_new:
    print("파일의 데이터 개수에 차이가 있습니다.")


diff_color = PatternFill(start_color='ffff99', end_color='ffff99', fill_type='solid')

for i in range(1, mr_ori+1, 1):
    for j in range(1, mc_ori + 1, 1):
        if ws_ori.cell(i, j).value != ws_new.cell(i, j).value:
            ws_ori.cell(i, j).value = f"{ws_ori.cell(i, j).value} --> {ws_new.cell(i, j).value}"
            ws_ori.cell(i, j).fill = diff_color


wb_ori.save(r".\files\income_state_comp.xlsx")
```

시트 이름을 넣어 선택하는 대신 active 된 시트를 선택하도록 변경했습니다. 다음은 max column만 비교를 했었는데 max row도 같아야 하기 때문에 if 문에 추가를 해 줬습니다. 다음은 엑셀의 Cell에 색깔을 넣기 위해서 PatternFill을 import 했고 PatternFill() 클래스를 이용해서 색상값을 diff_color에 넣고 있습니다. PatternFill() 클래스의 첫번째는 시작 색상, 두번째는 끝나는 색상으로 정의를 해 주는데 같은 색으로 해 주고, fill_type을 Solid로 정해주면 한가지 색으로 지정이 됩니다. 색상 값은 6자리 16진수로 표현이 되는데 그 값은 아래의 사이트에서 참고하여 사용하시면 됩니다. '#'을 빼고 6자리의 Hex(16진수)값을 넣어주면 됩니다.

https://www.w3schools.com/colors/colors_picker.asp

또 다른 색상 지정방식은 다음과 같습니다. 다음은 빨간색을 지정한 예입니다.

$$PatternFill(patternType='solid', fgColor=Color(\text{``FF0000''}))$$

```
if ws_ori.cell(i, j).value != ws_new.cell(i, j).value:
    ws_ori.cell(i, j).value = f"{ws_ori.cell(i, j).value} --> {ws_new.cell(i, j).value}"
    ws_ori.cell(i, j).fill = diff_color
```

두 개의 셀을 비교하는 if문입니다. 두 개의 셀이 다를 경우에는 f로 시작하는 format 문자열로 만드는데 원래의 값과 변경된 값을 →로 같이 표현하도록 했습니다. 변경된 값까지 원본파일에서 읽어온 값에 넣은 후에 Cell의 색상을 변경까지 합니다. 문제는 이렇게 했을 때, 함수로 계산이 되는 부분에서 에러가 발생합니다. 왜냐하면 "숫자 → 숫자"로 변경이 되는 경우에는 셀의 속성이 숫자에서 문자로 바뀌기 때문입니다. 그래서 sum()과 같은 계산식이 들어 있는 Cell에서 #VALUE!와 같은 에러가 발생하는 것을 볼 수 있습니다.

	항목	2015년	2016년	2017년	2018년	2019년	2020년	2021년	2022년	2023년	2024년	2025년	2026년
손익계산서													(백만원)
매출액		#VALUE!	59,547	#VALUE!	76,537	77,471	72,210	#VALUE!	69,022	59,533	54,744	#VALUE!	#VALUE!
매출원가		#VALUE!	48,679	65,093	64,300	60,347	#VALUE!	57,180	50,259	44,804	29,150	#VALUE!	#VALUE!
	재료비	#VALUE!	31,851	#VALUE!	43,000	40,810	39,280	#VALUE!	36,570	31,800	#VALUE!	#VALUE!	
	기초재료재고액[A]	5010 --> 5	5,900	6,758	7,600	7,600	7,700	7400 --> 76	7,000	6,900	6,000	5,500	4,212
	당기재료매입액[B]	27,400	32,709	38,645	43,000	40,910	38,920	36,700	36,470	30,900	28,650	20960 --> 2	18,480
	기말재료재고액[C]	5,900	6,758	7599.99999	7,600	7,700	7,340	7,000	6,900	6,000	5,500	4,200	3600 --> 65
	노무비	3,575	4,297	5,100	5,434	5,506	5,291	5,005	4,934	4,290	3,809	3,003	2,574
	급여	3,250	3,906	4,636	4,940	5,005	4,810	4,550	4,485	3,900	3,575	2,730	2,340
	퇴직급여	325	391	464	494	501	481	455	449	390	234	273	234
	경비	11,614	12,531	14,453	16,659	17,984	15,776	15,588	15,676	14,169	11,845	9,393	7,423
	감가상각비	2,490	2,495	2,755	3,815	4,500	4,010	4,015	4,015	4,015	2,715	2,715	2,715
	복리후생비	450 --> 54	541	642	684	693	666	630	621	540	495	378	324
	전력비	423	601	713	760	1,241	740 --> 56	700	690	600	550	420	360
	가스수도비	250	300	356.64 -->	380	385	370	350	345	300	275	210	180
	세금과공과	66	60	71	76	77	74	70	69	60	55	42	100
	임차료	200	240	285	304	308	296	280	276	240	220	168	144
	보험료	100	120.192000	143	152	154	148	140	138	134	110	84	72
	수선비	150	180	214	228	231	222	210	207	180	165 --> 56	126	108
	외주가공비	5,435	4,808	5,706	6,080	6,160	5,920	5,600	5,520	4,800	4,400	3,360	2,880
	운반·하역·보관·포장비	500	601	713	760	770	740	443	690	600	550	420 --> 666	360

그럼 여기서 #VALUE!가 나타나는 문제를 어떻게 해결을 해야 할까요? 더불어 숫자의 경우 커진 경우와 작아진 경우를 달리해서 Cell 색상을 바꿔보도록 하겠습니다.

```
diff_color   = PatternFill(start_color='ffff99', end_color='ffff99', fill_type='solid')
big_color    = PatternFill(start_color='ffb399', end_color='ffb399', fill_type='solid')
small_color  = PatternFill(start_color='99ffb3', end_color='99ffb3', fill_type='solid')

for i in range(1, mr_ori+1, 1):
    for j in range(1, mc_ori + 1, 1):
        if ws_ori.cell(i, j).value != ws_new.cell(i, j).value:
            ori = ws_ori.cell(i, j).value
            new = ws_new.cell(i, j).value
            ws_ori.cell(i, j).value = f"{ws_ori.cell(i,j).value} --> {ws_new.cell(i,j).value}"
            if isinstance(ori, str) or isinstance(new, str):
                ws_ori.cell(i, j).fill = diff_color
            else:
                if ori > new:
                    ws_ori.cell(i, j).fill = small_color
```

```
                                        else:
                        ws_ori.cell(i, j).fill = big_color
```

Cell의 색상을 바꿔주기 위한 big_color와 small_call를 선언해 줬습니다. 그리고 if문 안에서 원본과 사본 셀의 정보를 ori와 new라는 변수에 각각 넣어 주었습니다.

```
                    if isinstance(ori, str) or isinstance(new, str):
```

이 조건문의 isinstance()는 첫번째 변수의 종류와 두번째 들어 있는 변수종류와 일치를 하면 True를 반환합니다. 따라서 if 조건문은 'ori가 문자열이거나 new가 문자열이면'을 뜻합니다. 둘 중에 하나가 문자열이면 diff 색상을 사용하겠다는 것입니다. 그럼 이와 반대되는 else문은 ori와 new가 숫자일때 입니다.

다음의 else문에는 새로운 if문이 또 등장하는데요. 여기서 어느 쪽이 크냐에 따라서 small_color와 big_color로 색상을 변경해 주고 있습니다. 수행이 완료된 엑셀 파일을 살펴보죠.

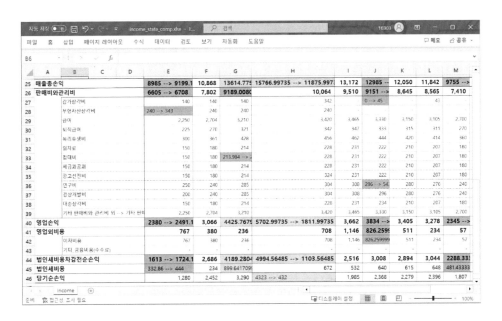

문자열은 노란색, 숫자이고 커졌으면 주황색, 작아졌으면 초록색으로 변경된 화면을 볼 수 있습니다. 함수가 들어갔어도 계산 된 숫자로 변환이 되어 비교합니다.

이와같이 양식이 완전히 동일하고 내용만 변하는 엑셀 파일은 우리 프로그램을 통해서 변경된 부분을 쉽게 확인할 수 있도록 되었습니다. 필요성에 따라서 셀의 색상 변경으로만 변경된 내용은 삭제하는 것도 방법이 될 것 같습니다. 다음엔 우리가 만든 이 파일의 내용을 어떻게 GUI가 있는 프로그램에서 사용할 것인지 고민해 보겠습니다.

6. 클래스를 만들어 봅시다

앞서 만든 코드를 GUI가 있는 코드 쪽으로 복사를 해서 사용하면 됩니다. 그런데 이와 같이 엑셀을 비교해야 하는 경우가 많다면 우리가 이미 만들어진 패키지를 사용하듯이 우리가 만든 코드를 패키지로 만들면 어떨까요? 그러면 필요할 때 다시 복사해서 쓸 필요없이 import 해서 사용할 수 있으니 편리할 것입니다. 또한 복사를 해서 혹시라도 잘못 건드릴 경우 에러가 발생할 수 있겠죠. 혹은 복사를 해서 사용하다가 나중에 오류가 난 것이 확인된다면 어떨까요? 일일이 복사를 해서 쓴 코드들을 따라다니면서 에러를 수정해줘야겠죠? 유지보수 하기 어려워지는 것이죠. 그런데 패키지를 만들어 쓴다면 해당 패키지만 찾아서 수정을 하면 관련된 코드들을 일일이 수정할 필요가 없겠습니다. 이러한 패키지를 만들어야 하는데 패키지는 배포된 상태의 것을 이야기 하는 것이고 우리는 클래스라는 것을 만들어야 합니다. 이것이 결국 패키지가 되는 것이죠. 하나의 패키지에는 하나의 클래스가 들어갈 수도 있고 여러 개의 클래스가 존재할 수도 있습니다.

그럼 우선 완성된 코드를 보도록 하겠습니다.

```python
import openpyxl
from openpyxl.styles import PatternFill, Color

class StaticFormExcelCompare():
    def __init__(self):
        print("__init__")
        self.diff_color = "ffff99"
        self.big_color = "ffb399"
        self.small_color = "99ffb3"

    def setColor(self, diff, big, small):
        self.diff_color = diff
        self.big_color = big
        self.small_color = small

    def setFiles(self, ori, new, out):
        self.wb_ori = openpyxl.load_workbook(ori, data_only=True)
        self.wb_new = openpyxl.load_workbook(new, data_only=True)
        self.wb_out = out

    def run(self):
        ws_ori = self.wb_ori.active
        mc_ori = ws_ori.max_column
        mr_ori = ws_ori.max_row

        ws_new = self.wb_new.active
        mc_new = ws_new.max_column
        mr_new = ws_new.max_row

        if mc_new != mc_ori or mr_ori != mr_new:
            print("파일의 데이터 개수에 차이가 있습니다.")
            return False

        for i in range(1, mr_ori+1, 1):
            for j in range(1, mc_ori + 1, 1):
                if ws_ori.cell(i, j).value !=
                    ws_new.cell(i, j).value:
```

```
                                    ori = ws_ori.cell(i, j).value
                                    new = ws_new.cell(i, j).value
                                    ws_ori.cell(i, j).value
                                         = f"{ws_ori.cell(i, j).value} →" ₩
                                         "{ws_new.cell(i, j).value}"

                                    if isinstance(ori, str) or
                                         isinstance(new, str):
                                         ws_ori.cell(i, j).fill
                                             = PatternFill(patternType='solid',
                                         fgColor=Color(self.diff_color))
                                    else:
                                         if ori > new:
                                           ws_ori.cell(i, j).fill
                                             = PatternFill(patternType='solid',
                                              fgColor=Color(self.small_color))
                                         else:
                                           ws_ori.cell(i, j).fill
                                             = PatternFill(patternType='solid',
                                                fgColor=Color(self.big_color))


             '  try:
                          self.wb_ori.save(self.wb_out)
                          return True
                 except:
                          return False


    a = StaticFormExcelCompare()
    a.setColor('123456', '789ABC','DEF123')
    a.setFiles(r".₩files₩income_state_org.xlsx",
               r".₩files₩income_state_new.xlsx", r".₩files₩income_state_comp2.xlsx")
    if a.run():
        print("파일 비교 완료")
    else:
        print("파일 비교 에러")
```

import에 Color가 추가 되었습니다. 이것은 PatternFill() 함수를 앞선 코드에서 사용한 방법이 아닌 다른
방법을 사용해 보기 위해서 추가된 것입니다. 기존의 PatternFill()과는 다르게 다음과 같이 사용되고 있습니
다.

```
    ws_ori.cell(i, j).fill
        = PatternFill(patternType='solid', fgColor=Color(self.big_color))
```

이젠 우리가 만든 클래스가 어떤 식으로 구성이 되어있는지를 살펴보도록 하겠습니다.

```
    class StaticFormExcelCompare():
        def __init__(self):

        def setColor(self, diff, big, small):

        def setFiles(self, ori, new, out):

        def run(self):
```

우리가 만든 클래스의 이름은 staticFormExcelCompare 입니다. 이 클래스가 들어 있는 파일명이
053_excelCompLib4.py이므로 나중에 이 클래스를 사용하기 위해서 import는 다음과 같습니다.

from 053_excelCompLib4 import StaticFormExcelCompare

클래스 내에 있는 클래스 멤버 함수들은 총 네개가 있습니다. 그 중에서 __init__() 함수는 클래스가 만들어질 때, 자동으로 호출이 되는 함수입니다. 그러면 남는 것은 세개의 함수가 남죠. setColor()는 비교된 셀들의 색상을 지정하기 위한 함수이고, setFile() 함수는 원본, 사본, 그리고 저장할 파일명을 설정하는 함수입니다. 마지막 run() 함수는 비교를 실행하는 것입니다.

그럼 이 클래스는 어떻게 실행을 하는지 실행하는 코드를 먼저 살펴보도록 하겠습니다. 실행 코드는 맨 아래쪽에 있습니다.

```
a = StaticFormExcelCompare()
a.setColor('123456', '789ABC','DEF123')
a.setFiles(r".₩files₩income_state_org.xlsx", r".₩files₩income_state_new.xlsx", r
           ".₩files₩income_state_comp2.xlsx")
if a.run():
    print("파일 비교 완료")
else:
    print("파일 비교 에러")
```

이 코드를 보면서 먼저 생각이 난 것은 import 문입니다. StaticFormExcelCompare를 사용하기 위해서 import를 하지 않았습니다. 바로 위에 해당 클래스가 있기 때문이죠. 그럼 import를 하는 것이 어떤 의미인지 이해가 되시나요? import를 하면 해당 내용을 import가 있는 곳으로 복사해 오는 것과 같은 효과를 가진다는 것입니다.

a라는 변수에 StaticFormExcelCompare() 클래스를 생성해 줍니다. 이때 StaticFormExcelCompare() 안에 있는 __init__() 함수가 자동으로 호출이 됩니다. 다음에 setColor() 함수를 호출해서 세 개의 색상 코드를 전달합니다. 다음은 파일 세개를 넘겨주죠.
마지막으로 ru() 함수를 호출해서 True를 반환 받으면 파일 비교가 완료되어 비교가 된 파일이 생성이 된 것이고 False를 받으면 비교가 안되었거나 비교 된 파일이 생성되지 않은 것입니다. 이렇게 우리가 만든 클래스를 사용할 수 있습니다.

이젠 각 함수에 대해서 좀 더 살펴보도록 하겠습니다.

```
def __init__(self):
    print("__init__")
    self.diff_color = "ffff99"
    self.big_color = "ffb399"
    self.small_color = "99ffb3"
```

__init__() 함수는 클래스가 생성이 될 때, 자동으로 호출이 된다고 말씀드렸습니다. 자동으로 호출되는 이 함수가 언제 호출이 되는지 확인하기 위해서 print() 함수로 __init__을 출력하도록 했습니다. 다음엔 각 컬러에 대한 RGB 값을 넣어 줬습니다. 각 변수에 self가 붙은 변수들은 클래스 내의 어느 함수에서나 불러서 사용을 할 수 있는 변수입니다. 이렇게 클래스 어디서나 불러 쓸 수 있는 함수를 전역변수라고도 합니다. 이에 비해서 함수 내에서 사용되는 변수는 함수가 끝나면 사라지게 됩니다. 이에 비해 전역변수는 클래스가 존재하는 동안 항상 남아 있어 언제나 불러 쓸 수 있습니다. 색상 코드를 클래스가 생성되면 기본색으로 지정을 하는 것입니다. 항상 색상을 넣도록 불러준다면 없어도 되는 내용이긴 합니다. 따라서 우리는 이 클래스를 사용할 때, 색깔을 지정하는 setColor() 함수를 호출해도 되고, 안해도 무방합니다. 왜냐하면 기본 색상이

이미 정해져 있기 때문입니다.

```
def setColor(self, diff, big, small):
    self.diff_color = diff
    self.big_color = big
    self.small_color = small
```

setColor() 함수는 self.diff_color, self.big_color, self.small_color를 받은 색깔로 대체를 합니다. 그런데 이미 클래스가 만들어질 때, __init__() 함수에 의해서 이미 초기화가 된 색상이 있으므로 굳이 이 함수를 호출해서 바꿔줄 필요가 없다는 것입니다.

```
def setFiles(self, ori, new, out):
    self.wb_ori = openpyxl.load_workbook(ori, data_only=True)
    self.wb_new = openpyxl.load_workbook(new, data_only=True)
    self.wb_out = out
```

반드시 호출하면서 파일들을 지정해 줘야하는 함수입니다. 원본과 비교할 파일 그리고 저장할 파일입니다. 이전 장에서 살펴본 내용과 다른점은 없습니다.

```
def run(self):
    ws_ori = self.wb_ori.active
    mc_ori = ws_ori.max_column
    mr_ori = ws_ori.max_row

    ws_new = self.wb_new.active
    mc_new = ws_new.max_column
    mr_new = ws_new.max_row
```

self가 들어간 두 개의 변수 self.wb_ori.active 및 self.wb_new.active 부분이 기존에 있었던 코드와 다른 점입니다. 왜냐하면 self.wb_ori와 self.wb_new는 setFiles() 함수에서 이미 load한 파일이기 때문에 여기서는 글로벌 변수를 이용해 첫번째 워크시트를 각각 가져옵니다.

```
ws_ori.cell(i, j).fill
    = PatternFill(patternType='solid',
    fgColor=Color(self.diff_color))
```

PatternFill() 함수에 의해서 색을 지정하는 부분이 기존에 사용했던 방법과 변경이 되었습니다. 여기서 Color 클래스가 사용이 되어 맨 앞에 import 부분이 변경이 되었습니다. 마지막으로 파일을 저장하는 루틴입니다.

```
        try:
                self.wb_ori.save(self.wb_out)
                return True
        except:
                return False
```

파일을 저장하는 루틴에 예외처리를 하는 try ~ except ~ 문을 사용하였습니다. 대표적으로 이 부분에서 에러가 발생하는 경우는 출력할 파일을 이미 열려 있는 상태에서 이 부분이 실행이 될 때, 에러가 발생합니다. 에러가 발생하면 파일이 생성되지 않으므로 False를 반환하고 문제가 없이 파일이 생성되면 True를 반환합니다.

클래스는 호출이 되어야 실행이 되기 때문에 이 파일에서 실제로 처음 수행되는 코드는 다음과 같습니다.

```
    a = StaticFormExcelCompare()
```

이 코드의 StaticFormExcelCompare()의 호출에 따라 클래스가 비로소 호출이 되고 생성이 됩니다.

7. GUI와 고정포맷 엑셀파일 연결

앞서 우리가 만든 클래스를 다음과 같이 불러다 쓸 수 있을 것으로 생각했습니다.

from 053_excelCompLib4 import StaticFormExcelCompare

그런데 틀렸습니다.

숫자로 시작하는 함수는 import 할 때, 오류가 발생합니다. 방법이 아얘 없는 것 같지는 않습니다만 복잡하게 할 필요가 없습니다. 그래서 053_excelCompLib4를 복사해서 excelCompLib4.py로 만들어 놓고 맨 아래의 테스트 코드를 약간 수정했습니다.

excelCompLib4.py

```python
if __name__ == "__main__":
    a = StaticFormExcelCompare()
    a.setColor('123456', '789ABC','DEF123')
    a.setFiles(r".\files\income_state_org.xlsx",
                r".\files\income_state_new.xlsx",
                r".\files\income_state_comp2.xlsx")
    if a.run():
            print("파일 비교 완료")
    else:
            print("파일 비교 에러")
```

여기에 if문을 넣은 이유는 excelCompLib4.py를 테스트 할 때는 이 코드들이 실행이 되도록 하고 다른 코드에서 import를 했을 때는 이 코드가 실행되지 않도록 하기 위함입니다. 이미 "GUI를 가진 프로그램" 편에서 살펴본 바 있는데요. 이 파일 자체를 실행할 때에만 __name__에 __main__이 들어가게 되기 때문입니다.

이렇게 excelCompLib4.py의 내용을 수정한 후에 이를 import해서 사용합니다.

049_excelComp4.py에서 엑셀 파일 비교에 대한 GUI만을 만들었습니다. 그 코드에서 우리가 만든 excelCompLib4를 import해서 고정포맷 엑셀 파일 비교를 다음과 같이 연결을 합니다.

054_excelComp5.py

```python
import sys
from PySide6.QtWidgets import QApplication, QMainWindow, QFileDialog,\
    QMessageBox
from excelComp import Ui_Dialog
from excelCompLib4 import StaticFormExcelCompare
```

고정포맷 엑셀 파일 비교하는 StaticFormExcelCompare 클래스를 excelCompLib4.py 파일로 부터 import를 합니다. 여기서 excelCompLib4.py의 파일명 앞에 숫자가 들어가면 에러가 발생해서 파일의 이름을 변경해서 사용하고 있습니다.

```
def pbExecClick(self):
    if len(self.leOri.text()) < 5 ₩
        or len(self.leComp.text()) < 5 or ₩
    len(self.leOut.text()) < 5:
        self.showMsgBox( "에러",
                         "파일 입력 오류",
                         "파일이 모두 선택되거나 입력되지 않았습니다.",
                         QMessageBox.Warning,
                         QMessageBox.Ok | QMessageBox.Cancel,
                         QMessageBox.Ok)

        return

    if self.rbKey.isChecked():
        print("구분코드 엑셀 비교 실행")
    else:
        a = StaticFormExcelCompare()
        a.setColor('123456', '789ABC', 'DEF123')
        a.setFiles(self.leOri.text(), self.leComp.text(), self.leOut.text())
        if a.run():
            self.showMsgBox( "완료",
                             "파일 비교 완료",
                             f"파일 비교가 정상적으로 완료되었습니다.₩n" ₩
                             "{self.leOut.text()}",
                             QMessageBox.Information,
                             QMessageBox.Ok,
                             QMessageBox.Ok)
            print("파일 비교 완료")
        else:
            self.showMsgBox( "Error",
                             "파일 비교 에러",
                             f"파일 비교가 비정상적으로 종료되었습니다.₩n" ₩
                             "{self.leOut.text()}",
                             QMessageBox.Critical,
                             QMessageBox.Ok,
                             QMessageBox.Ok)
            print("파일 비교 에러")
```

기존 코드 대비 변경된 부분은 if self.rbKey.isChecked() 조건 문에서 else 이하의 부분입니다. 기존 코드와 다른 부분은 두 가지가 있습니다. setFiles() 함수에 파일명을 GUI에서 Line Edit 위젯의 텍스트를 읽어와 매개변수로 넣고 있습니다. 그리고 기존에 "파일 비교 완료"와 "파일 비교 에러"에 해당하는 부분은 메시지 박스를 통해서 사용자에게 알림을 주는 방식으로 변경이 되었습니다.

이렇게 우리가 만든 클래스와 GUI 프로그램이 합쳐졌습니다.

8. 구분코드 엑셀 비교

비교하고자 하는 파일을 먼저 보고 설명을 하는 것이 이해를 돕는데 도움이 될 것 같습니다.

구분코드라고 이름을 지어준 이유는 각 엑셀 파일 내에 각각의 행을 구별해주는 key가 되는 값이 있기 때문입니다. 일반적으로 이렇게 키가 되는 값들은 제1열에 표시가 됩니다. 다음의 예에서 키가 되는 값은 바로 1열에 있는 은행 코드가 됩니다.

이 은행코드들은 각 파일 내에서 유일한 값이며 중복되어 나타나지 않는다는 특징이 있어야 합니다. 만약에 반복적으로 나타난다면 이미 그 값은 유일한 값이 아니기 때문에 비교를 할 수 없습니다.

비교를 할 수 없는 상태의 파일이라면 비교를 할 수 있도록 파일을 변환해 줘야 합니다. 예를 들어볼까요?

스마트폰에 주소록이 있다고 해 봅시다. 동명이인은 있을 수 있어도 같은 전화번호는 있을 수 없겠죠. 그런데 혹시라도 같은 전화번호가 두 번 저장은 되어 있을 수 있습니다. 하나는 본명으로 저장이 되고 하나는 별명으로 저장이 되어 있을 수가 있겠죠. 예를 들자면요. 이럴 경우에는 두 개의 전화번호를 하나로 합쳐주는 과정이 필요합니다. 그래야 정확한 주소록이 될 수 있겠죠? 우리도 데이터를 비교하기 이전에 ① 각 데이터 파일에 겹치는 Key 값이 있는지를 사전에 확인하는 것이 필요하겠습니다.

이와 같이 두 개의 파일이 준비가 된다면 Key 값을 기준으로 두 개의 파일을 비교합니다. ② 원본 파일을 처음부터 끝까지 검색하는 for문을 준비합니다. 원본 파일에서 하나의 Key 값을 대상으로 비교할 파일을 처음부터 Key 값을 찾을 때까지 for문을 돌립니다. ③ 찾으면 Key 값을 제외한 다른 값들을 비교해서 다른 부분을 체크합니다. ④비교할 파일에서 Key 값을 찾지 못하면 원본파일에 있는 내용이 삭제된 경우입니다.

한가지 빠진 부분이 있습니다. ⑤ 비교할 파일에 추가가 된 Key가 있는 경우에는 모든 비교가 원본 파일 기준이기 때문에 찾을 방법이 없습니다. 비교할 파일에 추가가 된 Key가 있는 경우는 어떻게 찾을 수 있을까요? 비교대상 파일에서 하나를 찾을 때마다 표시를 해 두는 방법이 있습니다. 표시가 안된 Key를 가진 데이터가 바로 비교 파일에서 추가된 내용입니다.

①~⑤까지의 내용을 순차적으로 코딩하면서 살펴보도록 하겠습니다.

① 각 데이터 파일에 겹치는 Key 값이 있는지를 사전에 확인하기

055_excelKeyComp.py

```python
import openpyxl

wb_ori = openpyxl.load_workbook(r".₩files₩address_org.xlsx")
ws_ori = wb_ori.active
mc_ori = ws_ori.max_column
mr_ori = ws_ori.max_row

flag1 = False
for i in range(2, mr_ori):
    for j in range(i+1, mr_ori + 1):
        if ws_ori.cell(i, 1).value == ws_ori.cell(j, 1).value:
            print(f"원본파일 : {i}, {j}겹치는 키가 있습니다.")
            Flag1 = True
            break

if flag1 == False:
    print("원본 파일에는 겹치는 키가 없습니다.")

flag2 = False
wb_new = openpyxl.load_workbook(r".₩files₩address_new.xlsx")
ws_new = wb_new.active
mc_new = ws_new.max_column
mr_new = ws_new.max_row

for i in range(2, mr_new):
    for j in range(i+1, mr_new + 1):
        if ws_new.cell(i, 1).value == ws_new.cell(j, 1).value:
            print(f"비교할 파일: {i}, {j}겹치는 키가 있습니다.")
            Flag2 = True
            break

if flag2 == False:
    print("비교할 파일에는 겹치는 키가 없습니다.")
```

코드가 짧지 않아 보입니다만 똑같은 루틴이 반복이 됩니다. 원본 파일과 비교할 파일에 대해서 각각 수행됩니다. 이 중에서 가장 중요한 것은 for 문입니다.

```python
flag1 = False
for i in range(2, mr_ori):
    for j in range(i+1, mr_ori + 1):
        if ws_ori.cell(i, 1).value == ws_ori.cell(j, 1).value:
            print(f"원본파일 : {i}, {j}겹치는 키가 있습니다.")
            Flag1 = True
            break

if flag1 == False:
    print("원본 파일에는 겹치는 키가 없습니다.")
```

첫번째 for 문은 2부터 시작을 해서 전체 개수까지 반복을 합니다. 첫 행이 제목이기 때문입니다. 그리고 맨 마지막 이전행 까지만 반복이 됩니다.

그리고 안쪽에 있는 for문은 i + 1에서 전체 행 + 1까지 반복이 됩니다.

만일 데이터가 100개라고 하면 제목을 빼는 2행부터 시작이므로 첫번째 for문은 2에서 99까지입니다.

첫번째 for문에서 i가 2라고 하면 두번째 for문은 3에서 100까지 반복을 합니다.
첫번째 for문에서 i가 3이라고 하면 두번째 for문은 4에서 100까지 반복을 합니다.
첫번째 for문에서 i가 4라고 하면 두번째 for문은 5에서 100까지 반복을 합니다.

이와 같이 첫번째 for문에서 i가 정해짐에 따라서 안쪽의 for문에서 그 다음부터 끝까지 반복을 하면서 if문에서 같은 것이 있는지를 비교하게 됩니다. 한번이라도 같은 것이 나오지 않는다면 처음에 설정한 Flag1이 False이기 때문에 겹치는 키가 없다는 메시지를 출력합니다.

Flag1이나 Flag2 중의 하나라도 True라면 비교를 진행하지 않고 에러 메시지를 보여주면서 프로그램을 종료해야만 합니다.

② 원본 파일을 처음부터 끝까지 검색

여기서는 같은 Key가 되는 행을 찾았는지, 같은 행을 찾지 못했는지를 검사합니다. 같은 행을 찾으면 원본 파일과 비교할 파일의 각 열의 내용을 비교해야 합니다. 만일에 같은 행을 찾지 못했다면 그 행은 비교할 파일에서 삭제가 된 것입니다.

056_excelKeyComp2.py

```
if flag1 or flag2:
    print("중복 키가 있습니다.₩n각 파일을 확인해주시기 바랍니다.")
    exit(0)

found = False
for i in range(2, mr_ori+1):
    for j in range(2, mr_new+1):
        if ws_ori.cell(i, 1).value == ws_new.cell(j, 1).value:
            print(f"원본 {i}행과 비교파일 {j}행이 같은 키" ₩
                            "--> 각 열을 비교해야 함")
            found = True
            break
    if found == False:
        print(f"원본 {i}행은 비교파일에서 삭제되었음")
    found = False
```

시작 부분의 if문에서 flag1이나 flag2 중에서 하나라도 True이면 중복된 key가 있기 때문에 파일을 비교하기 직전에 파일을 확인해 달라는 메시지를 뿌리고 프로그램을 종료해야 합니다. 함수로 구현이 되어 있다면 return을 해 주면 됩니다. 하지만 위의 문장은 함수 내부가 아니기 때문에 프로그램 자체를 종료하기 위해서 exit(0) 함수를 사용합니다.

for문 앞에서는 found 변수를 False로 선언해 줍니다. 이 변수가 그대로 남아 있으면 현재의 행이 사본에 없다는 의미입니다. 결국 삭제되었다는 의미입니다. 그럼 이 변수가 변경이 되는 if문을 살펴봐야 하겠습니다.

첫번째 for문의 i는 원본 파일의 key를 가리키는 위치, 두번째 for문의 비교할 대상의 key를 가리킵니다. if문에서는 ws_ori, 즉 원본과 ws_new 비교할 파일의 key를 비교합니다. ws_ori는 i가 고정된 상태에서 ws_new가 2부터 끝까지 반복하면서 원본 ws_ori의 i번째 키와 비교할 파일 ws_new의 처음부터 끝까지 돌면서 key를 비교합니다.

비교를 해서 같은 값을 찾으면 key 값을 제외한 각 열을 비교해야 합니다. 여기서는 우선 같은 key 값을 찾는데까지만 합니다. 같은 값을 찾았으면 원본의 어느 행과 비교 파일의 어느 행이 일치하는지를 확인할 수 있습니다. 찾으면 Found 변수를 True로 설정합니다.

만일 끝까지 원본과 비교할 파일의 각 key 값을 비교했는데 찾지 못했다면 원본의 key 값에 해당하는 데이터가 비교 파일에서 삭제 되었음을 의미합니다. 여기까지를 실행해 보면 다음과 같이 각 열을 비교해야하는 데이터와 삭제된 key가 어떤 것인지를 출력해 줍니다.

```
Run:    049_excelComp4 ×    056_excelKeyComp2 ×
원본 219행과 비교파일 222행이 같은 키 --> 각 열을 비교해야 함
원본 220행은 비교파일에서 삭제되었음
원본 221행과 비교파일 223행이 같은 키 --> 각 열을 비교해야 함
원본 222행과 비교파일 224행이 같은 키 --> 각 열을 비교해야 함
원본 223행과 비교파일 225행이 같은 키 --> 각 열을 비교해야 함
원본 224행과 비교파일 226행이 같은 키 --> 각 열을 비교해야 함
원본 225행과 비교파일 227행이 같은 키 --> 각 열을 비교해야 함
원본 226행과 비교파일 229행이 같은 키 --> 각 열을 비교해야 함
원본 227행과 비교파일 230행이 같은 키 --> 각 열을 비교해야 함
원본 228행은 비교파일에서 삭제되었음
원본 229행과 비교파일 231행이 같은 키 --> 각 열을 비교해야 함
원본 230행과 비교파일 232행이 같은 키 --> 각 열을 비교해야 함
원본 231행과 비교파일 234행이 같은 키 --> 각 열을 비교해야 함
원본 232행과 비교파일 235행이 같은 키 --> 각 열을 비교해야 함

Process finished with exit code 0
```

③ 각 열의 데이터 비교
앞의 그림에서 '각 열을 비교해야 함'에 해당하는 부분에 대한 코딩은 다음과 같습니다. 추가 변경된 사항만 발췌했습니다.

057_excelKeyComp3.py

```python
found = False
diff_color = PatternFill(start_color='ffff99',
                                end_color='ffff99', fill_type='solid')
for i in range(2, mr_ori+1): # 원본 키값 (행)
    for j in range(2, mr_new+1): # 비교파일 키값 (행)
        # 원본과 비교파일 키값이 같으면 (행)
        if ws_ori.cell(i, 1).value == ws_new.cell(j, 1).value:
            for k in range(2, mc_ori + 1): # 같은 키값들의 열을 비교함
                # (열)이 다르다면
                if ws_ori.cell(i,k).value != ws_new.cell(j, k).value:
                    if ws_ori.cell(i,k).value # None --> ''
                            == None: ws_ori.cell(i,k).value = ''
                    if ws_new.cell(j,k).value # None --> ''
                            == None: ws_new.cell(j,k).value = ''
                    ws_ori.cell(i,k).value +=
                            f"--> {ws_new.cell(j, k).value}" # 바뀐값 표시
                    ws_ori.cell(i,k).fill = diff_color
            found = True
            break
    if found == False:
        print(f"원본 {i}행은 비교파일에서 삭제되었음")
    found = False

wb_ori.save(r".\files\address_diff.xlsx")
```

코드가 많이 복잡해 보입니다. 이 코드는 다음의 코드가 있었던 부분에 보다 상세하게 내용이 추가된 것입니다.

```
print(f"원본 {i}행과 비교파일 {j}행이 같은 키" ₩
        "--> 각 열을 비교해야 함")
```

그럼 한줄씩 살펴보도록 하겠습니다. 먼저 for문이 추가되었습니다.

```
for k in range(2, mc_ori + 1): # 같은 키값들의 열을 비교함
```

첫번째 열이 Key 값이기 때문에 두번째부터 마지막까지 원본 파일과 비교파일의 열을 비교합니다.

```
# (열)이 다르다면
if ws_ori.cell(i,k).value != ws_new.cell(j, k).value:
```

ws_ori 원본과 ws_new 비교 대상 파일의 열이 다르다면 내용이 변경이 된 것입니다.

```
if ws_ori.cell(i,k).value # None --> ''
        == None: ws_ori.cell(i,k).value = ''
if ws_new.cell(j,k).value # None --> ''
        == None: ws_new.cell(j,k).value = ''
ws_ori.cell(i,k).value +=
        f"--> {ws_new.cell(j, k).value}" # 바뀐값 표시
ws_ori.cell(i,k).fill = diff_color
```

해당 셀에 있는 내용이 None 인 경우, 원래 값과 바뀐 값이 →로 연결될 때 에러가 발생합니다. 그래서 각 셀의 값이 None인 경우를 ' '와 같은 공백으로 변경해 줍니다.

마지막 줄에는 셀의 색상을 바꿔줍니다. 결과 파일은 다음과 같습니다.

	전화번호	팩스	우편번호	주소	구분	
	D	E	F	G	H	
2	02 759 4114	02 759 4060	100794	서울특별시 중구 남대문로 3 9	정상	
3	02 759 4114	02 759 4060	100794	서울특별시 중구 남대문로 3 9	정상	
4	02 560 1114	02 569 9009	135920	서울특별시 강남구 테헤란로 2 0 2	정상	
5	02 759 4114	02 759 5652	100794	서울특별시 중구 남대문로 3 9	정상	
6	02 759 4114	02 752 0946	100794	서울특별시 중구 남대문로 3 9	정상	
7	02 759 4114	02 759 4340	100794	서울특별시 중구 남대문로 3 9 3층 --> 서울특별시 중구 남대문로 3 9	정상--> 잠정폐쇄	
8	02 759 4112--> 02 759 4114	02 750 6849	100794	서울특별시 중구 남대문로 3 9	정상	
9	02 759 1114	02 750 6660	100794	서울특별시 중구 남대문로 3 9 5층 --> 서울특별시 중구 남대문로 3 9	--> 정상	
10	02 759 4114	02 759 4485	100794	서울특별시 중구 남대문로 3 9	정상	
11	02 759 4114	02 759 4561	100794	서울특별시 중구 남대문로 3 9	정상	
12	02 759 4114	02 759 4566	100794	서울특별시 중구 남대문로 3 9	정상	
13	02 759 4114	02 759 4600	100794	서울특별시 중구 남대문로 3 9	정상	
14	02 759 4114	02 750 6564	100794	서울특별시 중구 남대문로 3 9	정상	
15	02 759 4114	02 759 4750	100794	서울특별시 중구 남대문로 3 9	정상--> 잠정폐쇄	
16	02 759 4114	02 752 6548	100794	서울특별시 중구 남대문로 3 9	정상	
17	02 759 4114	02 759 5736	100794	서울특별시 중구 남대문로 3 9	정상	
18	02 759 4114--> 02 759 4115	02 759 5210	100794	서울특별시 중구 남대문로 3 9	정상	
19	02 759 4114	02 759 5951	100794	서울특별시 중구 남대문로 3 9	정상	

④ 삭제된 셀의 처리

원본 파일의 내용이 변경된 파일에서 삭제된 경우에 대한 처리 부분입니다

```
if found == False:
        print(f"원본 {i}행은 비교파일에서 삭제되었음")
```

print() 함수를 대체할 내용입니다. 삭제된 것은 셀의 색상도 다른 색으로 바꾸고 취소선으로 내용을 지워 주는 것이 보기 좋을 것 같아 그렇게 하려고 합니다.

058_excelKeyComp4.py

```
if found == False:
        print(f"원본 {i}행은 비교파일에서 삭제되었음")
        for k in range(1, mc_ori + 1):
                ws_ori.cell(i, k).fill = del_color
                ws_ori.cell(i, k).font = cancel_font
        found = False
```

기존의 코드 대비해서 if 문 안에 for문이 추가되었습니다. 추가된 for문에 의해서 삭제된 파일은 셀의 색이 바뀌고 글자도 취소선이 그어지게 됩니다.

mc_ori는 각 열에 해당하므로 행은 그대로 두고, 해당 열로 이동해서 컬러를 바꿔주고 취소선을 넣어 주는 것으로 쉽게 마무리가 됩니다. 이렇게 취소선을 사용하기 위해서는 다음과 같이 Font를 import학도 Font에 취소선 strike에 True를 주었습니다.

```
from openpyxl.styles import PatternFill, Font


del_color = PatternFill(start_color='789ABC', end_color='789ABC', fill_type='solid')
cancel_font = Font(strike=True)
```

⑤ 비교할 파일에 추가가 된 Key 찾기

원본 파일에서는 변경된 것과 삭제 된 것을 찾아서 표시했습니다. 이 내용들은 원래 원본 파일에 있던 내용이므로 원본 파일에서 바뀐 부분만 찾아서 셀의 색상을 바꾸고, 바뀐 값을 비교할 파일에서 읽어서 ' → '를 이용해 표시했습니다. 그리고 비교할 파일에서 삭제된 내용은 원본 파일에 정보가 그대로 남아 있기 때문에 역시나 셀 색상을 바꾸고 셀의 내용에 취소선만 추가해 주면 되었습니다.

비교할 파일에 추가된 key는 원본 파일에서 추가된 위치를 찾고 해당 위치에 행을 삽입하고 삽입된 행에 비교할 파일의 내용을 하나씩 복사해 와야만 합니다. 우선은 비교할 파일에서 추가된 내용을 어떻게 찾아야 할 것인가에 대한 아이디어가 필요합니다.

059_excelKeyComp5.py

```
added = [True for i in range(mr_new-1)]
for i in range(2, mr_ori+1): # 원본 키값 (행)
    for j in range(2, mr_new+1): # 비교파일 키값 (행)
        # 원본과 비교파일 키값이 같으면 (행)
        if ws_ori.cell(i, 1).value == ws_new.cell(j, 1).value:
            added[j-2] = False
            for k in range(2, mc_ori + 1): # 같은 키값들의 열을 비교함
                # (열)이 다르다면
```

```
                                    if ws_ori.cell(i,k).value != ws_new.cell(j, k).value:
                                        if ws_ori.cell(i,k).value # None --> ''
                                            == None: ws_ori.cell(i,k).value = ''
                                        if ws_new.cell(j,k).value # None --> ''
                                            == None: ws_new.cell(j,k).value = ''
                                        ws_ori.cell(i,k).value +=
                                            f"--> {ws_new.cell(j, k).value}" # 바뀐값 표시
                                        ws_ori.cell(i,k).fill = diff_color
                            found = True
                            break
                if found == False:
                        print(f"원본 {i}행은 비교파일에서 삭제되었음")
                found = False


    print(f"len = {len(added)}")
    for i in range(len(added)):
        if added[i]:
                print(i+2, added[i])

wb_ori.save(r".\files\address_diff.xlsx")
```

수정된 코드에서 확인해야 할 부분은 added가 들어간 부분입니다. 이 코드에서는 비교할 파일에서 어느 행이 추가되었는지를 파악하는 기능만 가지고 있습니다. 원본에 비교할 파일의 추가된 내용을 복사해 넣는 과정은 다음에 추가하고자 합니다.

added가 들어간 부분만 발췌를 해 보면 다음과 같습니다.

```
    added = [True for i in range(mr_new-1)]

                    added[j-2] = False

    print(f"len = {len(added)}")
    for i in range(len(added)):
        if added[i]:
                print(i+2, added[i])
```

첫번째 줄은 복잡해 보이지만 added라는 List를 생성해 주는 것입니다. 일반적인 리스트의 경우는 다음과 같이 선언을 합니다.

added = [1, 2, 3, 4, 5]

added를 이렇게 선언을 하면 added라는 리스트는 총 5개의 요소로 되어 있고 added[0] = 1, added[1] = 2, added[2] = 3, added[3] = 4, added[4] = 5와 같은 값들을 각각 갖게 되는 것입니다.

그런데 우리 코드에서는 대 괄호 안에 값이 들어가 있는 것이 아니라 for문이 들어가 있습니다. 이 for문의 의미는 range()의 개수만큼 added라는 리스트에 값을 만들어 넣는데, 그 값이 for문 앞에 있는 True라는 값으로 만들어 넣으라는 의미가 되겠습니다. 예를 들어 mr_new의 값이 100이라고 한다면 mr_new - 1까지가 range에 들어가게 되니 0부터 99까지 100개의 리스트를 만들라는 의미입니다. 그리고 for 문 앞에 True가 있으니 모두 True 값으로 초기화가 되어 있겠죠.

added[0] = True, added[1] = True, added[2] = True ……., added[mr_new - 2] = True

위와 같이 초기화가 이루어집니다. range()에 mr_new - 1과 같이 해 주는 이유는 엑셀 파일의 첫번째 행은 열의 제목이 들어가기 때문에 제외했기 때문입니다.

```
added[j-2] = False
```

원본파일의 Key 되는 값을 비교할 파일에서 찾습니다. 만약에 동일한 key 값을 찾았다는 얘기는 기존에 있던 내용이 그대로 들어 있거나 혹은 수정이 되었을 수도 있다는 얘기이므로 최소한 비교할 파일에 내용이 추가되지는 않았습니다. 그래서 위와 같이 표시를 해 주는 것입니다.

왜 j-2를 해 주는걸까요? added 리스트의 개수는 제목을 뺀 데이터의 수 입니다. 전체 행 수에서 하나가 작은 값이죠.

```
for i in range(2, mr_ori+1): # 원본 키값 (행)
    for j in range(2, mr_new+1): # 비교파일 키값 (행)
```

위와 같이 각각의 원본 파일과 비교 대상 파일은 제목을 제외한 2부터 시작이 되고 있습니다. 그런데 리스트는 0부터 시작을 하거든요. 그래서 2를 빼서 위치를 조정해 준 것입니다.

```
print(f"len = {len(added)}")
```

added의 길을 print() 함수에서 출력을 해 보고 있습니다. 여기서 출력되는 값은 비교할 대상 파일의 전체 데이터의 개수입니다. 행의 개수로 보면 제목이 들어가 있기 때문에 전체 행의 개수보다 하나 작은 값이 들어가 있을 것입니다.

다음의 그림은 제가 실행을 해 본 결과인데 엑셀에는 235행의 데이터가 들어가 있습니다만, 실제로 데이터 개수는 제목을 빼야하기 때문에 총 234개가 되는 것입니다.

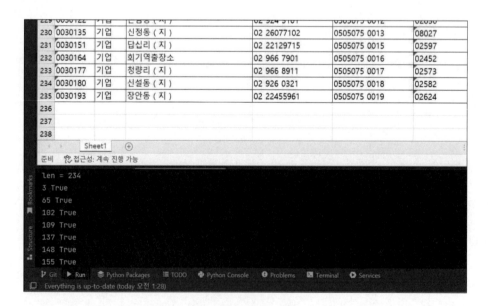

다음의 for문은 added[i] 번째의 값이 True인 경우만 i+2라는 숫자와 함께 해당 리스트의 값을 찍어보고 있습니다. if에서 True인 값들만 선별해서 찍고 있기 때문에 i는 변하지만 added의 값은 항상 True가 됩니다.

```
for i in range(len(added)):
    if added[i]:
        print(i+2, added[i])
```

처음에 added에 모두 True를 넣어줬고, 원본과 비교할 파일에서 서로 Key 값을 찾았을 때만 added에 False를 넣어줬습니다. 그렇기 때문에 비교할 파일에 해당하는 행의 Key 값이 원본 파일에 없다면 added의 값은 원래 넣어줬었던 True 값이 그대로 남아 있을 것이고, 그 행은 추가가 된 행이라고 보면 되는 것입니다. 그런데 i에 +2를 해 준 것은 다음과 같이 이전에 added의 j-2로 계산을 해 줬기 때문에 그 만큼을 보상해 주는 것입니다.

```
added[j-2] = False
```

이렇게 만들어준 코드를 실행해 보면 터미널에 나타나는 메시지는 다음과 같습니다. 여기에는 원본의 몇 번째 행이 비교파일에서 삭제가 되었는지를 먼저 나타내 줍니다. 그리고 len = 234 이후는 비교파일에서 추가가 된 행이 몇 번째 행인지를 표시해 줍니다.

따라서 우리는 각각의 행의 내용을 그대로 복사해서 원본 파일에 넣어주고, 해당 셀들의 색상을 변경해서 새로운 파일로 저장을 해 주면 됩니다.

추가 된 행을 복사해서 원본의 어느 위치에 넣는 것이 좋을까요? 추가된 행을 원본의 맨 마지막에 복사해 넣는 것은 가장 쉬운 방법 중의 하나입니다. 그런데 이런 방식으로 해 넣게 되면 비교할 파일이 만들어질 당시의 의도를 무시하는 경우가 되지 않나 생각이 듭니다. 그래서 가능하면 비교할 파일의 위치에 맞게 원본 파일에도 위치를 시키는 것이 좋겠다는 생각을 했습니다.

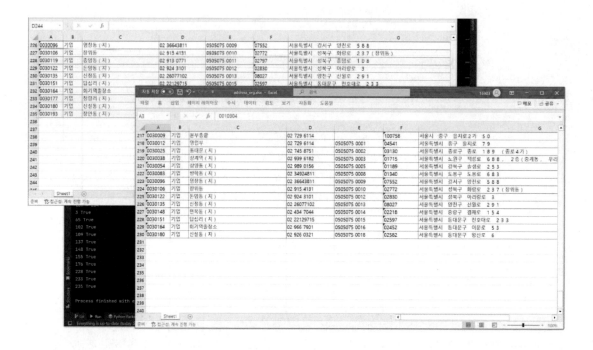

어떻게 그 차이를 찾을 수 있을까 고민을 했습니다.

먼저 노란색이 표시되어 있는 엑셀은 그림 좌하단부, 우리가 만든 프로그램에 나타난 행으로 원본 파일 대비 추가된 내용이 들어 있습니다. 그리고 정면에 보이는 파일은 원본 파일입니다. 노란색으로 표시된 부분은 정면에 보이는 원본 파일에는 들어있지 않습니다.

그래서 생각해낸 아이디어는 다음과 같습니다.

⑥ 비교할 파일에서 추가된 위치를 알고 있으므로 추가된 위치 다음의 Key 값을 읽어옵니다. 그런데 다음의 값 역시 새로 추가된 정보이면 원본 파일에서 찾을 수 없으므로 added에서 다음을 찾았을 때 True 값을 가지고 있으면 안됩니다. 즉, added에서 뒤로 그 값이 False인 것을 찾아서 그 위치에 해당하는 Key 값을 읽어와야 한다는 것입니다.

⑦ 그렇게 읽어온 Key 값을 원본에서 찾아 그 위치를 찾아 빈 행을 삽입합니다. ⑧ 비교할 파일에서 추가된 내용을 원본의 삽입한 행에 하나씩 열을 복사해 오고 색을 변경합니다. ⑨ 만일 비교할 파일에서 추가된 다음 위치에 값이 없으면 즉, 마지막 값이면 마지막에 행을 추가하고 ⑧과 같이 각각의 열을 복사해오고 색을 변경합니다.

⑥ 비교할 파일에서 추가된 위치 다음의 Key 값을 읽기

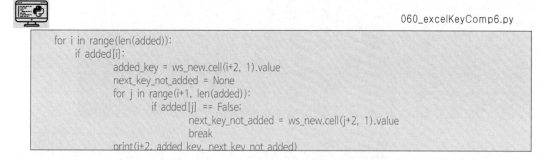

060_excelKeyComp6.py

```
for i in range(len(added)):
    if added[i]:
        added_key = ws_new.cell(i+2, 1).value
        next_key_not_added = None
        for j in range(i+1, len(added)):
            if added[j] == False:
                next_key_not_added = ws_new.cell(j+2, 1).value
                break
        print(i+2, added_key, next_key_not_added)
```

맨 마지막의 print() 함수가 있던 부분에 꽤 많은 수의 코드가 추가 되었습니다. 우선 added_key는 비교 파일에서 추가된 행 i + 2에 해당하는 Key 값을 가지고 있습니다. 다음은 added_key 다음에 추가가 되지 않은 Key 값을 찾아야 합니다. 쉽게 생각하면 i + 3에 해당하는 Key 값을 찾으면 되겠습니다.

하지만 비교 파일에 연속적으로 추가된 행이 있다고 하면, i + 2에서 추가된 key를 찾고 그 다음 두번째의 key를 찾은 다음, 두번째 key를 원본 파일에서 찾아서 그 앞에 행을 추가하려는 의도입니다. 그런데 i + 2의 다음에 있는 i + 3도 비교파일에서 추가된 행이라면 i + 3의 key 해당하는 값을 원본 파일에서 찾을 수 없어 오류가 발생합니다. 이와 같이 복잡한 for문이 들어간 것은 비교 파일에서 추가되지 않은 다음 값을 찾기 위함입니다.

이것을 테스트 하기 위해서 원본 파일에서 100, 101번째의 파일을 삭제했습니다. 그러면 좌측에 출력된 것과 같이 99와 100번째 행이 True로 나타나게 됩니다. 제목이 있어서 1이 빠진 숫자죠.

next_key_not_added는 처음에 None으로 초기화를 하고 for문에서 j는 현재의 다음 것, 즉 i + 1부터 끝까지 반복을 합니다. 반복하면서 처음 만난 added가 False인 것이 다음의 key 값이 되는 것이죠. 그런데 왜 처음에 None으로 초기화를 해 줬는가 하면, 만일에 추가된 값이 파일의 맨 마지막 값이라면 다음의 Key 값을 찾을 수 없을 것입니다. 그래서 이것을 체크하기 위해서 next_key_not_added를 None으로 넣어 준 것입니다. None이면 맨 마지막에 행을 추가하면 되겠죠.

⑦ 그렇게 읽어온 Key 값을 원본에서 찾아 그 위치를 찾아 빈 행을 삽입, ⑨ 원본에서 key를 못찾으면 맨 마지막에 행을 추가

```
for i in range(len(added)):
    if added[i]:
        added_key = ws_new.cell(i+2, 1).value
        next_key_not_added = None
        for j in range(i+1, len(added)):
            if added[j] == False:
                next_key_not_added = ws_new.cell(j+2, 1).value
                break
        print(i+2, added_key, next_key_not_added)

        mr_ori = ws_ori.max_row
        found = False

        for k in range(mr_ori):
            if ws_ori.cell(k + 1, 1).value == next_key_not_added
                and next_key_not_added != None:
                print(")))", k + 1, next_key_not_added)
                found = True
                ws_ori.insert_rows(k + 1)
                break
        if found == False:
            print(f")))  맨 마지막에 추가 : {mr_ori+1}")

wb_ori.save(r".\files\address_diff3.xlsx")
```

맨 앞의 for문은 비교할 파일에서 추가된 행 만큼 반복을 하는 것이고, 그 안에 두 개의 추가적인 for문이 있습니다.

그 중 첫번째는 위치를 파악했고, 두번째 for문에서는 원본 파일에서 추가된 파일이 삽입될 곳의 위치를 찾아서 빈 행을 추가해 주는 것입니다.

mr_ori = ws_ori.max_row

mr_ori는 원본 파일이 총 몇 행인지를 나타내는 변수로 max_row라는 변수가 자동으로 계산해서 그 값을 가지고 있습니다. 그런데 왜 매번 두 번째 for문을 실행하기 전에 이 값을 mr_ori에 넣는 것일까요?

왜냐하면 다음의 for문을 실행하면 원본 파일에 한 행이 추가되기 때문에 매번 mr_ori를 확인하는 것입니다. 원본 파일에 100개의 데이터가 있었고 사본 파일에서 5개의 행이 추가되었다면 처음 두번째 for문을 시작할 때는 mr_ori가 100이지만 그 다음에는 한 행이 추가되어 101, 102와 같이 점점 커지기 때문입니다.

found = False

이 변수는 사용될 확률이 딱 한번입니다.

언제인가 하면 비교할 파일에서 데이터가 추가된 곳이 파일의 맨 마지막일 경우 입니다. 엑셀에서 한 행을 선택하고 빈 행을 삽입하게 되면 선택된 행의 바로 앞에 한 행이 추가가 됩니다. 그렇기 때문에 추가된 데이터를 삽입하기 위해서 그 다음에 있는 key 값을 찾았습니다. 그런데 마지막에 추가된 행의 경우에는 다음행에서 key 값을 찾을 수 없습니다. 맨 마지막 행이기 때문이죠. key 값을 찾았을 때, 이 변수는 True로 변경이 됩니다. 만일 변경이 되지 않고 마지막까지 False로 남아 있다면 이 변수는 맨 마지막 행에 있는 정보가 되는 것입니다.

```
for k in range(mr_ori):
        if ws_ori.cell(k + 1, 1).value == next_key_not_added ₩
            and next_key_not_added != None:
            print(")))", k + 1, next_key_not_added)
            found = True
            ws_ori.insert_rows(k + 1)
            break
    if found == False:
        print(f")))  맨 마지막에 추가 : {mr_ori+1}")
```

for 문에서는 삽입될 key의 다음 key가 있는 곳에 위치를 찾아 insert_row(k + 1)을 통해서 한 행을 추가
합니다. 그리고 for문이 끝나고 난 후에 found가 바뀌지 않았는지 확인해서 바뀌지 않았다면 맨 뒤의 행에 자
료를 추가하게 됩니다.

그럼 for문의 내부를 살펴보겠습니다.

```
if ws_ori.cell(k + 1, 1).value == next_key_not_added ₩
    and next_key_not_added != None:
```

앞에서 next_key_not_added는 추가된 key의 다음 key 중에서 처음 나오는 기존에 있던 자료의 key를 가지
고 있습니다. 이 값이 None으로 되어 있다는 것은 맨 마지막 자료를 의미하는 것입니다. 그래서 맨 마지막 자
료가 아니며, next_key_not_added인 key 값을 찾습니다. 이렇게 찾아진 key에서 추가를 하면 바로 앞의 행에
자료가 추가되는 것입니다.

바로 다음 줄에는 '행이 추가될 곳을 찾았습니다'라는 의미에서 found 변수를 True로 변경해 줍니다.

```
found = True
```

찾았으면 insert, 행을 추가해줘야겠죠. 그래서 원본 ws_ori에서 insert_rows를 이용해서 한 행을 삽입해
줍니다.

```
ws_ori.insert_rows(k + 1)
```

다음은 값을 찾았기 때문에 추가로 찾을 필요가 없어 break 문을 통해서 for문을 빠져나갑니다.

```
if found == False:
    print(f")))  맨 마지막에 추가 : {mr_ori+1}")
```

마지막에 있는 if문은 비교할 파일에서 맨 마지막에 추가된 데이터의 경우입니다. 즉, 추가된 key의 다음
key를 찾지 못한 경우입니다.

⑧ 비교할 파일에서 추가된 내용을 원본의 삽입한 행에 하나씩 열을 복사해 오고 색을 변경

순서가 조금 바뀌긴 했습니다만, 실제로 변경된 파일에서 각각의 값들을 원본으로 복사를 해 오는 과정을 진행해 보겠습니다.

062_excelKeyComp8.py

```
for k in range(mr_ori):
    if ws_ori.cell(k + 1, 1).value == next_key_not_added ₩
            and next_key_not_added != None:
            # print(")))", k + 1, next_key_not_added)
            found = True
            ws_ori.insert_rows(k + 1)
            for m in range(1, mc_new + 1):
                    ws_ori.cell(k + 1, m).value = ws_new.cell(i + 2, m).value
                    ws_ori.cell(k + 1, m).fill = added_color
            break


if found == False:
    # print(f")))  맨 마지막에 추가 : {mr_ori+1}")
    for m in range(1, mc_new + 1):
            ws_ori.cell(mr_ori + 1, m).value = ws_new.cell(i + 2, m).value
            ws_ori.cell(mr_ori + 1, m).fill = added_color

wb_ori.save(r".₩files₩address_diff4.xlsx")
```

실제로 데이터를 복사해 오는 과정입니다. 셀을 선택하고 그 상태에서 행을 삽입하면 선택한 행의 위치가 삽입한 행의 위치가 됩니다. 예를 들어 7번째 행을 선택하고 행 삽입을 하면 현재 행은 8행이 되고 삽입된 행이 7행이 되는 것이죠.

```
ws_ori.insert_rows(k + 1)
    for m in range(1, mc_new + 1):
            ws_ori.cell(k + 1, m).value = ws_new.cell(i + 2, m).value
            ws_ori.cell(k + 1, m).fill = added_color
```

그래서 삽입한 것과 같은 위치인 k + 1에 복사를 해 넣습니다. 열의 번호는 1부터 시작하기 때문에 for문에서 range가 1부터 mc_new + 1까지가 되구요. 왜냐하면 for문의 range는 기본적으로 0부터 시작하기 때문에 1씩 더해 준 것이죠. 그리고 복사해 올 값은 ws_new에서 i + 2 번째 행이 됩니다. 이유는 added 리스트에 있습니다. 우리의 엑셀은 1부터 행이 시작하는데 1행이 제목이므로 2부터 입니다. 그런데 added는 리스트이므로 처음이 1부터 입니다. 그래서 2를 더해줄 필요가 생긴 것입니다. added의 처음은 제목도 없이 0부터 시작이고 ws_new는 1부터 시작이라 1이 차이가 나는데 거기에 제목까지 있으므로 2가 차이가 나게 되는 것입니다.

```
# print(f")))  맨 마지막에 추가 : {mr_ori+1}")
    for m in range(1, mc_new + 1):
            ws_ori.cell(mr_ori + 1, m).value = ws_new.cell(i + 2, m).value
            ws_ori.cell(mr_ori + 1, m).fill = added_color
```

맨 마지막에 추가되는 행의 경우에는 k + 1 대신에 mr_ori + 1을 해 주고 있습니다. 이유는 전체 개수가 mr_ori이기 때문에 맨 마지막 행 다음에 넣는 것입니다. 여기는 insert를 해 주지 않는데 그 이유는 맨 마지막이기 때문에 맨 마지막 다음의 비어있는 셀들에 값을 넣기 때문입니다.

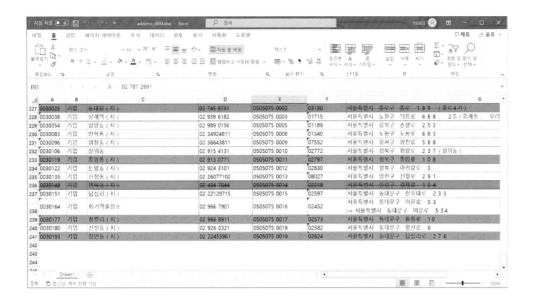

결과로 나온 파일을 보면 삭제된 내용은 파란색에 취소선이 들어가 있고, 추가된 행은 주황색, 그리고 변경이 된 셀들을 노란색에 원래 값과 변경된 값이 나타납니다.

구분코드로 된 엑셀 파일을 비교하는 루틴이 아마도 가장 길고 복잡한 코딩이 아니었나 싶습니다. 지금까지 해 온 순서대로 하나 하나 차근 차근 검사해 가면서 코딩을 해야 합니다. 중간 중간 print() 함수를 이용해서 값들을 확인하면서 코딩을 하고, 확인이 되면 필요 없는 코드들은 삭제를 하면 됩니다. 이런 방식으로 복잡한 코딩을 단순화 시켜서 하나씩 진척을 이뤄야 합니다.

이 코드 중에서는 추가된 내용을 순서에 맞게 위치시키는 것이 가장 복잡한 코딩이 아니었나 싶습니다. 이렇게 복잡한 것을 단순화 시킬 수도 있습니다. 추가된 것은 파일 맨 뒤에 넣는 것이 하나의 방식이 되지 않을까요? 그래도 추가된 것과 변경, 삭제 된 것은 한 파일에 표시되니까요.

하지만 사람의 욕심은 끝이 없고 우리가 만든 프로그램의 결과물을 보는 사람들의 시선은 그렇지 않을때가 많습니다. 이왕 만드는거 추가된 위치에 넣어주면 더 편하지 않느냐는 것이죠.

여기까지 따라오셨다면 엑셀 관련한 프로그램은 마음만 먹으면 자유롭게 하실 수 있지 않을까 싶습니다. 우리가 하려고 하는 RPA, Robotic Process Automation은 단순 반복적인 작업을 빠르게 하기 위함입니다. 여기에 셀의 크기를 조정하고 폰트를 바꾸는 등의 작업은 코딩을 통하기 보다 익숙한 우리가 직접 작업하는 것이 더 빠르고 보기 좋고 수월하게 할 수 있습니다.

9. 구분코드 클래스 만들기

이전에 만들었던 고정 포맷 엑셀 비교 대비 코드는 상당히 복잡해졌습니다. 하지만 아래에 보이는 StaticFormExcelCompare() 클래스와는 동일하게 만들 수 있겠습니다.

__init__() 함수도 자동으로 호출되는 방식이지만 그대로 만들어주고, 텍스트가 다르거나 숫자가 크거나 작거나 할 때의 색상을 지정해 주는 setColor는 변경, 추가, 삭제된 셀들의 색상을 지정해주는 함수로 사용할 수 있겠네요. setFiles()와 run() 함수는 동일한 역할을 하도록 만드는 것이 좋겠습니다.

```python
class StaticFormExcelCompare():
    def __init__(self):
    def setColor(self, diff, big, small):
    def setFiles(self, ori, new, out):
    def run(self):
```

이번에 만들어야 할 클래스는 UniqueKeyExcelCompare()로 이름을 짓고 만들어보도록 할텐데 이전에 했던 StaticFormExcelCompare() 대비 코드가 상당히 길어졌습니다. 하지만 이전에 만들었던 StaticFormExcelCompare()의 함수들을 그대로 복사해서 사용한다면 시간이 오래 걸리지 않아도 쉽게 만들 수 있을 것 같아보입니다.

먼저 완성이 된 클래스 코드를 보겠습니다.

063_excelKeyComp9.py

```python
import openpyxl
from openpyxl.styles import PatternFill, Font

class UniqueKeyExcelCompare():
    def __init__(self):
        self.diff_color = PatternFill(start_color='ffff99',
                                      end_color='ffff99', fill_type='solid')
        self.added_color = PatternFill(start_color='789ABC',
                                       end_color='789ABC', fill_type='solid')
        self.del_color = PatternFill(start_color='ff9999',
                                     end_color='ff9999', fill_type='solid')

    def setColor(self, diff, add, delete):
        self.diff_color = PatternFill(start_color=diff, end_color=diff,
                                      fill_type='solid')
        self.added_color = PatternFill(start_color=add, end_color=add,
                                       fill_type='solid')
        self.del_color = PatternFill(start_color=delete, end_color=delete,
                                     fill_type='solid')

    def setFiles(self, ori, new, out):
        self.wb_ori = openpyxl.load_workbook(ori, data_only=True)
        self.wb_new = openpyxl.load_workbook(new, data_only=True)
        self.wb_out = out

    def run(self):
```

```python
wb_ori = self.wb_ori
ws_ori = wb_ori.active
mc_ori = ws_ori.max_column
mr_ori = ws_ori.max_row

flag1 = False
for i in range(2, mr_ori):
        for j in range(i+1, mr_ori+1):
                if ws_ori.cell(i, 1).value == ws_ori.cell(j, 1).value:
                        # print(f"원본파일 : {i}, {j}겹치는 키가 있습니다.")
                        Flag1 = True
                        break

if flag1 == False:
        print("원본 파일에는 겹치는 키가 없습니다.")

flag2 = False
wb_new = self.wb_new
ws_new = wb_new.active
mc_new = ws_new.max_column
mr_new = ws_new.max_row

for i in range(2, mr_new):
        for j in range(i+1, mr_new+1):
                if ws_new.cell(i, 1).value == ws_new.cell(j, 1).value:
                        # print(f"비교할 파일: {i}, {j}겹치는 키가 있습니다.")
                        Flag2 = True
                        break

if flag2 == False:
        print("비교할 파일에는 겹치는 키가 없습니다.")

if flag1 or flag2:
        # print("중복 키가 있습니다.\n각 파일을 확인해주시기 바랍니다.")
        return False
        # exit(0)

found = False
cancel_font = Font(strike=True)
added = [True for i in range(mr_new-1)]
for i in range(2, mr_ori+1): # 원본 키값 (행)
        for j in range(2, mr_new+1): # 비교파일 키값 (행)
                if ws_ori.cell(i, 1).value == ws_new.cell(j, 1).value:
                        # 원본과 비교파일 키값이 같으면 (행)
                        added[j - 2] = False
                        for k in range(2, mc_ori + 1):
                        # 같은 키값들의 열을 비교함
                                if ws_ori.cell(i,k).value != \
                        ws_new.cell(j, k).value: # (열)이 다르다면
                                        if ws_ori.cell(i,k).value == None:
                                                ws_ori.cell(i,k).value = ''
                                        if ws_new.cell(j,k).value == None:
                                                ws_new.cell(j,k).value = ''
                                        ws_ori.cell(i,k).value += \
                                        f"--> {ws_new.cell(j, k).value}"
                                        ws_ori.cell(i,k).fill = self.diff_color
                        found = True
                        break
        if found == False:
                # print(f"원본 {i}행은 비교파일에서 삭제되었음")
                for k in range(1, mc_ori + 1):
                        ws_ori.cell(i, k).fill = self.del_color
                        ws_ori.cell(i, k).font = cancel_font
        found = False

for i in range(len(added)):
        if added[i]:
                added_key = ws_new.cell(i+2, 1).value
                next_key_not_added = None
                for j in range(i+1, len(added)):
```

```
                                        if added[j] == False:
                                                next_key_not_added = ₩
                                                ws_new.cell(j+2, 1).value
                                                break
                                    # print(i+2, added_key, next_key_not_added)
                                    mr_ori = ws_ori.max_row
                                    found = False
                                    for k in range(mr_ori):
                                            if ws_ori.cell(k + 1, 1).value == ₩
                                                    next_key_not_added
                                                    and next_key_not_added != None:
                                                    # print(")))", k + 1, next_key_not_added)
                                                    found = True
                                                    ws_ori.insert_rows(k + 1)
                                                    for m in range(1, mc_new + 1):
                                                            ws_ori.cell(k + 1, m).value = ₩
                                                            ws_new.cell(i + 2, m).value
                                                            ws_ori.cell(k + 1, m).fill = ₩
                                                                    self.added_color
                                                    break
                                    if found == False:
                                            for m in range(1, mc_new + 1):
                                                    ws_ori.cell(mr_ori + 1, m).value = ₩
                                                    ws_new.cell(i + 2, m).value
                                                    ws_ori.cell(mr_ori + 1, m).fill = ₩
                                                            self.added_color

                try:
                        wb_ori.save(self.wb_out)
                        return True
                except:
                        return False

if __name__ == "__main__":
        a = UniqueKeyExcelCompare()
        # a.setColor('123456', '789ABC','DEF123')
        a.setFiles(r".₩files₩address_org.xlsx",
                        r".₩files₩address_new.xlsx",
                        r".₩files₩address_diff5.xlsx")
        if a.run():
                print("파일 비교 완료")
        else:
                print("파일 비교 에러")
```

    우리가 지금까지 구현을 한 코드 중에서 가장 긴 코드를 클래스로 만들었습니다. 클래스 코드 맨 아래에
클래스를 테스트 할 수 있는 테스트 코드까지 들어 있습니다. 기존 코드에서 어떻게 바꾸어 클래스화 했는지
를 살펴보도록 하겠습니다.

```
        def __init__(self):
        self.diff_color = PatternFill(start_color='ffff99',
                                        end_color='ffff99', fill_type='solid')
                self.added_color = PatternFill(start_color='789ABC',
                                        end_color='789ABC', fill_type='solid')
                self.del_color = PatternFill(start_color='ff9999',
                                        end_color='ff9999', fill_type='solid')


        def setColor(self, diff, add, delete):
                self.diff_color = PatternFill(start_color=diff, end_color=diff,
                                        fill_type='solid')
                self.added_color = PatternFill(start_color=add, end_color=add,
                                        fill_type='solid')
```

```
self.del_color = PatternFill(start_color=delete, end_color=delete,
                             fill_type='solid')
```

__init__() 함수와 setColor() 함수는 묶어서 설명할 수 있겠습니다. __init__() 함수는 변경된 셀, 추가된 행과 삭제된 행의 색상을 default로 지정을 해 주고 있습니다. 이 얘기는 setColor() 함수를 호출하지 않아도 기본 색상이 지정되어 있다는 이야기 입니다. 따라서 기본 색상을 그대로 사용해도 무방하다면 클래스 코드의 최하단에 있는 테스트 코드와 같이 setColor() 함수는 호출하지 않아도 됩니다.

```
def setFiles(self, ori, new, out):
    self.wb_ori = openpyxl.load_workbook(ori, data_only=True)
    self.wb_new = openpyxl.load_workbook(new, data_only=True)
    self.wb_out = out
```

setFiles() 함수도 기존에 우리가 이미 만들어 봤던 StaticFormExcelCompare() 클래스와 다를 것이 없습니다. 파일명을 지정해주며 원본과 새로운 파일은 load_workbook 함수를 이용해서 읽어옵니다. 그리고 저장할 파일명은 파일명 그대로 wb_out 함수에 지정을 합니다.

마지막으로 제일 중요한 부분이 실제로 두 개의 엑셀 파일을 비교하고 차이점을 저장하는 run() 함수입니다. 길기도 제일 깁니다. 여기에 있는 코드들은 앞서 만든 코드들을 그대로 가져오지만 몇 가지 바뀐 것이 있습니다. 그 부분만 참고하시면 다른 부분은 이미 설명을 한 부분이기 때문에 설명을 생략해도 무방할 것 같습니다.

```
def run(self):
    wb_ori = self.wb_ori
    wb_new = self.wb_new
```

기본적으로 setFiles()에서 지정해 준 원본과 비교할 파일에 대한 workbook을 지정하는 부분입니다. 이미 setFiles()에서 지정이 되었기 때문에 위와 같이 self 변수를 이용해서 지정해 주는 것으로 바뀌어야 합니다.

```
if flag1 or flag2:
    # print("중복 키가 있습니다.\n각 파일을 확인해주시기 바랍니다.")
    return False
    # exit(0)
```

다음은 원본과 비교할 파일에는 중복되는 키가 있으면 안되기 때문에 각각을 점검합니다. flag1이 원본 파일, flag2가 비교할 파일입니다. 두 파일 중에서 하나라도 중복되는 key값이 있다면 비교를 정상적으로 진행할 수 없기 때문에 기존 프로그램에서는 exit(0) 함수를 사용해서 프로그램을 종료했습니다. 하지만 클래스의 경우에는 여기서 프로그램을 종료하는 것이 아니라 사용자에게 메시지를 보여줘서 왜 프로그램이 중단되는지를 알려줘야 하기 때문에 return False로 바뀌었습니다.

```
        try:
            wb_ori.save(self.wb_out)
            return True
        except:
            return False
```

　프로그램의 맨 마지막 부분에는 파일을 저장할 때, 오류가 발생하는지를 확인해서 오류가 없으면 정상적으로 종료되었다는 표시로 True를 반환하고, 그렇지 않고 오류가 발생할 때는 False를 반환합니다.

10. GUI와 구분코드 클래스 연결하기

두번째로 클래스와 GUI 를 연결하게 됩니다. 처음 만들었던 StaticFormExcelCompare() 클래스를 적용한 코드를 살펴보면 다음과 같습니다.

```python
if self.rbKey.isChecked():
    print("구분코드 엑셀 비교 실행")
else:
    a = StaticFormExcelCompare()
    a.setColor('123456', '789ABC', 'DEF123')
    a.setFiles(self.leOri.text(), self.leComp.text(), self.leOut.text())
    if a.run():
        self.showMsgBox("완료",
                "파일 비교 완료",
                f"파일 비교가 정상적으로 완료되었습니다.\n{self.leOut.text()}",
                QMessageBox.Information,
                QMessageBox.Ok,
                QMessageBox.Ok)
        print("파일 비교 완료")
    else:
        self.showMsgBox("Error",
                "파일 비교 에러",
                f"파일 비교가 비정상적으로 종료되었습니다.\n{self.leOut.text()}",
                QMessageBox.Critical,
                QMessageBox.Ok,
                QMessageBox.Ok)
        print("파일 비교 에러")
```

self.rbKey.isChecked()의 여부에 따라서 고정 포맷에 대한 엑셀 파일을 비교하는 루틴입니다. 실제 비교가 이루어지는 run() 함수의 결과에 따라 메시지 박스를 보여주는 루틴을 제외하면 StaticFormExcelCompare() 클래스 변수를 선언해주고, 색깔을 지정해 주고, 입출력 파일을 지정해 준 후에 run()을 실행하면 됩니다.

이번에 적용할 UniqueKeyExcelCompare() 클래스 내의 함수는 StaticFormExcelCompare() 클래스 함수와 같은 이름 같은 동작, 같은 기능을 하도록 만들어졌기 때문에 다음과 같이 구현을 할수 있습니다.

064_excelComp6.py

```python
if self.rbKey.isChecked():
    a = UniqueKeyExcelCompare()
else:
    a = StaticFormExcelCompare()


# a.setColor('123456', '789ABC', 'DEF123')
a.setFiles(self.leOri.text(), self.leComp.text(), self.leOut.text())
if a.run():
    self.showMsgBox("완료",
            "파일 비교 완료",
            f"파일 비교가 정상적으로 완료되었습니다.\n{self.leOut.text()}",
            QMessageBox.Information,
            QMessageBox.Ok,
```

```
                                QMessageBox.Ok)
            print("파일 비교 완료")
        else:
            self.showMsgBox("Error",
                            "파일 비교 에러",
                            f"파일 비교가 비정상적으로 종료되었습니다.₩n{self.leOut.text()}",
                            QMessageBox.Critical,
                            QMessageBox.Ok,
                            QMessageBox.Ok)
            print("파일 비교 에러")
```

똑같은 함수들로 이루어져 있기 때문에 다음과 같이 클래스 변수를 선언하는 부분만 if문으로 묶어줬습니다.

```
if self.rbKey.isChecked():
    a = UniqueKeyExcelCompare()
else:
    a = StaticFormExcelCompare()
```

그리고 나머지는 기존의 코드가 그대로 이용이 되고 있습니다. 들여쓰기만 달라졌습니다. 이렇게 간단하게 코드를 추가함으로써 우리가 만든 엑셀 비교 프로그램이 완료되었고 우리의 선택에 따라서 기능을 할 수 있습니다.

한가지 UniqueKeyExcelCompare() 클래스를 사용하기 위해서는 맨 앞에 다음과 같이 import 문을 추가해야 합니다.

```
import sys
from PySide6.QtWidgets import QApplication, QMainWindow, QFileDialog, ₩
            QMessageBox
from excelComp import Ui_Dialog
from excelCompLib4 import StaticFormExcelCompare
from excelKeyCompLib import UniqueKeyExcelCompare
```

excelKeyCompLib 앞에 숫자가 붙어 있으면 에러가 발생하기 때문에 기존에 숫자가 붙어 있던 파일명을 복사해서 새로운 파일을 만든 것입니다.

11. 다양한 종류의 에러

어떠한 에러의 종류가 있을까요?
임의로 생각해 낼 수 있는 여러가지 사례의 에러를 발생시켜 보도록 하겠습니다.

이 에러는 원본 파일과 비교 파일의 입력 파일을 보면 고정포맷 형택인 income_state_org.xlsx 파일을 비교 파일에는 address.org.xlsx라는 구분코드가 적용된 비교 파일이 입력이 되었습니다. 그리고 고정포맷으로 비교하라고 Type이 설정 되었기 때문에 에러가 발생했습니다.

여기에 나타나는 에러 메시지는 "두 개의 파일 Type이 다릅니다. 파일을 확인해 주세요" 정도의 메시지가 적당해 보입니다.
고정 포맷인데 행과 열의 수가 원본파일과 비교파일이 다를 때도 같은 에러메시지를 보여주는 것이 맞아 보입니다.

다음 그림에서 보여주는 에러는 어떨까요?
에러메시지는 이전과 동일합니다. 그런데 원본파일과 비교파일에 입력된 파일을 살펴보면 모두 우리가 많이 테스트용으로 사용하던 구분코드 파일들입니다. 여기서 에러가 발생한 이유는 엑셀의 노란셀을 보시면 됩니다. 임의로 동일한 코드를 하나 더 넣어 이미 유일한 key가 존재하지 않는 파일이 되었기 때문에 에러가 발생한 것입니다

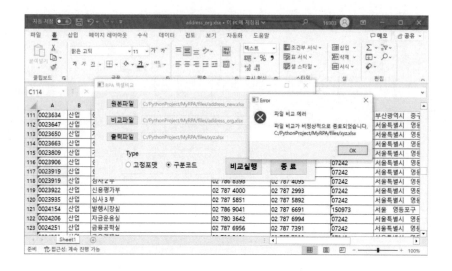

다음에 발생한 에러는 원인이 무엇일까요?

이미 열려 있는 파일을 출력파일로 설정을 했기 때문에 파일이 열려 있어서 출력파일을 저장을 할 수 없는 경우입니다.

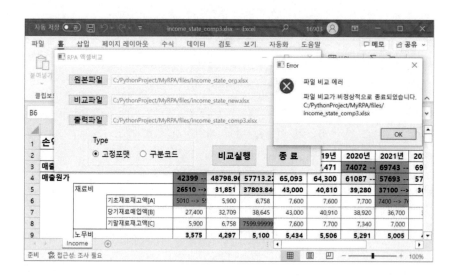

이와 같이 다양한 에러가 발생을 할 수 있는데 우리는 "파일 비교 에러"라는 동일한 에러 메시지, "파일 비교가 비정상적으로 종료되었습니다" 라는 메시지만 뿌려주고 있습니다.

조금더 친절한 에러 메시지를 보여주기 위해서는 어떻게 하는 것이 좋을까요?

조금 더 친절한 에러 메시지를 보여주기 위해서는 각각의 경우에 대해서 어디에서 에러가 발생하는지를 확인하고 해당하는 에러가 발생하였을 때, 에러 메시지를 보여주도록 수정을 하면 됩니다.

```
from excelCompLib4 import StaticFormExcelCompare
from excelKeyCompLib import UniqueKeyExcelCompare
```

우리가 만들어 사용한 클래스는 앞의 두 개이고, 파일명도 확인을 할 수 있습니다. 각각의 파일은 excelCompLib4.py와 excelKeyCompLib.py 파일입니다. 이 두개의 파일에서 에러를 정의해 줘야합니다. 그래야 GUI가 있는 프로그램에서 각각의 에러에 맞게 메시지를 뿌려줄 수 있습니다.

첫번째 에러는 고정포맷에서 행과 열의 크기가 다른 경우이므로 StaticFormExcelCompare() 클래스를 수정해야 하고, 두번째 에러는 구분코드에서 key가 중복된 경우이므로 UniqueKeyExcelCompare() 클래스를 수정해야 합니다. 마지막은 파일을 쓸때, 해당 파일이 열려 있으면 발생하는 에러이므로 두 클래스를 모두 수정해 줘야 합니다.

두 개의 클래스에서 공통된 에러 한개와 각각의 클래스에서 발생하는 에러가 하나씩 총 세개의 에러가 있습니다. 이 에러는 모두 run() 함수에서 반환하는 값이 False일 경우에 해당합니다. 따라서 단순하게 run() 함수가 성공했을 때는 True, 실패했을 때는 False로 하지 말고 보다 세분화 해 보고자 합니다.

1이면 성공, 2이면 고정포맷의 행과 열의 크기가 다름 에러, 3이면 구분코드 Key 중복 에러, 4이면 해당 파일 열려 있음 에러로 변경을 하고자 합니다.

두 개의 클래스에서 같은 값들을 반환하기 위해서는 동일한 값들을 정의하고 상황에 맞게 해당하는 값들을 반환해야 합니다. 그래서 두 개의 클래스에 동일한 값들을 선언해 줬습니다. 앞서 1 ~ 4까지 변경하고자 하는 내용을 그대로 담았습니다. 이 변수들은 클래스 안에 함수 없이 바로 선언을 해 줬습니다. 그리고 각각의 클래스에서 run() 함수를 다음과 같이 수정하였습니다. StaticFormExcelCompare() 클래스의 함수 내에서 변경된 부분만을 발췌 하였습니다.

```python
def run(self):
    |
    |
    if mc_new != mc_ori or mr_ori != mr_new:
        print("파일의 데이터 개수에 차이가 있습니다.")
        return self.SIZE_DIFFERENT

    |
    |
    try:
        self.wb_ori.save(self.wb_out)
        return self.SUCCESS
    except:
        return self.FILE_OPENED
```

비교하는 두 파일의 행과 열의 크기가 다를 경우 기존에 False를 반환하던 것에서 클래스 앞 부분에 선언을 해 준 SIZE_DIFFERENT를 반환해 줍니다. 다음은 결과 파일을 쓸 때 입니다. 성공을 하면 SUCCESS, 실패를 했을 경우는 대부분 파일이 열려 있을 경우이기 때문에 OPENED를 반환하도록 합니다.

excelKeyCompLib2.py

```python
def run(self):
    |
```

```
        if flag1 or flag2:
                # print("중복 키가 있습니다.\n각 파일을 확인해주시기 바랍니다.")
                return self.KEY_ERROR
                # exit(0)



                |
                |
        try:
                wb_ori.save(self.wb_out)
                return self.SUCCESS
        except:
                return self.FILE_OPENED
```

UniqueKeyExcelCompare() 클래스도 다르지 않습니다. flag1과 flag2 둘 중의 하나가 True라면 self.KEY_ERROR를 반환하고 있습니다. 이는 원본 파일이나 사본 파일 중에 중복된 Key가 있어 발생하는 오류 입니다. 그리고 다음의 워크시트를 save() 할 때, 에러가 발생하는 경우에 대한 처리로 파일이 열려 있어 발생하는 오류에 대해 처리를 합니다.

이렇게 수정을 하고나서 테스트를 하는데 이상한 증상이 나타났습니다. 분명 에러가 발생해야 하는데 정상적으로 동작하는 것처럼 보이고 완료된 파일을 보면 이상하게 고정포맷과 구분코드가 섞여 있습니다.
구분코드 파일인 address_org.xlsx와 고정포맷으로 된 파일 income_state_new.xlsx를 비교하는데 구분코드로 했다면 우선은 고정포맷으로 된 파일에서 key 가 중복되었다는 메시지가 나타날텐데 파일비교 완료라고 정상 비교가 완료되었다는 메시지가 나타났습니다. 분명 에러가 발생해야 할텐데 이상합니다.

과연 어디가 잘못되었을까?
이렇게 오류가 발생하지 않아야 할 곳에서 오류가 발생한다면 해당 메시지를 보여주는 곳의 코드를 먼저 봐야 합니다.

065_excelComp7.py

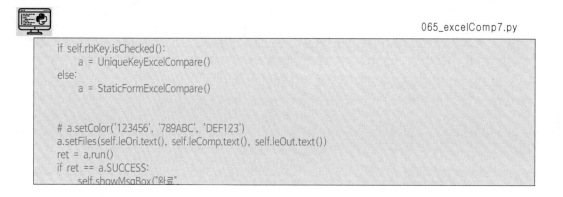

```
        if self.rbKey.isChecked():
                a = UniqueKeyExcelCompare()
        else:
                a = StaticFormExcelCompare()


        # a.setColor('123456', '789ABC', 'DEF123')
        a.setFiles(self.leOri.text(), self.leComp.text(), self.leOut.text())
        ret = a.run()
        if ret == a.SUCCESS:
                self.showMsgBox("완료",
```

```
                "파일 비교 완료",
                f"파일 비교가 정상적으로 완료되었습니다.\n{self.leOut.text()}",
                QMessageBox.Information,
                QMessageBox.Ok,
                QMessageBox.Ok)
```

GUI에서 구분코드를 선택하고 프로그램을 실행했기 때문에 메시지가 뿌려지는 곳은 UniqueKeyExeclCompare() 클래스의 a.run() 함수가 반환하는 값이 SUCCESS입니다. 그럼 UniqueKeyExeclCompare() 클래스를 찾아가봐야 합니다.

```
import sys
from PySide6.QtWidgets import QApplication, QMainWindow, QFileDialog, ₩
    QMessageBox
from excelComp import Ui_Dialog
from excelCompLib5 import StaticFormExcelCompare
from excelKeyCompLib2 import UniqueKeyExcelCompare
```

import된 곳을 보면 파일의 이름을 알 수 있습니다. UniqueKeyExcelCompar() 클래스가 선언된 곳은 excelKyeCompLib2.py입니다.

```
if flag1 or flag2:
    # print("중복 키가 있습니다.\n각 파일을 확인해주시기 바랍니다.")
    return self.KEY_ERROR
    # exit(0)
```

예상하는 반환 장소는 앞과 같습니다. 왜냐하면 다음과 같이 첫번째 열에는 대부분이 비어 있기 때문에 Key 가 중복되었는지를 살펴보는 중에 에러가 발생해야 합니다. 그 얘기는 flag1이나 flag2 중에서 하나가 True라는 얘기입니다. 그런데 이 파일이 비교 파일의 위치에 있기 때문에 flag2가 True를 가지고 있어야 합니다.

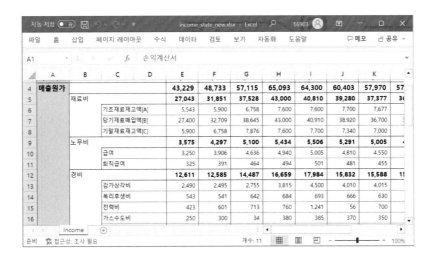

그럼 flag2가 있는 곳을 찾아 올라가 보도록 하겠습니다.

```
    flag2 = False
    wb_new = self.wb_new
```

```
        ws_new = wb_new.active
        mc_new = ws_new.max_column
        mr_new = ws_new.max_row


        for i in range(2, mr_new):
                for j in range(i+1, mr_new+1):
                        if ws_new.cell(i, 1).value == ws_new.cell(j, 1).value:
                        # print(f"비교할 파일: {i}, {j}겹치는 키가 있습니다.")
                        Flag2 = True
                        break


        if flag2 == False:
                print("비교할 파일에는 겹치는 키가 없습니다.")
```

첫줄에서 flag2를 False로 변경을 해 놓고, for문 내에서 각 셀을 비교하면서 같은 값이 있으면 Flag2를 True로 변경을 합니다. 분명히 Flag2가 True로 변경이 되었을 것이기 때문에 KEY_ERROR를 반환해야 합니다. 왜 오류메시지가 나타나지 않았을까요?

네 맞습니다. 앞에서 선언은 flag2로 해 놓고 for문에서는 Flag2를 변경하고 있습니다. f가 소문자이어야 하는데 대문자 F로 바뀌면서 에러가 발생하지 않았던 것입니다.

살펴보니 flag1도 마찬가지로 for문 안에서 Flag1으로 썼습니다. 각 변수들을 모두 소문자를 사용해서 flag1과 flag2로 for문 안의 변수들 이름을 변경해 줍니다.

excelKeyCompLib3.py

```
        flag1 = False
        for i in range(2, mr_ori):
                for j in range(i+1, mr_ori+1):
                        if ws_ori.cell(i, 1).value == ws_ori.cell(j, 1).value:
                                # print(f"원본파일 : {i}, {j}겹치는 키가 있습니다.")
                                flag1 = True
                                break


        if flag1 == False:
                print("원본 파일에는 겹치는 키가 없습니다.")


        flag2 = False
        wb_new = self.wb_new
        ws_new = wb_new.active
        mc_new = ws_new.max_column
        mr_new = ws_new.max_row

        for i in range(2, mr_new):
                for j in range(i+1, mr_new+1):
                        if ws_new.cell(i, 1).value == ws_new.cell(j, 1).value:
                                # print(f"비교할 파일: {i}, {j}겹치는 키가 있습니다.")
                                flag2 = True
                                break

        if flag2 == False:
                print("비교할 파일에는 겹치는 키가 없습니다.")


        if flag1 or flag2:
                # print("중복 키가 있습니다.₩n각 파일을 확인해주시기 바랍니다.")
                return self.KEY_ERROR
                # exit(0)
```

이제는 이전과 동일하게 파일을 선택해도 우리가 바라던대로 에러가 발생합니다.

공백이 있는 key 값들이 중복되어 나타나기 때문에 중복되는 키가 있다는 메시지를 앞의 그림과 같이 보여주며 에러가 발생합니다.

12. 프로그램 배포하기

엑셀을 비교하는 프로그램을 만들었습니다. 오류도 수정을 했고 기능도 다른 분들이 사용하기에 괜찮다고 생각이 듭니다. 그럼 다른 분들께 이 프로그램을 보내기 위해서는 어떻게 해야 할까요?

파이썬 코드 배포

첫번째 방법은 파이썬 코드를 배포하는 것입니다. 프로그램을 사용할 사람은 파이썬이 설치되어 있어야 하고 우리가 만든 코드에서 사용하는 패키지도 별도로 설치를 해 줘야 합니다. 배포를 할 때, 패키지 설치를 위한 배치 파일을 만들어 배포하면 사용하는 사람이 보다 쉽게 사용을 할 수 있습니다.

먼저 우리가 만든 코드들을 보겠습니다. 마지막에 수정했던 파일은 두 개의 클래스와 한개의 GUI 그리고 실행을 할 프로그램까지 총 4개의 python 파일이었습니다. 각각의 파일이름은 다음과 같습니다.

066_excelComp8.py
excelKeyCompLib3.py
excelCompLib5.py
excelComp.py

이 네 개의 파일에서 import 부분을 살펴보면 우리가 pip를 사용해서 설치를 했었던 패키지들을 알 수 있습니다. 이 프로그램에서 우리가 설치한 패키지는 openpyxl과 pyside6입니다. 이 두 개의 패키지를 설치할 bat 파일을 만들고 그 안에 다음과 같이 만들어줍니다.

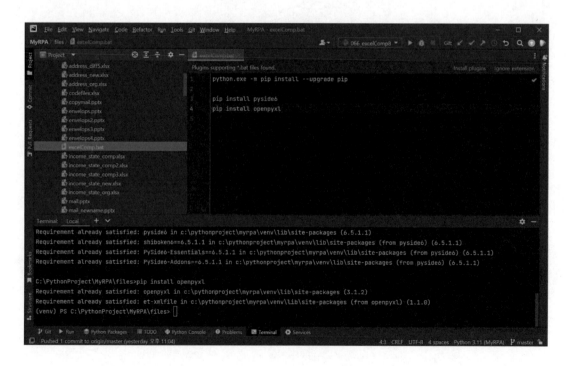

앞서 우리가 만든 python 4개의 파일과 배치 파일을 함께 공유를 합니다. 이 프로그램을 사용할 컴퓨터에서는 python이 설치되어 있어야 합니다.

그림과 같이 다섯개의 파일을 복사 해 넣고, 해당 위치에서 커맨드 창, cmd를 실행합니다. 가장 쉬운 방법은 그림의 위쪽에 ExcelComp를 마우스로 클릭을 한 후, 경로를 모두 지우고 cmd를 입력 후, 엔터를 치면 커맨드 창이 뜹니다.

그리고나서 다음과 같이 입력을 했을 때, 그림과 같이 에러가 난다면 파이썬은 잘 설치된 것입니다. 파이썬이 설치만 되어 있다면 다음으로 진행할 수 있습니다. 파이썬이 설치되어 있지 않다면 파이썬을 다운로드 받아서 설치합니다. 그리고 다음으로 진행을 합니다.

python 066_excelComp.py

다음은 excelComp.bat를 커맨드 창에 입력을 하면 다음과 같이 pip 명령에 의해서 필요한 패키지를 자동으로 설치해 주게 됩니다.

맨 앞에 pip에 대한 업그레이드가 들어가 있어 필요하다면 업데이트가 된 이후에 각각의 패키지가 순차적으로 설치되는 것을 볼 수 있습니다. 이렇게 설치가 완료되었다면 오류로 인해서 실패했었던 프로그램을 실행시켜 봅니다.

13. 실행화일 만들어 배포하기

두번째 방식은 exe, 바로 실행파일을 만들어서 배포하는 방식입니다. 우리 프로그램이 프로그램다워지는 순간이죠. 실행파일을 만들어서 배포하면 사용자는 다른 것은 할 필요 없이 프로그램 파일만 더블클릭해서 바로 사용할 수 있습니다.

실행파일을 만드는 패키지도 제공을 하고 있습니다. 이 패키지의 이름은 pyinstaller입니다. 예상하셨겠지만 pip 명령을 이용해서 설치할 수 있습니다.

pip install pyinstaller

터미널에서 상기 명령을 이용해서 설치를 합니다.

사용 방법은 아주 간단합니다. 하지만 먼저 아이콘이 필요합니다. 우리의 프로그램을 대표할 icon 파일이며, 확장자가 ico로 되어 있어야 합니다. 아이콘까지 만드는 디자인은 어려워 인터넷 검색을 통해서 무료 아이콘을 다운로드 받았습니다. 인터넷을 검색하면 아이콘을 만들기 위한 png 확장자를 가진 이미지를 구할 수 있습니다. 그리고 이미지 포맷을 아이콘에 맞게 변환해 주는 사이트도 검색을 하면 찾을 수 있습니다. 그래서 최종 아이콘 파일을 만드셔야 합니다. 또는 아얘 ico 확장자를 가진 아이콘 무료 아이콘 파일을 다운로드 받으시는 방법도 있습니다. 이렇게 아이콘을 받으셨다면 모든 준비는 끝이 난 것입니다.

066_excelComp8.py
excelKeyCompLib3.py
excelCompLib5.py
excelComp.py
files.ico

저는 기존의 4개 파일에다 추가로 다운로드 받은 파일의 이름을 files.ico로 변경해서 프로젝트 폴더에 넣었습니다. 우리는 QT Designer를 이용해 디자인한 UI 파일을 파이썬 파일로 만들었습니다. 그리고 이 파이썬 파일을 불러들여 화면에 보여주기 위해 pyside6를 import 했던 파일이 처음 실행되는 파일입니다. 여기서는 066_excelComp8.py입니다.

모든 준비가 끝났다면 다음과 같이 터미널에 입력을 해서 실행 파일을 만들 수 있습니다.

pyinstaller 066_excelComp8.py

실행을 하면 파이썬이 열심히 066_excelComp8.exe 파일을 만듭니다. 실행 파일은 우리 프로젝트 폴더 하위에 dist라는 폴더가 만들어지고 그 안에 066_excelComp8라는 폴더안에 066_excelComp8.exe를 비롯한 많은 파일들이 만들어집니다. 모두 파이썬을 설치하지 않고 실행시키기 위해서 필요한 파일입니다. 아이콘은 파이썬에서 제공하는 기본 아이콘으로 설정이 된 모습입니다. 만들어진 066_excelComp8.exe 파일을 찾아서 실행을 하면 다음과 같이 실행되는 모습을 볼 수 있습니다.

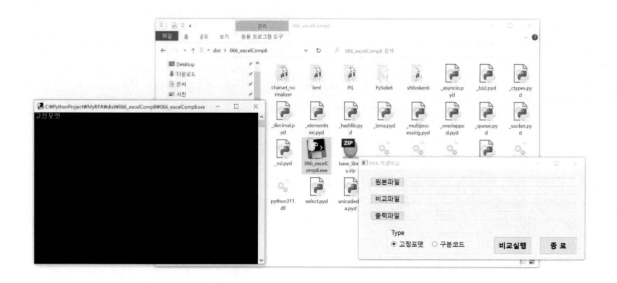

실행을 시키면 좌측과 같이 명령 커맨드 창이 뜨면서 터미널에 나타나던 메시지가 나타나고 우리가 만든 프로그램이 보입니다.

이렇게 기본 명령만 줬을 때의 문제는 첫번째로 너무나 많은 파일이 만들어진다. 두번째로 항상 터미널이 뜬다. 왜냐하면 우리가 사용한 프로그램들은 이런 터미널이 뜨지 않기 때문입니다. 마지막으로 아이콘이 기본 아이콘이라는 것입니다.

그래서 우리는 pyinstaller를 사용할 때 -w 옵션을 줘서 터미널이 나타나지 않도록 하고, -F 옵션을 줘서 여러개의 파일이 아니라 하나의 파일만 나타나도록 하며, --icon 옵션을 통해서 우리가 지정한 아이콘이 설정되도록 하고 마지막으로 실행파일명을 파이선 파일명인 066_excelComp8.exe가 아니라 지정을 할 수 있도록 -n 옵션을 주도록 하면 됩니다.

```
pyinstaller -w -F --icon=files.ico -n ExcelCompare 066_excelComp8.py
```

이렇게 하면 우리가 원하던 대로 깔끔하게 하나의 파일로 만들어지고 실행을 해도 메시지가 나타나는 터미널이 없이 잘 실행이 됩니다.

만들어진 ExcelCompare.exe 파일을 보시면 파일 사이즈가 45.9M로 꽤 크다는 것입니다. 파일 사이즈는 파이썬을 실행하기 위한 다양한 파일을 품고 있기 때문입니다.

이로서 엑셀을 비교하는 프로그램 제작을 마치고자 합니다. 이 프로그램을 수정해서 보여드리고 싶고 알려드리고 싶은 내용이 더 있습니다만, 다음 프로젝트로 미루겠습니다. 지금까지 따라오신 것만 해도 많은 것을 배우신 것이라고 생각합니다.

다음 프로젝트를 기대해 주세요.

제5장 RPA3 - 자동 뉴스 번역 및 이메일 보내기

어디선가 소개를 이미 드리긴 했을텐데요. 구글 뉴스, 그것도 영문으로 된 미국 지역에서 매일같이 나오는 뉴스들을 요약해서 내가 원하는 사람에게 메일로 매일 일정한 시간에 보내주는 프로그램을 만들어 보려고 합니다. 영어로 된 뉴스라서 읽기 쉽게 하기 위해서는 요약하고 번역하는 작업도 필요합니다. 앞서서 배운 ChatGPT가 역할을 맡게 됩니다.

상상하는 것은 대부분 프로그램으로 만들 수 있다고 했습니다. 그럼 상상하는 프로그램은 어떤 것이고 어떤 기능들을 써서 만들어질 것인지 간단하게 말씀드리겠습니다.

- 미국 지역 영어 뉴스 사이트에서 원하는 주제로 검색을 합니다.
- 검색 시점의 24시간 이전까지의 뉴스로 한정을 합니다.
- 뉴스를 ChatGPT를 써서 번역하여 한글로 요약을 합니다.
- 뉴스를 HTML 포맷에 넣어 보기 좋게 만듭니다.
- 해당 뉴스를 원하는 사람의 이메일 주소로 매일 특정 시간에 보냅니다.

위의 기능이 내가 맞춰 놓은대로 매일 같은 시간에 자동으로 이루어집니다.

하나의 주제가 아니라 여러 주제로 서로 다른 사람들에게 보낼 수 있도록 만들어 보려고 합니다. 예를 들자면 전기자동차에 관심이 많은 친구 여럿에게는 'EV New'로 검색을 해서 보내주고, 투자에 관심이 많은 친구들에게는 그들이 원하는 주제를 받아서 보내주고, 특정 스포츠에 관심이 많은 사람들에게는 각각의 스포츠에 맞는 검색어로 메일을 보내주는 것입니다.

회사에서는 관련 업계의 뉴스를 이용해서 점수를 딸 수도 있겠네요.

그럼 시작해 보겠습니다.

1. 화면 구성하기

머릿속에만 있던 아이디어를 옆에 놓인 노트에 그려봤습니다. 바로 QT Designer를 이용해도 되지만 잊어버리기 전에 그려봅니다. 좌측에는 메일을 검색할 주제가 들어갈 테이블이 있습니다. 여기서 주제를 선택하면 주제 테이블 오른쪽에 선택한 정보가 나타납니다. 더불어 메일을 받을 사람들이 아래에 있는 테이블에 보여지게 됩니다.

맨 아래에는 메일을 발송할 시간을 입력할 수 있도록 하면 좋을 것 같습니다.

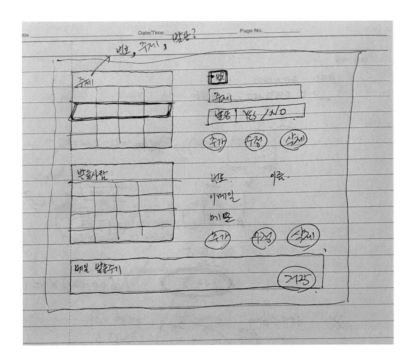

오른쪽에는 정보들이 보여지는데 각각 주제와 이메일 주소를 보여줄 수 있도록 했습니다. 하나의 주제에 여러 사람이 메일을 받아 볼 수 있으므로 주제 테이블에서 하나의 주제를 선택하면 받을 사람을 테이블에서 메일 수신인의 리스트를 보여주면 좋을 것 같습니다.

그리고 주제와 이메일을 받을 사람에 대해서 추가, 수정, 삭제할 수 있는 기능을 별도로 넣었습니다. 마지막에는 메일을 발송할 시간을 저장할 수 있도록 만들어보려고 합니다.

이 스케치를 가지고 QT Designer로 각각을 만들고 각각의 위젯에 이름을 부여해야 겠습니다.

Search Keyword에 해당하는 QTableView는 tblNews로 이름을 주었습니다. 이 테이블에는 자동으로 들어가게 될 ID와 검색어가 저장이 되고, 뉴스를 보낼 것인지 보내지 않을 것인지를 표시해주는 필드가 들어갈 것입니다.

다음은 Search Keyword의 ID가 들어갈 QLineEdit인 leNewID, QCheckBox로 체크가 되면 해당 시간에 자동으로 메일을 보내라는 의미의 cbSend, 마지막으로 Keyword를 저장할 QLineEdit은 leSearch가 있습니다.

이젠 디자인한 GUI를 화면에 띄워보도록 하겠습니다. 먼저 디자인한 UI를 newsMailer.ui로 저장을 합니다. 저장을 한 후에는 파이썬 파일로 변환을 해야겠죠.

pyside6-uic .₩ui₩newsMailer.ui -o newsMailerUI.py

먼저 변환된 newsMailerUI.py 내용을 봐야 합니다. 처음 클래스 이름을 우리가 써야 하기 때문에 이름을 확인합니다.

newsMailerUI.py

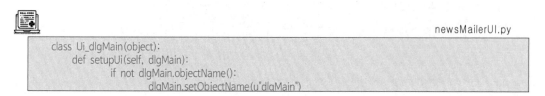

```
class Ui_dlgMain(object):
    def setupUi(self, dlgMain):
        if not dlgMain.objectName():
            dlgMain.setObjectName(u"dlgMain")
```

class 이름은 Ui_dlgMain 입니다. 이 이름을 우리는 사용합니다.

```
import sys
from PySide6.QtWidgets import QApplication, QMainWindow
from newsMailerUI import Ui_dlgMain

class MainWindow(QMainWindow, Ui_dlgMain):
    def __init__(self):
        super().__init__()
        self.setupUi(self)

if __name__ == "__main__":
    app = QApplication(sys.argv)
    mainWindow = MainWindow()
    mainWindow.show()
    sys.exit(app.exec())
```

if 문 아래는 그냥 복사해서 사용하시면 됩니다. 이전과 동일하죠?

다음은 import 문 중에서 마지막을 봐야 합니다. newMainlerUI.py 파일에 UI를 담고 있으므로, 그리고 class의 이름이 Ui_dlgMain 이었기 때문에 다음과 같이 import를 해 줍니다.

```
from newsMailerUI import Ui_dlgMain
```

그리고 MainWindow라는 우리가 만든 클래스를 다음에서 볼 수 있습니다.

```
class MainWindow(QMainWindow, Ui_dlgMain):
    def __init__(self):
        super().__init__()
        self.setupUi(self)
```

MainWindow라는 클래스 이름은 우리가 부여를 한 것이고 클래스의 매개 변수로 QMainWindow라는 Pyside6의 패키지와 QT Designer로 우리가 만들었던 UI 파일을 파이썬 파일로 변환을 한 클래스 Ui_dlgMain이 각각 위치하고 있습니다.

이것은 MainWindow 클래스가 QMainWindow와 Ui_dlgMain 이라는 두 개의 클래스를 상속받고 있음을 이야기합니다. 상속을 받은 것이기 때문에 MainWindow는 두 개의 클래스 내에 있는 모든 기능을 가지고 있게 됩니다. MainWindow는 두 개의 클래스를 상속받아서 QMainWindow라는 Pyside6 패키지에서 가지고 있는 윈도우 프로그램이 가져야 할 모든 기능과 QT Designer에서 만든 UI를 가지게 되는 것입니다.

다음에는 __init__()이라는 함수가 있습니다. 이와 동일한 이름을 가진 함수가 QMainWindow에는 존재를 하고 Ui_dlgMain에는 존재하지 않습니다. 우리가 만든 MainWindow와 QMainWindow에 똑같은 함수가 존재한다는 것입니다. 그런데 MainWindow는 QMainWindow를 상속받았습니다.

그러니까 QMainWindow가 MainWindow의 아버지쯤 됩니다. 모든 것은 나를 기준으로 이루어지므로 동일한 __init__() 함수가 호출이 되면 나를 기준으로 하므로 MainWindow에 있는 __init__()가 실행이 됩니다. 그리고 부모의 __init__() 함수를 호출하기 위해서는 super()라는 함수를 써서 부모가 가지고 있는 동일한 이름의 __init__() 함수를 호출하는 것을 볼 수 있습니다. 부모의 __init__() 함수에 이어서 상속을 받은 내가 추가적인 기능을 구현을 할 수 있다는 의미입니다. 기능이 확장이 된다고 보면 되겠습니다.

그리고 setupUI() 함수를 호출하는데 이는 Ui_dlgMain에 있는 함수입니다. 이로 인해서 우리가 디자인한 UI가 화면에 나타나게 됩니다.

2. NewsMailer 데이터베이스

데이터베이스는 우리가 관리할 데이터들을 저장할 곳입니다. 데이터가 어떤 모양으로 저장이 될 것인지 먼저 익숙한 엑셀에 그려서 설명을 하도록 합니다. 다음과 같이 세개의 표가 있습니다. 각각의 표의 이름은 KEYWORD, EMAIL, STIME입니다. KEYWORD에는 idx, keyword, send의 구성요소가 있습니다.

idx는 한 칸을 추가할 때마다 자동으로 증가하는 번호라고 생각하면 됩니다. keyword는 구글 뉴스에서 검색할 검색어이고 마지막에 send는 이메일을 보낼꺼면 1, 보내지 않기를 원한다면 0으로 구분하기 위해서 만들어 놨습니다.

EMAIL은 KEYWORD의 idx와 동일하게 자동으로 증가되는 idx가 있고 kidx라는 것이 그 다음에 있습니다. 이 kidx는 KEYWORD의 idx를 가리킵니다. 무슨 얘기냐 하면 KEYWORD의 idx가 1인 검색어 "international bank interest"의 검색 결과에 대해서 EMAIL에서 KEYWORD의 idx와 동일한 kidx를 가진 놈들만 골라서 이메일을 보내라고 하기 위함입니다. 그러니까 "international bank interest"에 대해서 EMAIL에서 KEYWORD의 idx 1과 동일한 kidx가 1인 첫번째 두번째의 사람에게 이메일을 보내라는 것입니다.

그러면 "k-pop new"라는 검색어는 어떨까요? EMAIL 표에 kidx가 2인 정보는 하나 밖에 없으므로 한사람 ricky에게만 메일을 보내게 됩니다. 그런데 KEYWORD의 send가 0이므로 메일을 보내는 것은 이 send의 값이 1로 변경 되었을 때가 되겠네요. 마지막으로 "global EV sales"라는 검색어에 대해서 이메일을 받을 사람의 이름은 ricky, BK 및 hun의 세 사람입니다.

EMAIL 표의 name, email, memo에 대해서는 별도로 설명 드리지 않아도 될 것 같습니다. 마지막으로 STIME은 데이터는 한 개만 관리할 것이고 이메일을 보내기 위한 시간만 저장을 하려고 합니다.

데이터베이스 만들기

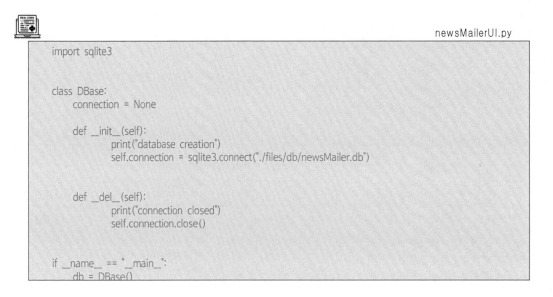

newsMailerUI.py

```python
import sqlite3

class DBase:
    connection = None

    def __init__(self):
        print("database creation")
        self.connection = sqlite3.connect("./files/db/newsMailer.db")


    def __del__(self):
        print("connection closed")
        self.connection.close()

if __name__ == "__main__":
    db = DBase()
```

데이터베이스와 관련된 사항은 모두 클래스로 만들어 관리를 하면 좋을 것 같아서 DBase라는 클래스를 위와 같이 만들었습니다. 데이터베이스를 연결해 놓는 connection이라는 변수는 여러 함수에서 같이 사용을 해야하므로 전역 변수로 만들어줬습니다. 이 변수는 클래스 내의 어느 함수에서나 앞에 self를 붙여서 접근을 할 수 있습니다.

　__init__() 함수는 클래스가 만들어지면 자동적으로 실행이 되는 코드입니다. 이와 반대되는 함수는 __del__() 입니다. 그래서 __init__() 함수에서는 sqlite3의 connect() 함수를 이용해서 데이터베이스 파일을 생성합니다. 프로그램이 종료될 때는 connection을 close() 하면 됩니다.

　그럼 이 코드는 어떻게 실행이 될까요? 앞의 코드에서 맨 아랫줄이 실행이 됩니다. db라는 변수에 클래스가 할당이 되죠. 그러면 바로 __init__() 함수가 자동 호출이 됩니다. 이 함수에 의해서 데이터베이스가 만들어지게되죠. connect() 함수를 통해서 데이터베이스와 연결을 하는데 데이터베이스가 없다면 이 함수에 의해서 데이터베이스가 만들어지게 됩니다. 맨 아랫줄에서 데이터베이스 클래스를 호출하였으니 프로그램은 자동으로 종료될껍니다.

　프로그램이 종료되기 때문에 DBase 클래스가 먼저 종료되겠죠. 따라서 이번엔 자동으로 __del__() 함수가 호출이 되고, close() 함수에 의해서 데이터베이스와의 연결이 끊어지게 되는 것입니다.

3. 테이블 만들기

 엑셀에서 표를 봤는데 그 표가 바로 데이터베이스에서 얘기하는 테이블 입니다. 우리는 먼저 자료가 없는 테이블을 만들게 됩니다.

070_newsMailerDB2.py

```python
import sqlite3

class DBase:
    connection = None

    def __init__(self):
        print("database creation")
        self.connection = sqlite3.connect("./files/db/newsMailer.db")
        self.create_tables()

    def __del__(self):
        print("connection closed")
        self.connection.close()

    def create_tables(self):
        db = self.connection.cursor()

        print("keyword table create")
        sql = "CREATE TABLE keyword " ₩
                "(idx INTEGER PRIMARY KEY AUTOINCREMENT, " ₩
                "keyword TEXT, send INTEGER)"
        db.execute(sql)

        print("email table create")
        sql = "CREATE TABLE email " ₩
                "(idx INTEGER PRIMARY KEY AUTOINCREMENT, " ₩
                "kidx INTEGER, name TEXT, email TEXT, memo TEXT)"
        db.execute(sql)

        print("stime table create")
        sql = "CREATE TABLE stime " ₩
                "(idx INTEGER PRIMARY KEY AUTOINCREMENT, " ₩
                "stime TEXT)"
        db.execute(sql)

if __name__ == "__main__":
    db = DBase()
```

 create_tables()라는 함수가 추가되었고, 이 함수는 __init__() 함수에서 호출을 하고 있습니다. 함수 이름과 같이 데이터베이스에서 자료를 담고 있을 표, 테이블을 만드는 부분입니다. 함수의 첫 분에서 cursor()를 만듭니다. 이 커서의 역할은 데이터베이스내에 자료를 저장할 테이블을 만들고 자료를 추가, 수정, 삭제도 커서를 통해서 합니다. 더불어 검색한 결과를 받아오는 것 역시 커서입니다. 데이터베이스에 명령을 내리고 그 결과값을 받아오는 장소를 가리키기도 합니다.

 테이블을 만드는 것은 SQL문을 통해서 만들 수 있습니다. SQL문을 만들고 커서의 execute() 함수를 사용해서 테이블을 만듭니다. 테이블을 만드는 SQL문의 형식은 다음과 같습니다.

create table 테이블명 (필드명 필드형식, 필드명2 필드형식, …)

코드에서 테이블을 만드는 형식은 위와 같은데 다만 필드명과 필드 형식이 다른 것들이 있습니다. 대표적인 것이 idx인데요. 다음과 같습니다.

idx INTEGER PRIMARY KEY AUTOINCREMENT

idx라는 필드는 integer, 정수형입니다. 여기까지는 다른 형태인 text와 크게 다르지 않습니다. 그런데 뒤에는 primary key autoincrement가 붙어 있습니다. 이것은 primary key와 autoincrement의 두개로 나누어집니다. primary key란 데이터베이스 테이블에 들어 있는 각 행에 대해 유일하게 식별할 수 있는 주민등록 번호와 같은 정보입니다. 그리고 autoincrement는 중복되지 않게 자동으로 증가시켜가면서 정보를 입력하라는 의미입니다. 이 값은 별도로 입력하지 않아도 자동으로 입력되면서 증가합니다.

코드를 실행시키고 DB Browser 프로그램을 이용해서 데이터베이스 파일을 열어보면 다음과 같이 잘 만들어진 것을 볼 수 있습니다.

데이터베이스 구조는 우리가 입력한대로 잘 들어가 있는 것을 볼 수 있습니다. 데이터보기를 들어가서 보면 아직까지 데이터는 전혀 들어있지 않은 상태입니다. 데이터보기에서 데이터를 추가해 볼 수 있는데요. 데이터 추가하기 아이콘을 찾아서 클릭을 할 때마다 데이터가 추가됩니다. 앞에서 설명을 드린대로 추가가 되면서 자동으로 idx가 증가되는 것을 볼 수 있습니다.

문제는 코드를 다시 실행할 때, 나타납니다. 두번째로 코드를 실행하면 다음과 같은 에러가 발생합니다.

테이블이 이미 존재하기 때문에 나타나는 에러입니다. 데이터베이스 자체는 없으면 만들고 있으면 그냥 무시하고 넘어가는데 테이블을 만들라고 했을 때, 기존의 테이블이 있으면 이와 같이 에러를 출력하고 프로그램이 끝나버립니다.

그래서 내가 만들려고 하는 테이블이 있는지 확인하는 코드가 필요합니다. 다음은 create_tables() 함수의 아랫부분과 새롭게 만든 is_table_exist() 함수입니다.

071_newsMailerDB3.py

```python
        if not self.is_table_exist('stime'):
            print("stime table create")
            sql = "CREATE TABLE stime " \
                    "(idx INTEGER PRIMARY KEY AUTOINCREMENT, " \
                    "stime TEXT)"
            db.execute(sql)

    def is_table_exist(self, tbl_name):
        db = self.connection.cursor()
        cursor = db.execute("SELECT * FROM sqlite_master WHERE " \
                            " name = ?", (tbl_name,))

        if cursor.fetchone():
            print(f"{tbl_name} 테이블이 있어요")
            db.close()
            return True

        print(f"{tbl_name} 테이블이 없어요")
        db.close()
        return False
```

sqlite3 데이터베이스에는 기본적으로 sqlite_master라는 테이블이 생성이 되고, 테이블을 만들때마다 신규 테이블 정보를 업데이트 합니다. 따라서 sqlite_master에서 해당 테이블이 있는지 확인하면 됩니다.

Select SQL 문의 형식은 다음과 같습니다.

SELECT 필드명1, 필드명2 FROM 테이블명 WHERE 조건문

필드명 대신에 *를 사용하면 전체 필드를 모두 가져오라는 의미입니다.

```python
        cursor = db.execute("SELECT * FROM sqlite_master WHERE " \
                            " name = ?", (tbl_name,))
```

WHERE 절에서는 name 이라는 필드가 매개변수로 전달되는 tbl_name과 같은지 비교하고 있습니다. execute() 함수에 SQL문장과 ?와 대응되는 변수 입력은 괄호 안에 변수들을 입력하고 ','로 구분짓습니다. 변수가 하나일 경우에도 뒤에 ',' 가 있는 점은 잘 기억해 주셔야겠습니다.

해당 테이블 이름이 있는지 확인해서 반환되는 값이 커서에 담겨 옵니다.

```python
        if cursor.fetchone():
            print(f"{tbl_name} 테이블이 있어요")
            db.close()
```

```
                                    return True
```

fetchone() 함수는 커서에서 정보를 한 줄씩 가지고 오라는 의미입니다. 가지고 올 수 있는 정보가 있다면 True와 같습니다. 따라서 테이블이 있다고 출력을 하고 데이터베이스 db를 close() 하고 마지막으로 True 반환합니다.

```
                        if not self.is_table_exist('stime'):
```

테이블이 있다면 is_table_exist() 함수에서 True를 반환하기 때문에 앞에 not이 있어 결국 if문은 False가 됩니다. 따라서 테이블을 만드는 구문을 건너뛰게 됩니다. 이젠 더이상 테이블이 있다면 테이블을 만드는 구문을 건너뛰기 때문에 에러 발생을 막을 수 있습니다.

데이터 추가하기

데이터를 추가하기 위해서 사용하는 SQL의 구문은 INSERT ~ INTO 문입니다.

INSERT INTO 테이블명(필드1, 필드2, … , 필드n) VALUES (값1, 값2, … , 값n);

사용법은 db의 execute() 함수를 앞의 SELECT문과 같이 사용해 주면 됩니다.

072_newsMailerDB4.py

```python
        def insertKeyword(self, keyword, send):
                db = self.connection.cursor()
                db.execute("INSERT INTO keyword (keyword, send)" \
                                "VALUES (?, ?)", (keyword, send,))
                self.connection.commit()

        def insertEmail(self, kidx, name, email, memo):
                db = self.connection.cursor()
                db.execute("INSERT INTO email (kidx, name, email, " \
                                "memo) VALUES (?, ?, ?, ?)"
                                , (kidx, name, email, memo,))
                self.connection.commit()

        def insertStime(self, stime):
                db = self.connection.cursor()
                db.execute("INSERT INTO stime (stime) " \
                                "VALUES (?)", (stime,))
                self.connection.commit()

if __name__ == "__main__":
        db = DBase()
        db.insertKeyword("internal bank interest", 1)
        db.insertKeyword("k-pop news", 0)
        db.insertKeyword("global EV sales", 1)

        db.insertEmail(1, "ricky", "ricky@gmail.com", "친구")
        db.insertEmail(1, "NICK", "nick@ktt.com", "동료")
        db.insertEmail(2, "ricky", "ricky@gmail.com", "친구")
        db.insertEmail(3, "ricky", "ricky@gmail.com", "친구")
        db.insertEmail(3, "BK", "bbk@hkmk.co.kr", "선배")
        db.insertEmail(3, "hun", "hun.kim@ltk.com", "팀장")

        db.insertStime("23:59")
```

우리가 만든 세개의 테이블을 위한 각각의 insert 함수와 우리가 만든 함수를 이용해서 데이터를 입력해

봤습니다. 각각의 함수에 매개변수로 필드값을 입력받도록 했으며, 실제 프로그램 상에서는 QLineEdit 등에 입력된 값을 실제로 받아서 넘겨주게 될 예정입니다.

데이터를 입력한 후에는 DB Browser 프로그램을 이용해서 데이터가 실제로 들어갔는지 확인할 수 있습니다. 이 프로그램을 여러번 실행을 하게되면 그만큼의 데이터가 추가로 들어가게 됩니다. 여러번 실행했다면 설정한 자동증가하는 idx 값도 확인을 할 수 있습니다.

```
self.connection.commit()
```

각 insert 함수 뒤에는 commit() 함수를 호출하는 부분이 있는데 이 호출에 의해서 실제로 데이터가 데이터베이스에 쓰여지게 됩니다.

데이터를 추가했으니 이번에는 수정을 해 보도록 하겠습니다. 수정을 할 경우엔 UPDATE SQL 문을 사용합니다. 형식은 다음과 같습니다.

UPDATE 테이블명 SET 필드명1 = 값, 필드명2 = 값 WHERE 조건;

조건문에 어떤 내용이 들어가야 할까요? 삭제를 할 때는 DELETE SQL문을 사용합니다.

DELETE FROM 테이블명 WHERE 조건;

데이터베이스에서 할 수 있는 추가, 수정, 삭제에 대한 SQL문을 살펴봤습니다. 직접 소스로 구현한 사항을 하나씩 살펴보겠습니다.

073_newsMailerDB5.py

```python
def updateKeyword(self, idx, keyword, send):
    db = self.connection.cursor()
    db.execute("UPDATE keyword SET keyword = ? " ₩
               ", send = ? WHERE idx = ?",
               (keyword, send, idx, ))
    self.connection.commit()


def updateEmail(self, idx, kidx, name, email, memo):
    db = self.connection.cursor()
    db.execute("UPDATE email SET kidx = ?, "
               "name = ?, email = ?, memo = ? "
               "WHERE idx = ?"
               , (kidx, name, email, memo, idx, ))
    self.connection.commit()


def updateStime(self, stime):
    db = self.connection.cursor()
    db.execute("UPDATE stime SET stime = ? WHERE idx = 1"
               , (stime,))
    self.connection.commit()


def deleteKeyword(self, idx):
    db = self.connection.cursor()
    db.execute("DELETE FROM keyword WHERE idx = ?", (idx,))
    self.connection.commit()
```

```
            def deleteEmail(self, idx):
                    db = self.connection.cursor()
                    db.execute("DELETE FROM email WHERE idx = ?", (idx,))
                    self.connection.commit()


            def deleteEmailAll(self, kidx):
                    db = self.connection.cursor()
                    db.execute("DELETE FROM email WHERE kidx = ?", (kidx,))
                    self.connection.commit()


    if __name__ == "__main__":
        db = DBase()
        db.insertKeyword("internal bank interest", 1)
        db.insertKeyword("k-pop news", 0)
        db.insertKeyword("global EV sales", 1)
        db.insertEmail(1, "ricky", "ricky@gmail.com", "친구")
        db.insertEmail(1, "NICK", "nick@ktt.com", "동료")
        db.insertEmail(2, "ricky", "ricky@gmail.com", "친구")
        db.insertEmail(3, "ricky", "ricky@gmail.com", "친구")
        db.insertEmail(3, "BK", "bbk@hkmk.co.kr", "선배")
        db.insertEmail(3, "hun", "hun.kim@ltk.com", "팀장")

        db.insertStime("23:59")


        db.updateKeyword(1, "internal bank interest ratio", 1)
        db.updateEmail(1, 1, "sohyemin", "sohyemini@gmail.com", "나")
        db.updateStime("18:24")


        db.deleteKeyword(2)
        db.deleteEmail(2)
        db.deleteEmailAll(3)
```

함수를 어떻게 구현을 했는지 살펴보기 전에 해당 함수들을 호출과 어떤 식으로 사용 예정인지를 먼저 살펴보는 것이 좋겠습니다.

db.insertXXX() 함수들을 이용해서 데이터베이스에 자료를 추가했습니다. 이번에 설명드릴 함수들은 db.updateXXX()와 db.deleteXXX() 입니다. update를 할 때는 primary key인 idx를 이용해서 어떤 자료를 수정할 것인지 정해주게 됩니다. updateKeyword()와 updateEmail은 idx값이 데이터 중에서 유일한(unique)한 주민번호와 같은 정보이기 때문에 idx를 기준으로 해서 필요한 정보를 수정할 수 있도록 했습니다. 다음은 이메일을 수정하도록 호출하는 부분입니다. idx가 1일인 데이터에 대해서 그 이하의 정보로 수정을 하라는 의미입니다.

```
        db.updateEmail(1, 1, "sohyemin", "sohyemini@gmail.com", "나")
```

앞의 호출 부분에 대한 함수 구현부는 다음과 같습니다.

```
            def updateEmail(self, idx, kidx, name, email, memo):
                    db = self.connection.cursor()
                    db.execute("UPDATE email SET kidx = ?, "
                               "name = ?, email = ?, memo = ? "
                               "WHERE idx = ?"
                               , (kidx, name, email, memo, idx, ))
                    self.connection.commit()
```

SQL문을 보면 email이라는 테이블에 대해서 각각의 필드를 모두 수정하도록 했으며 조건은 idx 기준입니다. 이렇게 idx를 이용해서 하나의 정보를 수정할 수 있는 것은 idx가 테이블 내에서 유일한 값이기 때문입니다. updateKeyword()도 동일한 형식으로 구현이 되어 있습니다. 다만 updateStime()의 경우는 하나의 시간만 저장할 것이기 때문에 데이터의 개수가 1이고 idx가 1인 하나의 정보 밖에 없어서 idx를 별도로 넘기지 않습니다.

```
db.deleteKeyword(2)
db.deleteEmail(2)
db.deleteEmailAll(3)
```

deleteXXX( ) 함수도 별반 다르지 않습니다. 넘기는 값은 idx 값이고 그 값에 따라서 데이터를 삭제하게 됩니다.

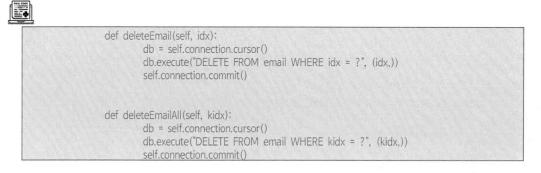

```
def deleteEmail(self, idx):
    db = self.connection.cursor()
    db.execute("DELETE FROM email WHERE idx = ?", (idx,))
    self.connection.commit()


def deleteEmailAll(self, kidx):
    db = self.connection.cursor()
    db.execute("DELETE FROM email WHERE kidx = ?", (kidx,))
    self.connection.commit()
```

다만 delete의 경우 두 개의 함수를 만들었습니다. 하나는 idx가 같은 하나의 데이터를 지우는 것이고, 또 다른 하나는 kidx로 여러개의 데이터를 삭제하는 경우입니다. 어떤 경우에 어떤 함수를 사용하려고 만든 것인지 살펴보겠습니다.

먼저 이메일을 받을 한 사람을 그냥 삭제한다고 할때는 이메일 테이블에서 유일한 값을 가진 idx를 가지고 데이터를 삭제합니다. 그런데 키워드를 삭제한다고 생각해 봅시다. 키워드 하나를 삭제하면 그 키워드로 검색되는 결과를 받아보면 모든 이메일 수신인을 한꺼번에 삭제할 필요가 있습니다. 키워드 테이블에서 idx는 유일합니다. 그리고 키워드 테이블의 idx는 이메일 테이블에서 kidx라는 이름으로 바뀌어 해당 키워드로 이메일을 받을 모든 사람들의 데이터에 저장이 됩니다. 하나의 키워드에 여러개의 이메일이 있을 수 있다는 것입니다. 그리고 여러 개의 이메일은 똑같은 kidx를 가지고 있습니다. 그래서 이메일 테이블에서 kidx를 기준으로 데이터를 삭제하면 한꺼번에 여러개의 데이터를 삭제할 수 있는 것입니다.

소스코드를 실행시키고 나면 결과가 어떻게 되는지 DB Browser를 통해서 다음과 같이 볼 수 있습니다.

맨 뒤에는 수정한 검색어 keyword를 볼 수 있고 중간의 그림에서는 kidx가 3인 모든 이메일이 삭제된 것을 볼 수 있습니다. 맨 앞에는 수정된 시간이 보입니다.

마지막으로 데이터를 DB Browser가 아니라 터미널에 출력할 수 있도록 데이터 선택과 출력하는 부분을 구현해 보겠습니다. 이것은 나중에 GUI와 연결할 때, 데이터를 가지고 오는 용도로 사용하게 됩니다.

074_newsMailerDB6.py

```python
        def getAllData(self, tbl_name):
                db = self.connection.cursor()
                sql = f"SELECT * FROM {tbl_name}"
                conn = db.execute(sql)
                return conn.fetchall()


        def getSendingKeyword(self):
                db = self.connection.cursor()
                sql = f"SELECT * FROM keyword WHERE send = 1"
                conn = db.execute(sql)
                return conn.fetchall()


        def getEmailForSending(self,kidx):
                db = self.connection.cursor()
                sql = f"SELECT * FROM email WHERE kidx = {kidx}"
                conn = db.execute(sql)
                return conn.fetchall()


if __name__ == "__main__":
    ...
    # db.deleteKeyword(2)
    # db.deleteEmail(2)
    # db.deleteEmailAll(3)


    print("keyword data")
    rows = db.getAllData('keyword')
    for row in rows:
            print(row)


    print("keyword data for sending email")
    rows = db.getSendingKeyword()
    for i in range(len(rows)):
            idx, keyword, send = rows[i]
            print(idx, keyword, send)


    print("email receiver kidx == 1")
    rows = db.getEmailForSending(1)
    for row in rows:
            print(row)
```

세 개의 함수가 추가되었습니다. 먼저 추가된 함수는 geAllData() 함수는 매개변수로 테이블 이름을 넘겨주면 모든 데이터를 반환합니다. 함수 내부는 아주 간단합니다. SELECT SQL문에 조건문 없이 실행을 하게되면 전체 데이터를 가져오게 됩니다.

다음은 getSendingKeyword() 함수입니다. 우리가 만든 프로그램은 영문 뉴스를읽고 요약해서 이메일을 보내는 것입니다. 이메일을 보내기 위해서는 키워드 테이블에서 각 키워드에 대해서 메일을 보내도록 send 정보가 1로 설정이 되어 있는 정보만 찾아야 합니다. 그래서 만든 함수입니다.

마지막은 getEmailForSending() 함수입니다. send가 1로 설정된 키워드 데이터의 idx를 찾아서 그 정보로 어떤 이메일 주소로 메일을 보내야 하는지 이메일 테이블에서 kidx를 가지고 검색을해서 이메일 정보를 얻기 위한 함수입니다. 키워드 테이블의 idx가 이메일 테이블의 kidx로 저장이 되기 때문에 이메일 테이블에서 kidx로 검색을 하는 것입니다.

　　마지막으로 우리는 각 함수가 리턴한 값들을 어떻게 활용할 수 있는지 두 가지 방법의 for문을 사용했습니다. 코드를 보시면 쉽게 이해하실 수 있을 것 같습니다.

　　데이터베이스의 기본적인 사항은 여기까지 입니다. 나중에 추가되거나 수정사항이 필요한 사항이 생기면 그때 그때 살펴보도록 하겠습니다.

4. 데이터베이스와 UI 첫 연결

먼저 데이터베이스를 핸들링하기 위해서 만든 클래스가 든 074_newsMailerDB6.py 파일의 이름을 변경해서 newsMailerDB.py로 만들고 시작을 해야겠습니다. 이유는 앞에 숫자가 붙은 파일은 import가 안되기 때문입니다.

데이터베이스를 읽어와서 좌측 상단의 키워드에 해당하는 표에 출력을 해 보도록 하겠습니다. 먼저 UI와 연결을 하기 위해서 newsMailerUI.py 파일을 열어봤습니다. 실수를 한 부분을 찾았습니다. 테이블에 정보를 예쁘게 출력하기 위해서는 QTableView보다는 QTableWidget이 더 많은 기능을 가지고 있습니다. 그래서 이미 만들어 놓은 이름과 똑같은 QTableWidget을 만들고 기존의 QTableView인 tblNews와 tblMail은 삭제를 했습니다. UI 파일에서 작업을 했으니 newsMailerUi.ui를newsMailerUi.py로 pyside6-uic 툴을 이용해 파이썬 파일로 변환을 했습니다.

075_newMailer2.py

```python
import sys
from PySide6.QtWidgets import QApplication, QMainWindow, QTableWidgetItem

from newsMailerUI import Ui_dlgMain
from newsMailerDB import DBase

class MainWindow(QMainWindow, Ui_dlgMain):

    dbase = None
    def __init__(self):
        super().__init__()
        self.setupUi(self)
        self.dbase = DBase()

        self.initNewsTable()
        self.loadNewsTable()

    def initNewsTable(self):
        self.tblNews.setColumnCount(3)
        self.tblNews.setHorizontalHeaderLabels(
                            ["No", "Keyword", "send"])

    def loadNewsTable(self):
        rows = self.dbase.getAllData('keyword')
        cnt = len(rows)
        self.tblNews.setRowCount(cnt)

        for i in range(cnt):
            idx, keyword, send = rows[i]
            self.tblNews.setItem(i, 0, QTableWidgetItem(str(idx)))
            self.tblNews.setItem(i, 1, QTableWidgetItem(keyword))
            self.tblNews.setItem(i, 2, QTableWidgetItem(str(send)))

if __name__ == "__main__":
    app = QApplication(sys.argv)
    mainWindow = MainWindow()
    mainWindow.show()
    sys.exit(app.exec())
```

__init__() 함수에서 두 개의 새로만든 함수를 호출하고 있습니다. 하나는 테이블을 세팅하는 함수로 테이블의 각 열의 제목을 출력하도록 되어 있고, 두번째 함수 loadNewsTable()은 데이터베이스의 keyword 테이블을 읽어와서 데이터를 QTableWidget인 tblNews에 출력을 하고 있습니다.

```
def initNewsTable(self):
        self.tblNews.setColumnCount(3)
        self.tblNews.setHorizontalHeaderLabels(
                                ["No", "Keyword", "send"])
```

initNewsTable() 함수는 컬럼수를 지정하고, 표의 열 제목들을 표시하고 있습니다. 열의 제목은 리스트 형태로 지정을 하도록 되어 있습니다. 이렇게 분리해 놓은 이유는 나중에 데이터만 변경 되었을 때, 별도로 고정된 컬럼의 개수나 표의 열 제목을 중복해서 호출하지 않기 위함입니다.

```
def loadNewsTable(self):
        rows = self.dbase.getAllData('keyword')
        cnt = len(rows)
        self.tblNews.setRowCount(cnt)


        for i in range(cnt):
                idx, keyword, send = rows[i]
                self.tblNews.setItem(i, 0, QTableWidgetItem(str(idx)))
                self.tblNews.setItem(i, 1, QTableWidgetItem(keyword))
                self.tblNews.setItem(i, 2, QTableWidgetItem(str(send)))
```

loadNewsTable() 함수는 표에 실제 데이터를 넣는 함수입니다. 데이터베이스에서 데이터의 개수를 읽어와 setRowCount()로 자료의 개수를 지정합니다. 다음엔 데이터베이스에서 읽어온 자료의 개수만큼 for문을 돌면서 각 셀에 정보를 넣고 있습니다. 셀에 정보를 넣을 때는 QTableWidgetItem() 함수를 이용해서 자료를 넘기는데 모두 String, 문자열로 넘겨야 하기 때문에 숫자인 idx와 send는 파이썬 내장함수인 str()을 이용해 문자열로 변환해 주고 있습니다.

이렇게까지만 하고 실행을 해 보면 그 모양이 다음과 같습니다.

우리가 의도하지 않았던 동작도 보이고, 모양도 마음에 들지 않는 부분이 있습니다. 이런 부분을 하나씩 고쳐보도록 하겠습니다.

1. No, Keyword, send의 셀 너비가 일정합니다. Keyword를 좀 더 넓게 했으면 좋겠습니다.
2. 각 셀 별로 선택이 되지 말고 한 줄씩 선택이 되었으면 좋겠습니다.

3. 셀을 더블 클릭하면 수정이 됩니다. 데이터베이스 내용이 수정되는 것이 아니기 때문에 수정이 안되도록 해야 합니다.
4. send는 0과 1로 표시되는 것 보다는 체크박스 아이콘으로 보기 좋게 했으면 합니다.

먼저 바뀐 모습을 보고 소스를 보도록 하겠습니다. 여러분들의 마음에 드셨으면 좋겠습니다.

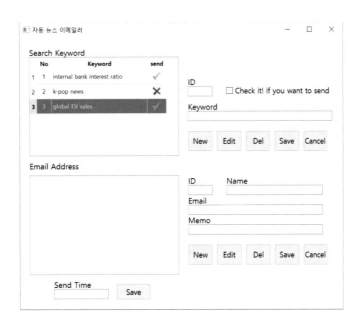

initNewsTable() 함수와 loadNewsTable() 함수를 각각 살펴보도록 하겠습니다. initNewsTable() 함수에서는 표를 설정하는 부분을, LoadNewsTable() 함수에서는 데이터베이스의 정보를 출력하는 부분에 대한 내용이 각각 있습니다.

075_newMailer2.py

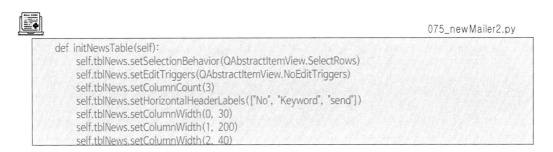

```python
def initNewsTable(self):
    self.tblNews.setSelectionBehavior(QAbstractItemView.SelectRows)
    self.tblNews.setEditTriggers(QAbstractItemView.NoEditTriggers)
    self.tblNews.setColumnCount(3)
    self.tblNews.setHorizontalHeaderLabels(["No", "Keyword", "send"])
    self.tblNews.setColumnWidth(0, 30)
    self.tblNews.setColumnWidth(1, 200)
    self.tblNews.setColumnWidth(2, 40)
```

setSelectionBehavior() 함수는 표에서 사용자가 선택을 할 때, 선택 영역을 지정할 수 있는 함수입니다. 이 함수의 매개변수로 QAbstractItemView의 SelectRows를 선택해 주면, 행 단위로 선택을 할 수 있습니다. SelectColumns로 바꿔주면 열 단위로 선택을 할 수도 있습니다.

setEditTirgeggers() 함수의 매개변수로 NoEditTriggers를 줘서 표에서 수정을 하지 못하도록 막을 수 있습니다. 그리고 마지막 세줄, setColumnWidth() 함수는 각 컬럼의 너비를 정할 수 있는데요. 첫번째 매개변수는 셀 위치를 두번째는 너비를 지정합니다.

075_newMailer2.py

```python
def loadNewsTable(self):
    rows = self.dbase.getAllData('keyword')
    cnt = len(rows)
    self.tblNews.setRowCount(cnt)

    for i in range(cnt):
        idx, keyword, send = rows[i]
```

```
                idx_item = QTableWidgetItem(str(idx))
                idx_item.setTextAlignment(Qt.AlignVCenter | Qt.AlignCenter)
                self.tblNews.setItem(i, 0, idx_item)

                self.tblNews.setItem(i, 1, QTableWidgetItem(keyword))

                if send == 1:
                        iconSrc = QPixmap('./res/yes24A.png')
                else:
                        iconSrc = QPixmap('./res/no24A.png')
                licon = QLabel()
                licon.setPixmap(iconSrc)
                licon.setAlignment(Qt.AlignCenter)
                self.tblNews.setCellWidget(i, 2, licon)
```

for문 내에서 setItem() 함수로 데이터를 출력하는 부분이 좀 복잡하게 바뀌었습니다. 먼저 첫번째 idx를 출력하는 부분입니다. QTableWidgetItem으로 idx를 String으로 바꾸는 부분은 동일합니다만, setTextAlignment() 함수를 이용해서 가로와 세로 모두 가운데 정렬을 하고 있습니다. 각각을 합할 때에는 '|' 를 이용해서 합칩니다. 이렇게 해서 idx는 가운데 정렬이 된 상태로 보여집니다.

두번째 keyword는 그대로 왼쪽 정렬로 두면 되기 때문에 이전과 동일합니다. 마지막으로 세번째는 send가 1일 경우와 0일 경우를 나눠서 아이콘을 출력하려고 합니다. send가 1일 때에는 yes 아이콘을 0일 때는 no 아이콘으로 설정을 합니다. QPixmap() 함수를 이용해서 png 파일을 로딩합니다. 파이썬에서는 아이콘과 같은 이미지를 화면에 보여줄 때, 일반적으로 글자를 출력하는 QLabel 클래스를 이용합니다. 그래서 QLabel 클래스의 setPixmap() 함수를 이용해서 이미 불러놓은 아이콘을 QLabel에 적용을 합니다. 마지막으로 setAlignment()를 이용해서 가운데 정렬을 하고, 마지막으로 셀에 출력을 합니다. 이전에는 셀에 setItem() 함수를 이용해서 출력을 했지만 셀에 QLabel이라는 위젯이 들어가기 때문에 위젯을 넣기 위해서 setCellWidget() 함수를 이용하고 있습니다.

이번엔 내가 클릭한 행의 idx를 출력해 보고 싶습니다. 이유는 idx를 알아야 아래에 보여질 이메일 테이블에서 kidx가 idx가 같은 이메일 주소만 출력하고 싶기 때문입니다. 기억하시나요? UI와 우리 코드를 연결하면서 connect() 함수를 사용했던 것 말입니다.

076_newMailer3.py
```
        def __init__(self):
                super().__init__()
                self.setupUi(self)
                self.dbase = DBase()

                self.tblNews.cellClicked.connect(self.newsTableClicked)

                self.initNewsTable()
                self.loadNewsTable()

        def newsTableClicked(self, row, col):
                print(self.tblNews.item(row, 0).text())
                self.tblNews.setColumnWidth(0, 30)
                self.tblNews.setColumnWidth(1, 200)
                self.tblNews.setColumnWidth(2, 40)
```

connect()를 이용해서 연결해 준 것은 cellClicked입니다. 셀이 클릭되었을 때 newTableClicked가 호출이 되도록 했습니다. cellClicked라는 이벤트가 발생할 때에는 row와 col 값이 같이 나온다고 되어 있습니다. 하지만 우리가 읽어야 하는 값은 첫번째 있는 idx 이기 때문에 print() 함수를 보시면 col은 사용하지 않고 0번째를 지정해 줬습니다. 마우스로 어디를 클릭하던지 선택은 행단위로 이루어지고, 어디를 클릭해도 행의 맨 처음에 있는 idx를 반환하게 되는 것입니다.

5. 이메일을 표에 출력하기

검색할 키워드를 선택하면 해당 키워드를 받아볼 사람들의 이메일 주소가 이메일 표에 나타났으면 좋겠습니다. 이것이 GUI를 만들 때 의도한 바 입니다. 앞서 배운 내용들로 구현을 스스로 할 수 있다면 좋겠지만 아니라면 다음의 코드와 설명을 보면서 이해해 보시기 바랍니다.

코드를 보기 전에 먼저 실행되는 화면을 보면 다음과 같습니다. 프로그램을 시작할 때는 키워드만 보여주는데 키워드를 선택하게되면 해당되는 idx를 가진 이메일 주소가 아래의 표에 나타나는 형식입니다. 아래의 그림을 보면 idx 3번에 해당하는 "global EV sales"를 선택했을 때, 아래의 Email Address에 KIDX가 3인 정보만 표현이 되는 것을 볼 수 있습니다. 다른 키워드를 선택하면 선택할 때마다 해당하는 idx에 해당하는 이메일 주소가 표시가 됩니다.

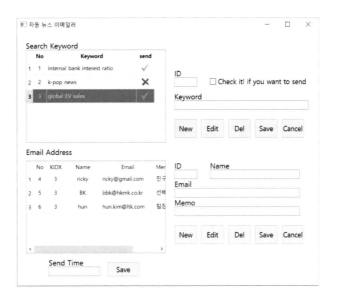

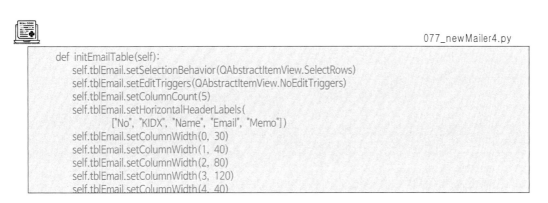

077_newMailer4.py

```python
def initEmailTable(self):
    self.tblEmail.setSelectionBehavior(QAbstractItemView.SelectRows)
    self.tblEmail.setEditTriggers(QAbstractItemView.NoEditTriggers)
    self.tblEmail.setColumnCount(5)
    self.tblEmail.setHorizontalHeaderLabels(
            ["No", "KIDX", "Name", "Email", "Memo"])
    self.tblEmail.setColumnWidth(0, 30)
    self.tblEmail.setColumnWidth(1, 40)
    self.tblEmail.setColumnWidth(2, 80)
    self.tblEmail.setColumnWidth(3, 120)
    self.tblEmail.setColumnWidth(4, 40)
```

먼저 이메일 표를 초기화 하는 함수 initEmailTable()을 살펴보겠습니다. 사실 이 함수는 initNewsTable() 함수와 다른 부분이 없습니다. 다만 컬럼의 수가 늘어남으로 인해서 바뀐 내용이 전부입니다.

중요한 것은 다음의 함수 loadEmailTable() 입니다. 데이터베이스에서 전체 이메일을 불러오는 것이 아니라 keyword 표에서 선택된 검색어로 등록된 이메일만 보여주기 위해서 getEmailForSending() 함수에 kidx를 넘겨주어 해당하는 이메일 주소만 읽어옵니다.

077_newMailer4.py

```python
def loadEmailTable(self, kidx):
    rows = self.dbase.getEmailForSending(kidx)
    cnt = len(rows)
    self.tblEmail.setRowCount(cnt)

    for i in range(cnt):
        idx, kidx, name, email, memo = rows[i]
        idx_item = QTableWidgetItem(str(idx))
        idx_item.setTextAlignment(Qt.AlignVCenter | Qt.AlignCenter)
        self.tblEmail.setItem(i, 0, idx_item)

        kidx_item = QTableWidgetItem(str(kidx))
        kidx_item.setTextAlignment(Qt.AlignVCenter | Qt.AlignCenter)
        self.tblEmail.setItem(i, 1, kidx_item)

        name_item = QTableWidgetItem(str(name))
        name_item.setTextAlignment(Qt.AlignVCenter | Qt.AlignCenter)
        self.tblEmail.setItem(i, 2, name_item)

        self.tblEmail.setItem(i, 3, QTableWidgetItem(str(email)))
        self.tblEmail.setItem(i, 4, QTableWidgetItem(str(memo)))
```

함수의 내용은 loadNewsTable() 보다도 간단합니다. 아이콘을 출력하는 부분도 없기 때문에 가운데 정렬을 하는 세개의 필드에 대한 추가 처리만 있을 뿐 복잡한 부분은 없습니다.

6. 선택된 데이터 수정, 삭제 준비하기

키워드 표에서 행을 하나 선택하면 해당 키워드를 받아보는 이메일 주소가 아래의 이메일 표에 나타나도록 되어 있습니다. 하지만 수정하기 위해서는 해당 내용을 각 표의 우측에 나타내고자 합니다. 하나씩 데이터를 가지고 와야 하죠.

그런데 안타깝게도 우리가 만든 DBase 클래스에는 데이터 하나를 가지고 올 수 있는 함수를 만들지 않았습니다. 그래서 다음과 같이 idx와 테이블 이름을 주면 정보를 가지고 올 수 있는 함수를 만들었습니다.

newsMailerDB2.py

```python
def getOneData(self, tbl_name, idx):
    db = self.connection.cursor()
    sql = f"SELECT * FROM {tbl_name} WHERE idx = {idx}"
    conn = db.execute(sql)
    return conn.fetchall()
```

이제는 키워드 표나 이메일 표에서 하나의 행을 선택하면 해당하는 데이터를 우측에 보여지도록 만들어 보려고 합니다.

078_newMailer5.py

```python
def __init__(self):
    super().__init__()
    self.setupUi(self)
    self.dbase = DBase()

    self.tblNews.cellClicked.connect(self.newsTableClicked)
    self.tblEmail.cellClicked.connect(self.emailTableClicked)
    self.leNewID.setDisabled(True)
    self.leEmailID.setDisabled(True)

    self.initNewsTable()
    self.loadNewsTable()
    self.initEmailTable()
```

추가된 부분은 가운데 세 줄입니다. tblEmail의 셀을 클릭할 때 emailTableClicked() 함수와 연결, connect 시켰습니다. 다음은 leNewID와 leEmailID를 수정할 수 없도록 Disabled 시켰습니다. 이유는 idx이기 때문입니다. idx는 유일한 값으로 자동 증가하면서 생성되도록 만들어 놨기 때문에 별도로 수정을 할 필요가 없기 때문입니다.

078_newMailer5.py

```python
def newsTableClicked(self, row, col):
    key = int(self.tblNews.item(row, 0).text())
    self.loadEmailTable(key)
    row = self.dbase.getOneData('keyword', key)
    if row:
        idx, keyword, send = row[0]
        self.leNewID.setText(str(idx))
        self.leSearch.setText(keyword)
        if send == 1:
            self.cbSend.setChecked(True)
```

```
            else:
                    self.cbSend.setChecked(False)

            self.leEmailID.clear()
            self.leName.clear()
            self.leEmail.clear()
            self.leMemo.clear()
        self.loadNewsTable()
        self.initEmailTable()
```

키워드 테이블을 클릭했을 때, 해당하는 이메일을 출력하는 부분까지 했던데에서 getOneData() 함수를 이용해서 현재 선택된 Keyword의 *idx*를 가지고 선택된 데이터를 데이터베이스로 부터 얻어옵니다.

row에 데이터가 있다면 if문으로 들어갑니다. 반드시 True가 아니어도 0이나 False가 아니면 True로 인정이 됩니다. 어차피 하나의 데이터 밖에 없을 것이므로 row[0]에서 각 데이터를 가지고 와서 우측에 있는 QLineEdit 위젯에 ID와 키워드를 출력합니다. 다음은 send가 1일 경우는 체크박스를 체크하는데 setCecked() 함수를 이용합니다. 다음은 아래의 이메일에 해당하는 우측의 QLineEdit 위젯들을 모두 지웁니다. clear() 함수를 사용하면 내용을 지울 수 있습니다.

왜 이렇게 했을까요?
키워드를 선택하면 오른쪽에 정보가 나타나고, 아래에 이메일표에는 이메일 리스트가 나타나게 될 것입니다. 사용자가 이메일 표에서 하나의 이메일을 선택하면 우측에 정보가 나타나게되겠죠. 그런데 이번엔 사용자가 다시 키워드 표에서 무엇인가를 선택했다면 어떻게 될까요? 아래 이메일 테이블의 내용이 바뀌게 될 것입니다. 그런데 이메일표 오른쪽에 정보가 그대로 남아 있으면 안되겠죠? 그래서 키워드 표를 클릭할 경우 이메일에 해당하는 개별 정보를 지워주는 것입니다.

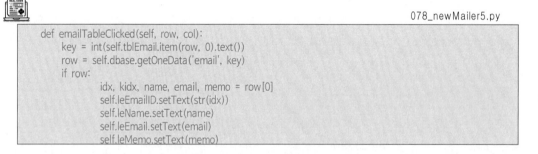

078_newMailer5.py

```
    def emailTableClicked(self, row, col):
        key = int(self.tblEmail.item(row, 0).text())
        row = self.dbase.getOneData('email', key)
        if row:
                idx, kidx, name, email, memo = row[0]
                self.leEmailID.setText(str(idx))
                self.leName.setText(name)
                self.leEmail.setText(email)
                self.leMemo.setText(memo)
```

이메일 표를 클릭했을 때도 별반 다르지 않습니다. getOneData() 함수에서 데이터베이스 테이블 이름 'email' 과 선택된 key 값을 넘겨 개별 정보를 받은 후에 QLineEdit에 각각 출력하고 있습니다.

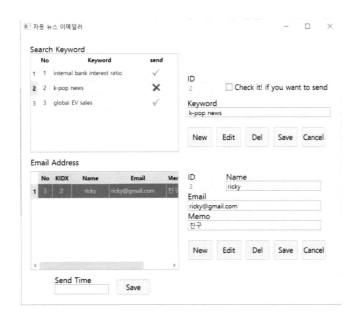

Search Keyword 표를 선택하면 오른쪽에 해당 정보가 나타남과 동시에 아래 Email Address 표에 이메일을 받을 주소들이 나타납니다. Email Address를 하나 선택하면 우측에 해당 정보가 나탑니다. 그리고 다시 Search Keyword에서 다른 내용을 클릭하면 우측에 정보가 바뀌고 아래 Email Address에 정보가 바뀜과 동시에 Email Address표 우측의 내용은 모두 삭제가 됩니다.

7. 추가, 수정, 삭제, 취소, 저장 버튼 제어하기

화면에 New, Edit, Del, Save, Cancel의 다섯개 버튼이 있습니다. 버튼이 어떻게 동작을 하도록 할 것인지를 먼저 정의를 하고 정의대로 구현을 할 필요가 있습니다. 그런데 그 전에 프로그램의 기본 동작에 대해서 조금 다듬고 싶은 부분을 먼저 보도록 하겠습니다.

Search Keyword에 데이터가 있을 경우 표에 정보가 보여지고 자동으로 첫번째가 선택이 되어 우측에 정보가 나타나고, 그와 동시에 Email Address 테이블에서도 데이터가 있을 경우 첫번째가 선택이 되고 우측에 이메일에 대한 개별 정보가 나타났으면 좋겠습니다. 더불어 다른 Search Keyword를 선택했을 경우에도 이메일까지 자동으로 선택이 되어 화면에 나타나는 것이 보기 좋겠습니다.

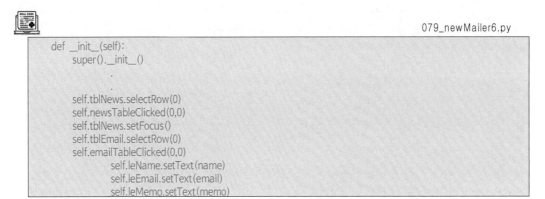

079_newMailer6.py

```python
def __init__(self):
    super().__init__()
        .
        .
    self.tblNews.selectRow(0)
    self.newsTableClicked(0,0)
    self.tblNews.setFocus()
    self.tblEmail.selectRow(0)
    self.emailTableClicked(0,0)
        self.leName.setText(name)
        self.leEmail.setText(email)
        self.leMemo.setText(memo)
```

__init__() 함수 맨 아래에 위와 같이 5줄을 추가했습니다. 첫번째 줄은 Search Keyword에서 첫번째 행을 선택하라는 의미입니다. 그 다음 줄에 첫번째 줄을 클릭했을 때 오른쪽에 정보가 나타나야하기 때문에 클릭을 했을 때 동작하는 함수 newsTableClicked()를 호출했습니다. 그리고 tblNews.setFocus() 를 호출해주고 있는데요. 포커스를 주라는 의미입니다. 포커스는 입력할 수 있는 위젯의 경우 입력을 하기 위해서 마우스로 클릭을 하면 입력을 받을 커서가 깜빡거리는 상태를 이야기 합니다. 테이블 같은 경우 마우스로 클릭을 하면 일반적으로 파란색으로 클릭한 곳이 반전되어 보입니다. 이 상태를 포커스를 가지고 있다고 합니다. 여기서 다른 테이블이나 입력을 할 수 있는 위젯을 클릭하게 되면 기존에 포커스를 가지고 이던 테이블의 파란색 반전된 것이 회색으로 바뀌거나 아얘 선택되지 않은 다른 셀과 같이 색상이 바뀌기도 합니다.

따라서 tblNews.setFocus()로 포커스를 주게되면 마우스로 클릭한 것과 같은 효과가 다른 곳으로 포커스가 이동되기 전까지 유지가 됩니다.

다음은 tblEmail.selectRow(0)로 이메일 테이블의 첫번째를 선택하게 합니다. 다음에 나온 emailTableClicked(0,0)에 의해서 이메일의 첫번째 요소가 클릭된 것처럼 호출하여 첫번째 요소가 오른쪽에 나타나게 됩니다.

```
def newsTableClicked(self, row, col):
    .
    .
    if row:
        .
        .
        self.leEmailID.clear()
        self.leName.clear()
        self.leEmail.clear()
        self.leMemo.clear()
        self.emailTableClicked(0, 0)
```

한군데 코드가 더 추가된 곳은 newsTableClicked( )의 맨 아래 한 줄입니다. Keyword Search가 클릭되고나면 이메일 표 우측의 내용을 모두 clear( ) 함수를 써서 지웁니다. 그리고나서 email 테이블의 첫번째 요소가 클릭된 것처럼 함수를 호출을 해 줍니다. 첫번째 요소가 있다면 email의 첫번째 요소가 우측에 나타나게 됩니다.

다시 버튼으로 돌아오겠습니다.
프로그램을 처음 시작하면 데이터가 있건 없건 save와 cancel은 동작을 할 것이 없습니다. 따라서 프로그램을 시작할 때에는 이 두 개의 버튼에 대해서는 동작을 못하도록 disabled를 시켜면 좋겠습니다. 실행화면을 먼저 보는 것이 도움이 될 거 같네요.

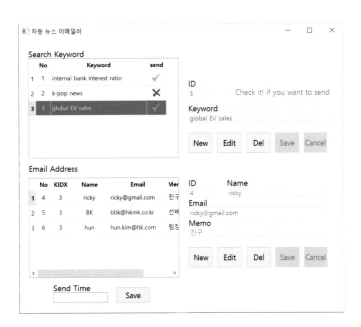

각 테이블에 데이터가 있다면 Edit와 Del이 활성화 되는게 맞겠고, 데이터가 없다면 이 두 개의 버튼은 Disabled 되어야 합니다. Save와 Cancel 버튼은 New나 Edit가 눌렸을 때 활성화가 되어서 저장을 하거나 취소할 수 있어야 합니다.

```
def __init__(self):
    .
    .
    self.NewsDetailWidget(False)
    self.EmailDetailWidget(False)
```

```
        def NewsDetailWidget(self, enabled):
            self.leSearch.setEnabled(enabled)
            self.cbSend.setEnabled(enabled)

        def EmailDetailWidget(self, enabled):
            self.leEmailID.setEnabled(enabled)
            self.leName.setEnabled(enabled)
            self.leEmail.setEnabled(enabled)
            self.leMemo.setEnabled(enabled)
```

　__init__() 함수에서 NewsDetailWidget(False)와 EmailDetailWidget(False)를 호출합니다. 이 두 함수는 앞의 소스 코드 중에서 맨 아래에 있습니다. 프로그램을 시작하면 데이터가 있을 경우 프로그램 우측의 위젯들은 키워드와 이메일에 대한 정보를 각각 출력하고 있는데 마우스로 해당 위젯을 클릭하면 내용을 수정을 할 수 있습니다. 수정을 한다고 해도 데이터베이스의 내용이 바뀌지 않고 혹은 실수로 내용을 지울 수도 있습니다. 이런 상황을 방지하기 위해서 아얘 포커스가 옮겨지지 않도록 각 위젯들을 모두 Disable 시키기 위해서 호출을 하고 있습니다. 두 함수 모두 enabled를 매개 변수로 받는데 이 변수에는 True나 False가 올 수 있고 True일 경우는 enabled되어 내용을 수정할 수 있고 False는 할 수 없습니다.

080_newMailer7.py

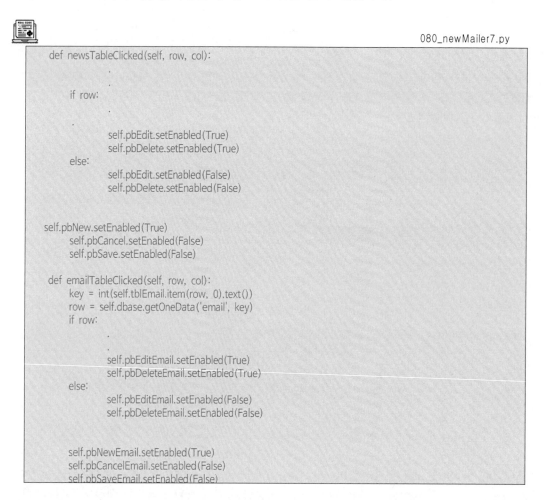

```
        def newsTableClicked(self, row, col):
            .
            if row:
                .

                .
                    self.pbEdit.setEnabled(True)
                    self.pbDelete.setEnabled(True)
            else:
                    self.pbEdit.setEnabled(False)
                    self.pbDelete.setEnabled(False)


        self.pbNew.setEnabled(True)
            self.pbCancel.setEnabled(False)
            self.pbSave.setEnabled(False)

        def emailTableClicked(self, row, col):
            key = int(self.tblEmail.item(row, 0).text())
            row = self.dbase.getOneData('email', key)
            if row:
                .

                    self.pbEditEmail.setEnabled(True)
                    self.pbDeleteEmail.setEnabled(True)
            else:
                    self.pbEditEmail.setEnabled(False)
                    self.pbDeleteEmail.setEnabled(False)


        self.pbNewEmail.setEnabled(True)
            self.pbCancelEmail.setEnabled(False)
            self.pbSaveEmail.setEnabled(False)
```

　두 개의 테이블에 대해서는 항상 Click 이벤트를 호출합니다. 이유는 테이블이 있는 내용을 각각의 오른쪽에 출력하기 위해서입니다. 버튼은 추가, 수정, 삭제, 저장, 취소의 다섯개가 있죠.

　데이터의 유무와 상관없이 추가 버튼은 언제나 사용할 수 있습니다. 그러니 무조건 Enable되어 있어야 합니다. 데이터가 있다면 화면에 키워드와 이메일에 대한 정보가 보여지고 있을 것입니다. 그러니 동작할 수 있는 버튼은 추가 이외에 수정, 삭제 버튼이 동작을 할 수 있습니다.

남아 있는 두개의 버튼은 취소와 저장입니다. 취소와 저장은 파일을 추가, 수정을 하는 경우에 취소와 저장을 최후에 선택을 할 수 있습니다. 따라서 추가와 수정이 눌리지 않은 일반적인 상태에서는 무조건 disabled되어 있어야합니다.

8. New 버튼 하기 구현

추가(New) 버튼을 누르면 어떻게 해야 할까요? 먼저 입력을 할 수 있는 위젯들에 정보를 입력해야 하기 때문에 위젯에 내용을 모두 삭제해야 합니다. 입력할 수 있는 위젯에서는 clear() 함수를 썼었습니다. 그리고 입력할 수 있도록 Enabled를 True로 해서 입력을 가능하도록 해야 합니다. 또 뭐가 있을까요? 수정과 삭제 버튼은 누를 수 없게 바꾸는 것이 좋겠고 취소와 저장은 누를 수 있도록 변경이 되어야겠네요. 하나 더, 추가(New) 버튼도 누를 수 없도록 변경이 필요합니다.

Search Keyword의 추가버튼을 어떻게 구현하는지 살펴보겠습니다.

081_newMailer8.py

```python
NONE = 0
NEW  = 1
EDIT = 2
keywordMode = NONE

def _init_(self):
    super()._init_()
        self.setupUi(self)
        self.dbase = DBase()

        self.tblNews.cellClicked.connect(self.newsTableClicked)
        self.tblEmail.cellClicked.connect(self.emailTableClicked)
        self.pbNew.clicked.connect(self.pbNewClicked)
        self.pbCancel.click.connect(self.pbCancelClicked)
        self.pbSave.click.connect(self.pbSaveClicked)

                .
                .
def pbNewClicked(self):
    self.keywordMode = self.NEW

    self.leSearch.clear()
    self.leNewID.clear()
    self.cbSend.setChecked(False)

    self.pbNew.setEnabled(False)
    self.pbEdit.setEnabled(False)
    self.pbDelete.setEnabled(False)

    self.pbSave.setEnabled(True)
    self.pbCancel.setEnabled(True)

    self.leSearch.setEnabled(True)
    self.cbSend.setEnabled(True)
```

버튼을 사용하기 위해서는 먼저 버튼을 누를때 함수를 호출 할 수 있도록 연결이 필요합니다. _init_() 함수에서 connect() 함수를 이용해서 pbNewClicked와 연결을 합니다. 그 외에 취소 버튼과 저장 버튼도 각각 연결을 시켰습니다.

```
self.pbNew.clicked.connect(self.pbNewClicked)
```

실제로 이 함수가 호출이 될 때는 크게 다섯 부분으로 이해하기 쉽게 나누어 놨습니다. 첫번째 줄은 모드를 설정해 줍니다. NEW나 EDIT으로 모드를 정해 줄 수 있습니다. 추가 버튼을 눌렀기 때문에 NEW로 설정을 해 줍니다. 두번째 세 줄은 검색어와 idx는 입력값을 clear() 함수를 호출해서 삭제를 해주고 체크박스는 Default 값으로 체크박스를 체크가 안된 상태로 만듭니다.

세번째 그룹에서는 추가(New), 수정(Edit), 삭제(Delete) 버튼을 모두 클릭할 수 없도록 setEnabled(False)를 호출해 줍니다.

네번째 그룹의 두 줄은 저장과 취소 버튼을 활성화 시켜주고 마지막 그룹의 두 줄은 입력을 받을 수 있는 검색어를 입력할 수 있는 leSearch와 체크박스를 입력할 수 있도록 Enable 시켜 줍니다.

모드 설정을 한다는 부분에 대해서 추가 설명이 필요하겠죠?

```
NONE = 0
NEW  = 1
EDIT = 2
keywordMode = NONE
```

맨 앞에 나온 코드입니다. keywordMode라는 것은 Search Keyword에 해당하는 우측의 다섯개 버튼의 모드를 관리하기 위함입니다. 다섯개의 버튼 추가, 수정, 삭제, 저장, 취소를 봅시다. 추가는 단지 추가를 하는데 수정은 단지 수정을 삭제는 삭제를 하는 하나의 기능으로만 사용됩니다. 그런데 저장은 어떨까요? 추가 버튼을 누른 다음 저장을 하게되면 INSERT라는 SQL 문을 사용해야지만 데이터베이스에 새로 입력된 값을 추가할 수 있습니다. 수정은 어떨까요? 수정을 하는 경우에 저장 버튼을 누른다면 UPDATE라는 SQL문을 사용해야 합니다. 하나의 버튼이지만 해당 모드에 따라서 동작 시나리오가 달라진다는 말씀입니다. 취소도 마찬가지 입니다. 수정에서 취소를 누르면 좌측 테이블에서 선택이 되었던 내용을 그대로 위젯들에 출력을 해 주면 됩니다. 추가에서 취소를 누르면 어떨까요? 수정과 마찬가지로 이전에 있던 내용을 보여주면 됩니다. 그런데 취소에서는 일반적으로 메시지 박스를 띄워 줍니다. "수정중인 내용을 취소하시겠습니까?" 혹은 추가를 취소 중에는 이런 메시지도 가능합니다. "입력 중인 값을 모두 취소하시겠습니까?"

그래서 keywordMode에는 NEW나 EDIT와 같은 변수를 사용해서 모드를 지정해 주려고 합니다.

앞에선 pbNewClicked() 함수를 호출하면서 모드를 NEW로 지정을 했습니다. 이 상태에서 자유롭게 새로 추가할 정보를 추가할 수 있습니다. 정보가 추가된 다음에는 저장이나 취소 버튼을 누를 수 있습니다. 다음은 저장 버튼을 눌렀을 때의 코드입니다.

081_newMailer8.py

```
def pbSaveClicked(self):
    if self.keywordMode == self.NEW:
        keyword = self.leSearch.text()
        if len(keyword) < 3:
            self.showMsgBox("키워드 추가",
                            "검색어 길이",
                            "검색어가 입력되지 않았거나 너무 짧습니다." ₩
                            "다시 입력해주세요")
```

```
                                        QMessageBox.Information,
                                        QMessageBox.Ok,
                                        QMessageBox.Ok)
                return

        if self.cbSend.isChecked():
                send = 1
        else:
                send = 0
        self.dbase.insertKeyword(keyword, send)
        self.NewsDetailWidget(False)

        self.pbNew.setEnabled(True)
        self.pbEdit.setEnabled(True)
        self.pbDelete.setEnabled(True)
        self.pbSave.setEnabled(False)
        self.pbCancel.setEnabled(False)

        self.keywordMode = self.NONE
elif self.keywordMode == self.EDIT:
        pass
```

저장버튼을 눌렀을 때는 앞서 설명한 바와 같이 모드에 따라서 추가인지 수정인지에 따라 다르게 동작을
합니다.

```
if self.keywordMode == self.NEW:
                .
                .
        self.keywordMode = self.NONE
elif self.keywordMode == self.EDIT:
        pass
```

앞의 코드를 보면 keyword 모드가 NEW인 경우에 여러가지 동작을 한 후에 마지막에 모든 저장과 관련된 작
업이 끝나면 keywordMode를 초기 상태인 NONE으로 변경하고 종료가 됩니다. 그 다음은 EDIT 모드일 경우인데
아직 코딩를 하기 전이므로 추후 설명하겠습니다.

```
keyword = self.leSearch.text()
if len(keyword) < 3:
        self.showMsgBox("키워드 추가",
                        "검색어 길이",
                        "검색어가 입력되지 않았거나 너무 짧습니다." \
                        "다시 입력해주세요",
                        QMessageBox.Information,
                        QMessageBox.Ok,
                        QMessageBox.Ok)
        return
```

Search keyword는 키워드만 입력하면 됩니다. send의 값은 체크 박스를 체크하면 1, 그렇지 않으면 0이기
때문입니다. 그런데 키워드가 입력되지 않거나 길이가 너무 짧을 경우 메시지를 보여주고자 합니다. len() 함
수를 이용해서 그 길이가 3보다 작으면 메시지 박스를 보여주고 끝을 냅니다. 더 길게 입력을 하라는 의미
죠. showMsgBox()는 이미 앞서서 봤었기 때문에 설명은 하지 않겠습니다.

```
if self.cbSend.isChecked():
        send = 1
else:
        send = 0
```

```
self.dbase.insertKeyword(keyword, send)
```

send 값은 체크 박스가 체크되어 있으면 1 그렇지 않으면 0으로 설정을 하고 DBase 클래스의 insertKeyword() 함수를 이용해서 데이터베이스에 입력받은 자료를 저장합니다. 저장까지의 동작은 모두 완료된 것이고 이후는 GUI의 변경에 대한 사항들입니다.

```
self.NewsDetailWidget(False)

self.pbNew.setEnabled(True)
self.pbEdit.setEnabled(True)
self.pbDelete.setEnabled(True)
self.pbSave.setEnabled(False)
self.pbCancel.setEnabled(False)
```

NewsDetailWidget()을 이용해서 입력할 수 있는 위젯인 leSearch와 cbSend를 모두 비활성화를 해 줍니다. 그 다음은 다섯개의 버튼에 대한 설정입니다. 하나를 저장했으므로 데이터가 하나 이상은 있다는 얘기죠. 따라서 추가, 수정, 삭제는 모두 활성화를 시키고 나머지 저장과 취소는 비활성화를 시키고 저장모드를 종료하게 됩니다.

코딩이 끝났으므로 실행을 시켜서 실행을 해 봅니다.

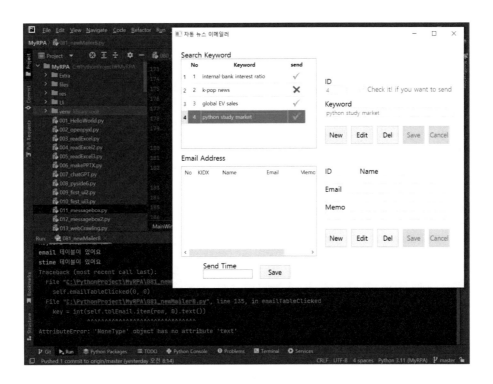

실행을 하고 keyword에 "python study market"으로 입력을 하고 저장 버튼을 눌러서 저장을 했습니다. 문제는 위의 그림과 같이 Search Keyword에 입력한 값이 나타나지 않는다는 것이었습니다. 프로그램을 종료하고 다시 시작을 하니 입력한 데이터가 Search Keyword 테이블에 보입니다. 그런데 보이는 Python study market을 선택하니 에러가발생을 하네요. 이 두가지 문제를 풀어야겠습니다. 먼저 빨갛게 보이는 보기 싫은 에러메시지를 먼저 잡아보도록 하겠습니다.

082_newMailer9.py

```
def emailTableClicked(self, row, col):
```

```
        try:
            key = int(self.tblEmail.item(row, 0).text())
        except:
            key = 0
        row = self.dbase.getOneData('email', key)
        if row:
            .
            .
    def pbSaveClicked(self):
        if self.keywordMode == self.NEW:
            .
            .
            self.dbase.insertKeyword(keyword, send)
            self.NewsDetailWidget(False)
            .
            .
            self.loadNewsTable()
            self.tblNews.selectRow(self.tblNews.rowCount()-1)
            self.newsTableClicked(self.tblNews.rowCount()-1, 0)
            self.tblNews.setFocus()
            self.keywordMode = self.NONE
```

에러가 발생한 이유는 새로운 검색어 데이터가 추가되었고 새 데이터로 초점이 맞추어져 있습니다. 이때
이메일 테이블도 자동으로 선택이 되도록 하기 위해서 key 값을 읽으려고 하는데 검색어만 추가되었을 뿐 아
직 이메일 데이터가 없어서 에러가 발생한 것입니다.

```
self.tblEmail.item(row, 0).text()
```

바로 이 문장에서 에러가 발생한 것입니다. 그래서 Try ~ Except 구문을 사용해서 풀어줬습니다. Except
문에서 key는 0으로 할당을 했습니다.

```
row = self.dbase.getOneData('email', key)
if row:
```

key 값으로 검색을 하는 것은 kidx인데 모든 인덱스 값들은 1부터 시작하기 때문에 row는 아무런 값을 가
져오지 않기 때문에 if 문 안으로 들어가지 않습니다.

```
self.loadNewsTable()
self.tblNews.selectRow(self.tblNews.rowCount()-1)
self.newsTableClicked(self.tblNews.rowCount()-1, 0)
self.tblNews.setFocus()
```

데이터를 저장한 후의 동작입니다.
데이터를 저장하고 난 후에 추가된 데이터를 화면에 뿌려주기 위해서 기존에 만들어두었던
loadNewsTable() 함수를 호출합니다. 그러면 화면에 이번에 저장한 데이터가 처음부터 다시 출력이 될 것입니
다. 다음엔 지금 추가된 데이터가 나오는 부분을 선택한 것처럼 만들어야 보기 좋겠으니 slectRow() 함수를
이용합니다. 우리는 QTableWidget의 rowCount() 함수를 이용해서 몇개의 행으로 테이블이 채워져 있는지 파악
을 할 수 있습니다. 그런데 Row는 0부터 시작을 하므로 구해온 데이터에서 1을 빼주면 맨 마지막을 선택한 것
이 됩니다. 다음은 newsTavbleClicked() 라는 우리가 만든 함수를 이용해서 다시 데이터를 읽어서 Search
Keyword의 우측에 데이터를 채워줍니다. 마지막에는 setFocus() 함수를 이용해서 실제로 마우스로 테이블을
클릭한 효과를 줍니다. 이렇게 해 주면, 데이터가 많아서 안보이는 경우도 자동 스크롤을 해서 보여주게 됩
니다.

```
def pbCancelClicked(self):
    if self.keywordMode == self.NEW:
        ret = self.showMsgBox("Search Keyword",
                              "자료추가 취소",
                              "자료의 추가를 취소하시겠습니까?",
                              QMessageBox.Information,
                              QMessageBox.Ok | QMessageBox.Cancel,
                              QMessageBox.Ok)

        if ret == QMessageBox.Ok:
            self.NewsDetailWidget(False)
            self.pbNew.setEnabled(True)
            if self.tblNews.rowCount() > 0:
                self.pbEdit.setEnabled(True)
                self.pbDelete.setEnabled(True)
                self.newsTableClicked(self.tblNews.currentRow(), 0)
                self.tblNews.setFocus()
            else:
                self.leSearch.clear()
                self.cbSend.setChecked(False)
                self.pbEdit.setEnabled(False)
                self.pbDelete.setEnabled(False)
            self.pbSave.setEnabled(False)
            self.pbCancel.setEnabled(False)
            self.keywordMode = self.NONE
        else:
            return
    elif self.keywordMode == self.EDIT:
        pass
```

pbCancelClicked() 역시 pbSaveClicked()와 마찬가지로 keywordMode에 따라서 NEW와 EDIT 모드로 if문을 통해서 나눠서 구현했습니다. 데이터를 추가하다가 취소를 눌렀을 경우에는 입력하던 내용이 있으므로 메시지 박스를 띄워 정말로 취소를 할 것인지 물어봅니다. 물어봤을 때, 취소를 하겠다고 하면 입력할 수 있는 위젯들을 모두 Disabled로 만듭니다. NewsDetailWidget(False)가 그 역할을 합니다. 다음으로 추가(New) 버튼을 Enable시켜 다시 데이터 추가를 위해 사용할 수 있도록 만들어 줍니다. 그 다음엔 다시 if문을 이용해 데이터가 하나라도 있는지를 rowCount() 함수를 이용해서 확인합니다. 데이터가 있다면 수정이나 삭제를 할 수 있으니 해당 버튼을 활성화 해 줍니다.

데이터를 입력하던 것이 있으니 원래의 데이터를 다시 가지고 와야 합니다. 원래 데이터를 가지고 오기 위해서는 현재 선택되어 있는 위치를 다시 마우스로 클릭을 하면 되겠죠. 그래서 newsTableClicked() 함수를 호출하는데 QTableWidget에는 현재 몇번째 줄이 선택이 되어 있는지를 확인할 수 있는 함수 currentRow() 가 존재합니다. 이 함수를 이용해서 몇번째 줄인지를 선택하고 그 다음은 0을 매개변수로 줍니다. 0은 맨 첫번째 열을 말하는데 호출되는 함수에서는 의미없이 사용됩니다. 그리고 마지막으로 setFocus()를 통해서 실제 마우스로 클릭한 효과를 가져옵니다. 선택된 셀이 포커스를 가지기 때문에 파란색으로 활성화가 됩니다. 데이터가 많아서 스크롤이 필요한 경우 자동으로 스크롤이 됩니다.

데이터가 없는 상태에서 처음으로 데이터를 추가하다가 취소를 했을 경우에는 입력하던 값들을 clear() 함수를 이용해서 지워주고 체크박스는 체크가 안된 상태로 만들어 줍니다. 그리고 수정과 삭제를 할 데이터가 없으니 이 버튼들을 비활성화 해줍니다.

그리고 데이터의 유무와 상관없이 저장과 취소를 모두 비활성화 시켜줍니다.

9. Edit 기능 만들기

데이터를 추가하는 부분을 고개 끄덕이며 봤다면 데이터 수정하기는 크게 어려움이 없을 없을껍니다. 기존에 있는 데이터를 수정하는 SQL의 UPDATE에 대한 사항도 이미 구현이 되어 있으니 다른 패키지, 다른 클래스를 사용하는 것과 같이 이용하면 됩니다. 모드는 EDIT가 되고, 그에 맞게 NEW와 비교해 가면서 보겠습니다.

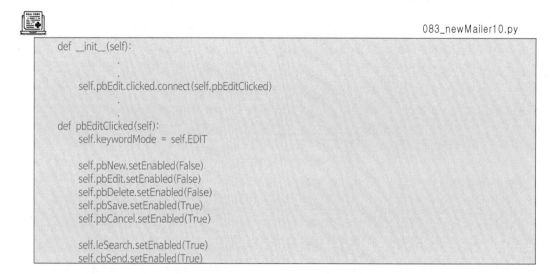

083_newMailer10.py

```
def __init__(self):
        .
        .
        self.pbEdit.clicked.connect(self.pbEditClicked)
        .
        .
def pbEditClicked(self):
        self.keywordMode = self.EDIT

        self.pbNew.setEnabled(False)
        self.pbEdit.setEnabled(False)
        self.pbDelete.setEnabled(False)
        self.pbSave.setEnabled(True)
        self.pbCancel.setEnabled(True)

        self.leSearch.setEnabled(True)
        self.cbSend.setEnabled(True)
```

수정을 하기 위해서는 먼저 버튼을 연결해야죠. 수정 버튼의 이름은 pbEdit이고 연결은 __init__() 함수에서 pbEditClicked와 연결을 시켜줬습니다. pbEditClicked() 함수를 보시면 keyworkMode를 EDIT로 설정을 하고 다른 버튼들이나 위젯들을 설정하고 있습니다.

순서대로 버튼들을 저장과 취소 버튼을 제외하고는 비활성화 시키고 있습니다. 그리고 수정을 위해서 leSearch와 cbSend를 활성화 시켜주고 있습니다. 데이터가 있는 상태이어야 수정 버튼을 클릭할 수 있도록 활성화되기 때문에 수정을 위해서는 단순히 검색어 leSearch와 보내기 send를 설정할 수 있는 체크박스 cbSend를 활성화시켜줍니다.

083_newMailer10.py

```
def pbCancelClicked(self):
        .
        .
        elif self.keywordMode == self.EDIT:
                self.NewsDetailWidget(False)
                self.pbNew.setEnabled(True)
                self.pbEdit.setEnabled(True)
                self.pbDelete.setEnabled(True)
                self.newsTableClicked(self.tblNews.currentRow(), 0)
                self.tblNews.setFocus()
                self.pbSave.setEnabled(False)
                self.pbCancel.setEnabled(False)
                self.keywordMode = self.NONE
```

수정을 하다가 취소 버튼을 눌렀을 때는 수정 전의 원래 데이터를 다시 보여주면 됩니다. 그리고 버튼의 상태들도 원래대로, 입력하던 위젯들은 비활성화를 시켜주면 됩니다. 코드 첫줄부터 순서대로 보죠.

먼저 입력할 수있는 위젯들을 NewsDetailWidget() 함수로 비활성화 하고 있습니다. 다음은 세개의 버튼 추가, 수정 삭제 버튼을 활성화 합니다. 수정을 하다가 취소를 한다는 의미는 이미 한 개 이상의 데이터가 있었음을 이야기하기 때문에 별도로 데이터가 있는지를 확인할 필요 없이 이 세개의 버튼을 활성화 하는 것입니다. 다음은 지금 수정하던 원본 데이터를 다시 화면에 보여줍니다. 화면에 보여줄 때는 데이터베이스에서 불러오는 것이 아니라 Search Keyword 테이블에서 현재 위치를 클릭하는 함수를 재활용합니다. 이때 우리는 QTableWidget에서 제공하는 currentRow() 함수를 사용해서 현재의 위치를 받아와서 사용합니다. 다음은 실제로 클릭한 것과 같이 포커스를 setFocus()를 이용해 옮겨줍니다. 저장과 취소 버튼은 이젠 동작되선 안되므로 비활성화 시키고, 마지막으로 EDIT였던 모드를 NONE으로 초기화 해 줌으로써 취소 동작은 끝이납니다.

083_newMailer10.py

```
def pbSaveClicked(self):
        .
        .
        elif self.keywordMode == self.EDIT:
            keyword = self.leSearch.text()
            if len(keyword) < 3:
                self.showMsgBox("키워드 수정",
                    "검색어 길이",
                    "검색어가 입력되지 않았거나 너무 짧습니다."
                    "다시 입력해주세요",
                    QMessageBox.Information,
                    QMessageBox.Ok,
                    QMessageBox.Ok)
                return
            if self.cbSend.isChecked():
                send = 1
            else:
                send = 0
            self.dbase.updateKeyword(int(self.leNewID.text()),
                                keyword, send)
            self.NewsDetailWidget(False)

            self.pbNew.setEnabled(True)
            self.pbEdit.setEnabled(True)
            self.pbDelete.setEnabled(True)
            self.pbSave.setEnabled(False)
            self.pbCancel.setEnabled(False)

            self.loadNewsTable()
            self.tblNews.selectRow(self.tblNews.currentRow())
            self.tblNews.setFocus()

            self.keywordMode = self.NONE
```

pbSaveClicked()에서 수정에 해당하는 부분은 keywordMode가 EDIT 인 경우로 실제 함수 내부를 보면 중간 이후 부분입니다. 메시지 박스를 보여주는 부분이나 다른 부분들은 대부분 추가와 유사합니다. 다만 다른 부분은 UPDATE를 사용하는 SQL을 사용하는 함수를 호출하는 부분입니다. 기존에 추가에서는 INSERT를 했다면 말이죠. 여기선 updateKeyword() 함수를 호출합니다. 추가에서는 자동으로 idx가 증가하기 때문에 별도로 넣어주지 않았지만 수정에서는 유일한 key를 알아야 어떤 데이터를 수정해야 하는지 알 수 있기 때문에 현재의 key 값을 self.NewID.text()를 이용해서 값을 읽어옵니다. 문자형이기 때문에 int() 함수를 써서 정수형으로 변환을 해서 매개변수로 넘겨줍니다.

수정이 되었기 때문에 전체 테이블의 내용을 다시 처음부터 써줍니다. loadNewsTable()이 역할을 하죠. 수정되던 데이터, 우측에 표시되던 데이터를 읽어오기 위해서 현재 줄을 선택합니다. selectRow를 사용합니다. 그리고 Focus를 이동해 주면 됩니다. 모든 동작이 끝났으면 모드를 NONE으로 초기화 해주는 것으로 모든 동작이 완료 됩니다.

이젠 하나 남았습니다. 삭제죠. 삭제 버튼의 동작은 DELETE SQL문을 사용합니다. UI에서는 메시지박스를 띄워 "정말로 삭제하시겠습니까?" 정도로 물어보는 것이 좋겠습니다.

084_newMailer11.py

```python
def __init__(self):

    self.pbDelete.clicked.connect(self.pbDeleteClicked)
```

삭제 버튼이 아직까지 연결이 되어 있지 않아서 연결을 해 줍니다.

084_newMailer11.py

```python
def pbDeleteClicked(self):
    ret = self.showMsgBox("Search Keyword delete",
                          "키워드 삭제",
                          "현재의 자료를 삭제하시겠습니까?",
                          QMessageBox.Information,
                          QMessageBox.Ok | QMessageBox.Cancel,
                          QMessageBox.Ok)

    if ret == QMessageBox.Ok:
        cnt = self.tblNews.rowCount()
        sel = self.tblNews.currentRow()
        id = int(self.leNewID.text())
        self.dbase.deleteKeyword(id)
        self.dbase.deleteEmailAll(id)
        self.loadNewsTable()
        if cnt == 1: # 마지막 데이터 삭제. 더이상 데이터가 없음
            self.pbEdit.setEnabled(False)
            self.pbDelete.setEnabled(False)
        else:
            self.pbEdit.setEnabled(True)
            self.pbDelete.setEnabled(True)
            if sel == 0:
                self.tblNews.selectRow(0)
            else:
                self.tblNews.selectRow(sel-1)
            # Email Address를 삭제 후, GUI를 변경하는 루틴이 들어가야 함
            # 새롭게 선택된 kidx에 따라서 email을 불러서 화면에 보여줘야 함
            self.tblNews.setFocus()
        self.pbNew.setEnabled(True)
        self.pbDelete.setEnabled(False)
        self.pbSave.setEnabled(False)
    else:
        return
```

삭제 버튼을 클릭했을 때, "현재 자료를 삭제하시겠습니까?"라는 메시지를 물어보고 사용자가 Ok를 클릭할 경우 데이터를 삭제하는 부분이 진행이 되고, 그렇지 않으면 return으로 루틴을 종료합니다.

Ok를 클릭했을 경우에 먼저 세 개의 값을 미리 저장해 둡니다.

084_newMailer11.py

```python
        cnt = self.tblNews.rowCount()
        sel = self.tblNews.currentRow()
        id = int(self.leNewID.text())
```

tblNews에 몇개의 자료가 있는지는 cnt라는 변수에 저장을 해 둡니다. 자료가 없는 경우에는 삭제 버튼을 누를 수 없기 때문에 예외로 하면, 자료가 한개 있을 때와 두개 이상이 있을 경우로 나눌 수 있을 것 같습니다. 하나가 있다면 지우고 나면 데이터가 하나도 없는 상황이 되기 때문에 자료가 있는 경우와는 다른 처리가 필요합니다.

sel은 현재의 위치를 저장해 둡니다. 현재 선택된 위치에서 삭제를 했을 경우, 어느 것을 자동으로 선택이 되어야 할지를 결정합니다. 마지막은 idx값을 id라는 변수에 저장을 합니다. QLineEdit 중의 하나인 leNewID 에 idx를 저장해 두기 때문에 그 값을 저장해 둡니다.

084_newMailer11.py

```
            self.dbase.deleteKeyword(id)
            self.dbase.deleteEmailAll(id)
            self.loadNewsTable()
```

실제로 자료를 삭제하는 부분입니다. deleteKeyword() 함수에는 id를 넘겨서 keyword 테이블에서 idx와 같은 데이터를 삭제합니다. 키워드 뿐만 아니라 키워드에 대해 이메일을 보내도록 저장을 한 이메일 테이블에 서도 데이터를 삭제해 줍니다. deleteEmailAll() 함수에 id를 매개변수로 넘겨서 kidx와 id가 같은 자료를 삭제합니다. 여러 개의 자료가 삭제될 수 있습니다.

다음은 loadNewsTable()을 이용해 키워드 정보를 다시 화면에 불러옵니다. 이전보다 하나 적은 개수의 자료가 화면에 보여집니다.

```
        if cnt == 1: # 마지막 데이터 삭제. 더이상 데이터가 없음
            self.pbEdit.setEnabled(False)
            self.pbDelete.setEnabled(False)
        else:
            self.pbEdit.setEnabled(True)
            self.pbDelete.setEnabled(True)
            if sel == 0:
                self.tblNews.selectRow(0)
                self.newsTableClicked(0, 0)
            else:
                self.tblNews.selectRow(sel-1)
                self.newsTableClicked(sel-1, 0)
            # Email Address를 삭제 후, GUI를 변경하는 루틴이 들어가야 함
            # 새롭게 선택된 kidx에 따라서 email을 불러서 화면에 보여줘야 함
            self.tblNews.setFocus()
```

미리 저장해 둔 cnt 변수가 1인지 아닌지로 if문이 구성이 되어 있습니다. 이 cnt 변수는 데이터를 삭제하기 전에 확인을 한 값입니다. 즉 1이라는 것은 지워졌기 때문에 테이블에 보여줄 키워드 데이터가 없다는 얘기입니다. 그래서 True로 들어갔을 때, 삭제와 수정 버튼을 비활성화 시켜줍니다. 데이터가 없기 때문에 수정하거나 삭제할 데이터가 더 이상 없기 때문이죠. else문으로 들어가야 뭔가 더 해줄 일이 있습니다. 먼저 True 일 경우 비활성화 했던 수정과 삭제 버튼을 활성화 해 줍니다.

다음은 sel이 이냐 아니냐를 가지고 if문이 있습니다. sel은 삭제하기 전에 선택되어 있던 위치입니다. 위치가 맨 앞에 있었느냐 아니냐에 따라서 위치를 정해주는 selectRow()의 매개변수에 변경이 있습니다. 0일 경우는 맨 위의 데이터이므로 삭제를 하면 삭제한 후에도 첫번째 데이터를 가리키도록 합니다. 그렇지 않을 경우는 선택되어 있던 데이터보다 하나 앞에 값을 선택하도록 바꾸어줍니다. 그리고 각각 newsTabvleClicked() 를 이용해서 테이블 오른쪽에 정보를 표현해 주도록 해 줍니다.

마지막에는 tblNews에 setFocus()를 주어 마우스로 사용자가 선택한 것처럼 보여줍니다.
마지막 부분에 주석으로 된 설명과 같이 저 부분에 들어가야 할 것은 아래쪽 테이블에서 버튼의 활성화 여부나 선택된 위치 등이 표현이 되어야 합니다. 그런데 아래쪽은 아직 구현하지 않았으니 지금까지 Search Keyword 테이블 관련 함수들을 이용해서 Email Address도 같은 방식으로 구현을 해줘야 합니다. 테이블이 조금 다를 뿐 동일한 버튼 구성이므로 직접 구현해 보시기 바랍니다. 구현을 한 후에는 아래에 제가 구현한 내용과 비교를 해 보는 것이 좋겠습니다.

구현을 하면서 데이터베이스에서 삭제하고 추가하다보면 새롭게 데이터를 추가하고 테스트를 해야 할 경우가 많습니다.

이메일을 추가하기도 해야 하는데 074_newsMailerDB6.py를 실행시키면 데이터를 새롭게 추가할 수 있습니다. 하지만 데이터베이스 파일을 먼저 삭제하신 후에 실행해서 처음부터 데이터가 새롭게 들어갈 수 있도록 해 주시기 바랍니다. 왜냐하면 데이터베이스에서 데이터를 삭제하더라도 데이터는 남아 있기 때문에 idx가 지속 증가합니다. 그런데 074_newsMailerDB6.py 파일에서는 kidx를 1, 2, 3만 넣고 있기 때문에 Email Address 테이블에 정보가 보이지 않습니다. 반드시 데이터베이스 파일을 삭제하고 실행시키시기 바랍니다.

10. 데이터베이스에서 이메일 테이블 다루기

    이메일은 키워드와 동일한 방식으로 구현을 할 수 있습니다. 키워드에 해당하는 다섯개의 버튼에 대한 함수들에 대해서 하나씩 복사해서 이름을 바꾸고 위젯들이나 테이블의 이름을 바꿔가면서 어렵지 않게 구현을 할 수 있을 것 같습니다. 그리고 수정, 추가, 삭제에 대한 Dbase에 구현된 함수들도 적당한 함수로 바꿔서 구현을 해 보시기 바랍니다. 추가되거나 삭제된 사항은 다음과 같습니다.

085_newMailer12.py

```python
emailMode = NONE

def __init__(self):
        .
        .
    self.pbNewEmail.clicked.connect(self.pbNewEmailClicked)
    self.pbEditEmail.clicked.connect(self.pbEditEmailClicked)
    self.pbDeleteEmail.clicked.connect(self.pbDeleteEmailClicked)
    self.pbCancelEmail.clicked.connect(self.pbCancelEmailClicked)
    self.pbSaveEmail.clicked.connect(self.pbSaveEmailClicked)

def pbNewEmailClicked(self):
    self.emailMode = self.NEW

    self.leEmailID.clear()
    self.leName.clear()
    self.leEmail.clear()
    self.leMemo.clear()

    self.pbNewEmail.setEnabled(False)
    self.pbEditEmail.setEnabled(False)
    self.pbDeleteEmail.setEnabled(False)
    self.pbSaveEmail.setEnabled(True)
    self.pbCancelEmail.setEnabled(True)

    self.leName.setEnabled(True)
    self.leEmail.setEnabled(True)
    self.leMemo.setEnabled(True)

def pbEditEmailClicked(self):
    self.emailMode = self.EDIT

    self.pbNewEmail.setEnabled(False)
    self.pbEditEmail.setEnabled(False)
    self.pbDeleteEmail.setEnabled(False)
    self.pbSaveEmail.setEnabled(True)
    self.pbCancelEmail.setEnabled(True)

    self.leName.setEnabled(True)
    self.leEmail.setEnabled(True)
```

```python
            self.leMemo.setEnabled(True)


    def pbCancelEmailClicked(self):
        if self.emailMode == self.NEW:
            ret = self.showMsgBox("Email Address",
                                  "이메일추가 취소",
                                  "입력하던 이메일 추가를 취소하시겠습니까?",
                                  QMessageBox.Information,
                                  QMessageBox.Ok | QMessageBox.Cancel,
                                  QMessageBox.Ok)

            if ret == QMessageBox.Ok:
                self.EmailDetailWidget(False)
                self.pbNewEmail.setEnabled(True)
                if self.tblEmail.rowCount() > 0:
                    self.pbEditEmail.setEnabled(True)
                    self.pbDeleteEmail.setEnabled(True)
                    self.emailTableClicked(
                            self.tblNews.currentRow(), 0)
                    self.tblEmail.setFocus()
                else:
                    self.leEmailID.clear()
                    self.leName.clear()
                    self.leEmail.clear()
                    self.leMemo.clear()
                    self.pbEditEmail.setEnabled(False)
                    self.pbDeleteEmail.setEnabled(False)
                self.pbSaveEmail.setEnabled(False)
                self.pbCancelEmail.setEnabled(False)
                self.emailMode = self.NONE
            else:
                return


        elif self.emailMode == self.EDIT:
            self.EmailDetailWidget(False)
            self.pbNewEmail.setEnabled(True)
            self.pbEditEmail.setEnabled(True)
            self.pbDeleteEmail.setEnabled(True)
            self.emailTableClicked(self.tblNews.currentRow(), 0)
            self.tblEmail.setFocus()
            self.pbSaveEmail.setEnabled(False)
            self.pbCancelEmail.setEnabled(False)
            self.emailMode = self.NONE



    def pbSaveEmailClicked(self):
        if self.emailMode == self.NEW:
            name = self.leName.text()
            email = self.leEmail.text()
            if len(name) < 3 and len(email) < 5:
                self.showMsgBox("이메일",
                                "입력값의 길이",
                                "이름 또는 이메일 주소가 입력되지 않았거나 너무 " /
                                " 짧습니다. 다시 입력해주세요",
                                QMessageBox.Information,
                                QMessageBox.Ok,
                                QMessageBox.Ok)
                return


            self.dbase.insertEmail(int(self.leNewID.text()), name, email,
                    self.leMemo.text())
            self.EmailDetailWidget(False)
```

```python
                self.pbNewEmail.setEnabled(True)
                self.pbEditEmail.setEnabled(True)
                self.pbDeleteEmail.setEnabled(True)
                self.pbSaveEmail.setEnabled(False)
                self.pbCancelEmail.setEnabled(False)


                self.loadEmailTable(int(self.leNewID.text()))
                self.tblEmail.selectRow(self.tblEmail.rowCount()-1)
                self.emailTableClicked(self.tblEmail.rowCount()-1, 0)
                self.tblEmail.setFocus()
                self.emailMode = self.NONE


        elif self.emailMode == self.EDIT:
                name = self.leName.text()
                email = self.leEmail.text()
                if len(name) < 3 and len(email) < 5:
                        self.showMsgBox("이메일",
                                        "입력값의 길이",
                                        "이름 또는 이메일 주소가 입력되지 않았거나 너무 " \
                                        "짧습니다. 다시 입력해주세요",
                                        QMessageBox.Information,
                                        QMessageBox.Ok,
                                        QMessageBox.Ok)
                        return


                self.dbase.updateEmail(int(self.leEmailID.text()),
                        int(self.leNewID.text()), name, email, self.leMemo.text())
                self.EmailDetailWidget(False)


                self.pbNewEmail.setEnabled(True)
                self.pbEditEmail.setEnabled(True)
                self.pbDeleteEmail.setEnabled(True)
                self.pbSaveEmail.setEnabled(False)
                self.pbCancelEmail.setEnabled(False)


                self.loadEmailTable(int(self.leNewID.text()))
                self.tblEmail.selectRow(self.tblEmail.currentRow())
                self.tblEmail.setFocus()


                self.emailMode = self.NONE


def pbDeleteEmailClicked(self):
    ret = self.showMsgBox("Email Address Delete",
                        "이메일 삭제",
                        "현재의 이메일 주소를 삭제하시겠습니까?",
                        QMessageBox.Information,
                        QMessageBox.Ok | QMessageBox.Cancel,
                        QMessageBox.Ok)


    if ret == QMessageBox.Ok:
            cnt = self.tblEmail.rowCount()
            sel = self.tblEmail.currentRow()
            id = int(self.leEmailID.text())
            kidx = int(self.leNewID.text())
            self.dbase.deleteEmail(id)
            self.loadEmailTable(kidx)
            if cnt == 1: # 마지막 데이터 삭제. 더이상 데이터가 없음
                    self.pbEditEmail.setEnabled(False)
                    self.pbDeleteEmail.setEnabled(False)
            else:
                    self.pbEditEmail.setEnabled(True)
                    self.pbDeleteEmail.setEnabled(True)
```

```
                    if sel == 0:
                            self.tblEmail.selectRow(0)
                            self.emailTableClicked(0, 0)
                    else:
                            self.tblEmail.selectRow(sel-1)
                            self.emailTableClicked(sel-1, 0)
                    self.tblEmail.setFocus()
            self.pbNewEmail.setEnabled(True)
            self.pbDeleteEmail.setEnabled(False)
            self.pbSaveEmail.setEnabled(False)
        else:
            return
```

긴 코드 중에서 주요 사항만 설명을 드리겠습니다.

__init__() 함수에서는 버튼들을 connect() 함수를 이용해서 연결을 해 줍니다.

New 버튼에 대한 함수 pbNewEmailClicked(), Edit 버튼에 대한 함수 pbEditEmailClicked()는 별달리 설명할 부분은 없어 보입니다.

취소 버튼에 대한 pbCancelEmailClicked() 함수에서는 emailMode가 새롭게 등장을 하는 것 외에는 특이한 사항이 없네요.

저장 버튼인 pbSaveEmailClicked() 함수에서는 길이를 비교하는 것이 두 개로 늘어났습니다.

```
        name = self.leName.text()
        email = self.leEmail.text()
        if len(name) < 3 and len(email) < 5:
```

입력값 3개 중에서 메모는 입력하지 않아도 되므로 생략하고 이름과 이메일의 길이가 각각 3, 5보다 작을 경우에 한해서 에러 메시지를 보여주기 위함입니다.

```
        self.dbase.insertEmail(int(self.leNewID.text()), name, email,
            self.leMemo.text())
        self.dbase.updateEmail(int(self.leEmailID.text()),
            int(self.leNewID.text()), name, email, self.leMemo.text())
```

insertEmail() 함수와 updateEmail() 함수는 각각 email을 추가하거나 수정하는 함수입니다. 여기에는 kidx에 해당하는 부분 leNewID.text()를 int 형으로 변경한 것이 키워드를 저장하고 수정할 때와 다른 부분입니다.

```
        self.loadEmailTable(int(self.leNewID.text()))
```

email을 불러올 때는 기억하시겠지만 kidx가 같은 이메일 주소를 불러와야 하기 때문에 loadEmailTable() 함수에는 매개변수로 프로그램 상단에 있는 leNewID의 text()를 int형으로 변환해서 전달합니다.

11. 시간입력 및 저장

맨 하단에 시간을 입력하는 부분이 있습니다. 여기에 나타나는 시간은 00:00에서 23:59분까지를 입력할 수 있도록 하려고 합니다. 이 숫자 이외에 입력이 된다면 자동으로 07:30으로 변경하고자 합니다.

이 부분이 끝난 후에는 프로그램을 하나씩 테스트 해서 에러가 있는 부분을 하나씩 수정해 보겠습니다.

프로그램을 시작하면 먼저 stime(Start Time) 데이터베이스 테이블을 검색해서 시간이 입력이 되어있지 않다면 자동으로 07:30을 데이터베이스에 저장하고 화면에 그대로 출력을 하려고 합니다. 이후에 stime 옆의 저장 버튼을 누르면 데이터베이스 저장을 하도록 합니다.

086_newMailer13.py

```python
def __init__(self):
        .
        .
        self.leSTime.setAlignment(Qt.AlignCenter)
        self.leSTime.setInputMask("HH:HH")
        self.pbSaveTime.clicked.connect(self.pbSaveTimeClicked)
        .
        .
        self.checkSTimeAndSet()
```

setAlignment(Qt.AlignCenter)는 leStime의 가운데 정렬을 하기 위함입니다. QT Designer에서 Alignment를 찾아서 미리 지정해도 됩니다. 다음은 시간을 입력하는데 입력하는 포맷을 ':'을 기준으로 좌우에 시간을 입력할 수 있다. "HH:HH"는 "00:00"에서 "99:99"까지 입력을 할 수 있습니다. 99시간 99분까지 입력을 할 수 있는 것입니다.

다음은 저장버튼을 눌렀을 때 동작할 함수를 정의합니다.

마지막 줄에는 시간을 체크하고 설정하고자 함수를 하나 호출합니다. 이 함수에서는 시간이 저장되어 있지 않으면 기본 시간을 저장하고 그렇지 않으면 시간을 데이터베이스에서 불러와 화면에 보여주는 역할을 합니다.

086_newMailer13.py

```python
def checkSTimeAndSet(self):
        ret = self.dbase.getOneData('stime', 1)
        if ret:
                idx, time = ret[0]
                self.leSTime.setText(time)
        else:
                self.dbase.insertStime("07:30")
                self.leSTime.setText("07:30")
```

데이터베이스에서 시간을 불러옵니다. 테이블 이름은 'stime'입니다. 이 테이블에는 항상 하나의 데이터 밖에 없습니다. 그래서 항상 뒤에 idx는 1을 주면 된다. 왜냐하면 데이터가 없을 경우만 데이터를 하나 추가하고 그 이후에는 삭제되는 것도 없고 수정 밖에 없기 때문입니다.

데이터베이스에서 데이터를 읽어와서 데이터가 있으면 정보를 leSTime QLineEdit에 써 줍니다. 데이터가 없을 경우에는 데이터베이스에 Default 시간으로 마음속에 정한 07:30을 저장해주고, leSTime에도 역시 같은 시간을 출력합니다.

```python
def pbSaveTimeClicked(self):
    txt = self.leSTime.text()
    str_hh, str_mm = txt.split(':')
    hh = int(str_hh)
    mm = int(str_mm)
    if hh >= 0 and hh <= 23 and mm >= 0 and mm <= 59:
        txt = f"{hh}:{mm}"
        self.showMsgBox("이메일 발송 시간",
                        "입력시간 저장",
                        f"입력시간 시간을 {txt}로 변경합니다",
                        QMessageBox.Information,
                        QMessageBox.Ok,
                        QMessageBox.Ok)
        self.dbase.updateStime(txt)
    else:
        txt = "07:30"
        self.showMsgBox("이메일 발송 시간",
                        "입력시간 오류",
                        f"입력시간 오류로 시간을 {txt}로 변경합니다",
                        QMessageBox.Information,
                        QMessageBox.Ok,
                        QMessageBox.Ok)
        self.leSTime.setText(txt)
        self.dbase.updateStime(txt)
```

시간을 저장하는 버튼을 눌렀을 때의 동작입니다.

txt.split(':')는 문자열을 나눠주는 함수입니다. 문자열을 매개변수로 넘겨준 ':' 을 기준으로 나눠줍니다. 우리는 inputmask로 "HH:HH"를 줬기 때문에 ':'를 기준으로 좌우 최소 숫자 하나에서 최대 숫자 두 개까지가 올 수 있습니다.

그래서 그 다음줄에서 int() 함수를 써서 정수형으로 각각의 숫자를 변환해 줍니다.

시간은 0보다 크거나 같고 23보다 작거나 같아야 0에서 23시까지가 됩니다. 그리고 mm은 0에서 59까지 입력이 되면 되므로 0보다 크거나 같고 59보다 작거나 같아야 한다는 긴 if문의 조건문이 있습니다. 이 조건을 모두 만족하면 우리가 원하는 포맷의 시간이죠. 입력 시간을 메시지 박스에 보여주고 데이터베이스에 updateStime() 함수를 이용해서 변경된 시간으로 업데이트를 해 줍니다.

만약에 긴 if문의 조건에 맞지 않는다면 00:00 ~ 23:59 사이의 값이 아니라 더 큰 값이 입력되었다는 것을 의미합니다. 시간이 우리가 원하는 포맷이 아니므로 시간을 07:30으로 leSTime을 업데이트하고 데이터베이스에도 변경된 07:30으로 변경을 하고 마칩니다.

12. 테스트 및 버그 수정

이제는 우리가 만든 프로그램이 오류가 없는지 테스트를 해 보고자 합니다. 오류가 발생하면 수정하는 작업을 진행해야겠죠? 첫번째로 오류가 있을 것으로 예상되는 것은 데이터가 하나도 없을 경우입니다. 이전에 만들어 놓은 데이터가 있어서 문제가 없을 수 있습니다. 그래서 데이터베이스를 지운 상태에서 프로그램을 시작해 보는 것으로 테스트를 시작하려고 합니다.

오류가 있는지 없는지를 체크하는 것을 테스트라고 한다면 오류를 수정하는 작업은 디버깅이라고 합니다. 오류를 벌레를 뜻하는 버그(bug)라고 하고요. 이 벌레를 잡는 일을 디버그(debug)라고 한답니다.

데이터베이스를 지우고 프로그램을 시작하자마자 빨간색 에러메시지가 뜨고 프로그램이 시작되지 않는 문제가 발생합니다.

```
Run:    087_newMailer14 ×
C:\PythonProject\MyRPA\venv\Scripts\python.exe C:\PythonProject\MyRPA\087_newMailer14.py
Traceback (most recent call last):
  File "C:\PythonProject\MyRPA\087_newMailer14.py", line 554, in <module>
    mainWindow = MainWindow()
                 ^^^^^^^^^^^^
  File "C:\PythonProject\MyRPA\087_newMailer14.py", line 48, in __init__
    self.newsTableClicked(0,0)
  File "C:\PythonProject\MyRPA\087_newMailer14.py", line 157, in newsTableClicked
    key = int(self.tblNews.item(row, 0).text())
              ^^^^^^^^^^^^^^^^^^^^^^^^^^
AttributeError: 'NoneType' object has no attribute 'text'
database creation
keyword 테이블이 있어요
email 테이블이 있어요
stime 테이블이 있어요
connection closed

Process finished with exit code 1

  Git    ▶ Run    Python Packages    TODO    Python Console    Problems    Terminal    Services
```

오류는 항상맨 아래부터 봅니다. 'NoneType'에러입니다. 그 위로 올라가보면 157번째 줄에서 에러가 났다고 합니다.

```
def newsTableClicked(self, row, col):
    key = int(self.tblNews.item(row, 0).text())
```

데이터가 하나도 없는데 tblNews, 그러니까 Search Keyword 테이블에서 첫번째 데이터를 가지고 오려니 에러가 난 것입니다. 이와 유사하게 tblEmail에서 try ~ except ~ 문으로 해결한 기억이 있습니다. tblEmail은 emailTableClicked() 함수일 것이니 찾아보죠.

```
def emailTableClicked(self, row, col):
    try:
            key = int(self.tblEmail.item(row, 0).text())
    except:
            key = 0
```

이미 한번 봤던 에러가 맞습니다. 이와 똑같이 newsTableClicked()도 수정해 주면 될 것 같습니다. 이 함수는 뭔가를 클릭했을 때 호출되어야 하는 함수 같습니다. 그런데 우리는 프로그램을 실행만 했지 클릭을 하지 않았습니다.

기억을 더듬어 보면 우리 프로그램은 좌측에는 테이블이 있고 테이블에서 하나를 선택하면 그 내용이 우측에 있는 QLineEdit 또는 체크 박스와 같은 위젯에 정보를 써 줬습니다. 그러니까 이 함수는 테이블에 정보를 불러오고, 불러온 정보가 있다면 그 정보를 우측에 표현하기 위해서 호출을 해 준 것으로 보입니다.

다시 에러메시지로 가서 157번째 줄 말고 하나 더 윗쪽을 보면 48번째 라인에서 newsTableClicked() 함수를 호출했다고 합니다. 에러메시지에서 그 링크를 눌러보면 해당 줄로 이동을 하게되어 있으니 따라가 봅니다.

```
self.newsTableClicked(0,0)
```

__init__() 함수에서 newsTableClicked(0, 0)을 호출하고 있습니다. 그러니까 데이터를 모두 테이블에 써준 후에 맨 앞에 줄을 클릭한 것과 같은 효과를 줘서 데이터를 우측에 표현하기 위함이었네요. 그런데 데이터가 없으니 에러가 발생한 것입니다. 이전에 수정했던 것처럼 수정을 해 봅니다.

087_newMailer14.py

```
def newsTableClicked(self, row, col):
    try:
            key = int(self.tblNews.item(row, 0).text())
    except:
            key = 0
            # print(self.tblNews.item(row, 0).text())
```

이렇게 수정이 되었다면 다시 프로그램을 실행해 봅니다.
정보가 하나도 없는 빈 화면이 출력됩니다. 다만 시간은 자동으로 입력하는 루틴에서 넣어준 대로 07:30이 잘 나타납니다. 하나 눈에 거슬리는 부분이 보이시나요?

그렇습니다. Email Address에 New 버튼이 활성화가 되어 있습니다. Email Address는 Search Keyword에 종속적이기 때문에 최소한 하나의 Search Keyword가 화면에 표시되고 해당 키워드의 ID가 우측 상단에 나타날 때만 Email Address의 New 버튼이 활성화 되는게 맞겠다 싶습니다.

Search Keyword 테이블에 정보가 있는지를 확인해서 정보가 없을 경우 Email Address의 New 버튼을 비활성화 시킬 수 있습니다. 다른 방법은 Search Keyword의 ID가 보여지는 QLineEdit에 정보가 없다면 비활성화 시킬 수 있습니다. 또 다른 세번째 방식은 Search Keyword의 정보가 저장되는 데이터베이스 테이블 keyword에 데이터의 개수를 확인하는 방법이 있습니다.

여러가지 방법 중에서 가장 좋은 방식은 무엇일까 고민이 됩니다. 앞의 두 가지는 이미 살펴본 내용 중에서 참고를 해서 구현을 하는데는 무리가 없을 듯 합니다. 다만 세번째 데이터베이스를 이용하는 부분은 설명이 필요할 듯 합니다. 먼저 DB Browser를 엽니다.

우리가 사용하고 있는 데이터베이스 newsMailer.db 열고 앞의 그림과 같이 SQL 실행으로 갑니다. 그리고 다음과 같은 SQL문을 입력하고 상단의 Play 아이콘을 클릭해서 실행을 해 봅니다.

SELECT COUNT(*) FROM keyword

SQL문을 실행해 볼 수 있습니다. 여기서는 SQL에서 사용할 수 있는 COUNT() 함수를 활용해서 keyword 테이블 내에 몇 개의 데이터가 있는지를 확인하고 있습니다. SQL에서도 다양한 함수들을 지원하고 있습니다. 가장 많이 쓰이는 함수 중의 하나인 COUNT를 비롯해서 합계를 구하는 SUM, 평균을 구하는 AVG, 최대 및 최소 값을 구하는 MAX와 MIN, 문자열의 길이를 구하는 LENGTH, 문자열을 대문자 혹은 소문자로 바꿔주는 UPPER 및 LOWER, 문자열의 좌우 공백을 지워주는 TRIM 등 다양한 함수들이 있습니다. 인터넷에서 "SQLITE3 SQL 함수"로 검색을 하면 많은 정보를 얻을 수 있습니다.

Email Address의 버튼 중 New 버튼을 제어하기 위해서는 QTableWidget의 rowCount() 함수를 사용해 보도록 하겠습니다.

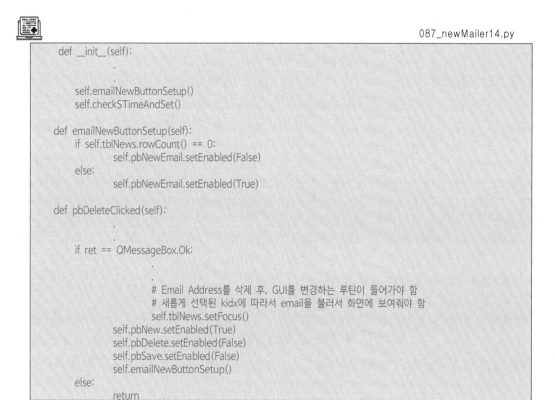

087_newMailer14.py

```python
    def __init__(self):
            .
            .
            .
        self.emailNewButtonSetup()
        self.checkSTimeAndSet()

    def emailNewButtonSetup(self):
        if self.tblNews.rowCount() == 0:
                self.pbNewEmail.setEnabled(False)
        else:
                self.pbNewEmail.setEnabled(True)


    def pbDeleteClicked(self):
            .
            .
            .
        if ret == QMessageBox.Ok:
                .
                .
                .
                # Email Address를 삭제 후, GUI를 변경하는 루틴이 들어가야 함
                # 새롭게 선택된 kidx에 따라서 email을 불러서 화면에 보여줘야 함
                self.tblNews.setFocus()
            self.pbNew.setEnabled(True)
            self.pbDelete.setEnabled(False)
            self.pbSave.setEnabled(False)
            self.emailNewButtonSetup()
        else:
            return
```

함수 emailNewButtonSetup()을 만들어서 tblNews의 rowCount()가 0이면 Email의 New 버튼을 비활성화하고 그렇지 않으면 활성화 하도록 함수를 만들었습니다. 호출은 __init__() 함수에서 먼저 했습니다. 그 다음으로 언제 tblNews의 rowCount()가 0이 될 수 있을까 생각을 해 보니 데이터를 삭제할 경우 이외에는 없었습니다. 따라서 데이터를 삭제하는 곳에서 호출이 필요하다고 판단이 되어 pbDeleteClicked() 함수에서 삭제가 완료된 맨 하단부에서 함수를 호출하도록 수정을 했습니다.

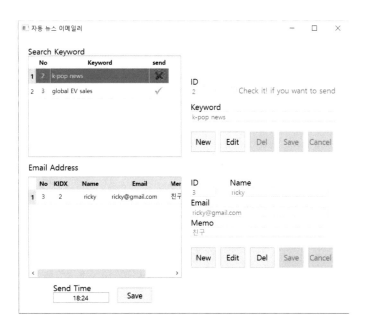

Search Keyword에서 데이터를 하나 삭제했을 경우 Del 버튼이 비활성화 되는 문제가 보입니다. 아무래도 코드를 짜면서 실수를 했던 것 같습니다.

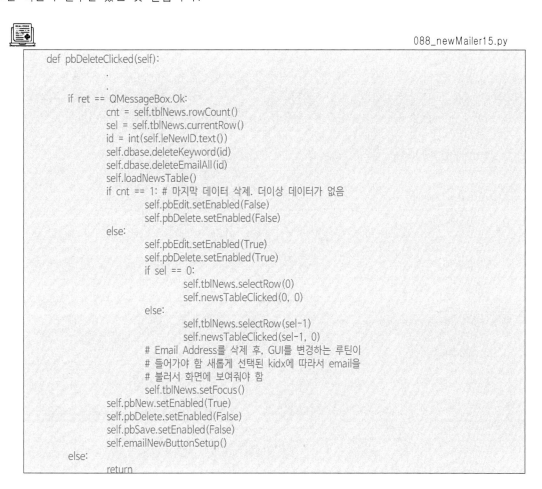

088_newMailer15.py

```python
def pbDeleteClicked(self):
    .
    .
    .
    if ret == QMessageBox.Ok:
        cnt = self.tblNews.rowCount()
        sel = self.tblNews.currentRow()
        id = int(self.leNewID.text())
        self.dbase.deleteKeyword(id)
        self.dbase.deleteEmailAll(id)
        self.loadNewsTable()
        if cnt == 1: # 마지막 데이터 삭제. 더이상 데이터가 없음
            self.pbEdit.setEnabled(False)
            self.pbDelete.setEnabled(False)
        else:
            self.pbEdit.setEnabled(True)
            self.pbDelete.setEnabled(True)
            if sel == 0:
                self.tblNews.selectRow(0)
                self.newsTableClicked(0, 0)
            else:
                self.tblNews.selectRow(sel-1)
                self.newsTableClicked(sel-1, 0)
            # Email Address를 삭제 후, GUI를 변경하는 루틴이
            # 들어가야 함 새롭게 선택된 kidx에 따라서 email을
            # 불러서 화면에 보여줘야 함
            self.tblNews.setFocus()
        self.pbNew.setEnabled(True)
        self.pbDelete.setEnabled(False)
        self.pbSave.setEnabled(False)
        self.emailNewButtonSetup()
    else:
        return
```

데이터를 삭제했을 경우에 발생한 문제이므로 pbDeleteClicked() 함수를 살펴봐야 합니다. 파일을 삭제하는 코드를 보면 pbDelete, 삭제 버튼을 찾아봐야겠습니다.

총 3개의 pbDelete 버튼이 보이는데 순서대로 pbDelete.setEnabled(False), pbDelete.setEnabled(True), pbDelete.setEnabled(False) 입니다. 문제점이 비활성화 되는 것이므로 문제의 소지가 있는 것은

setEnabled(False)가 있는 첫번째와 세번째 입니다. 하나씩 살펴봐야겠습니다.

```
if cnt == 1: # 마지막 데이터 삭제. 더이싱 데이디기 없음
        self.pbEdit.setEnabled(False)
        self.pbDelete.setEnabled(False)
else:
        self.pbEdit.setEnabled(True)
        self.pbDelete.setEnabled(True)
```

첫번째와 두번째는 cnt가 1인 경우와 1이 아닌 경우로 나뉘어져 있습니다. 1이라면 pbDelete 버튼을 비활성화 하고 1이 아니라면 활성화 시키고 있습니다. 1인 경우는 데이터가 하나 밖에 없는 상태에서 데이터를 지운 것으로 주석문에 써 있네요. 그러니까 데이터가 더이상 없는 경우가 cnt == 1이니 삭제할 데이터가 없어서 비활성화 한 것이고 삭제할 데이터가 있다면 활성화 시킨 것입니다. 문제가 없어 보입니다.

그럼 세번째를 보겠습니다.

```
self.pbNew.setEnabled(True)
self.pbDelete.setEnabled(False)
self.pbSave.setEnabled(False)
self.emailNewButtonSetup()
```

함수의 맨 마지막 부분에 있으며 New 버튼을 활성화하고 Delete와 Save 버튼을 비활성화하고 있습니다. 이 부분이 이상합니다.

아마도 Save와 짝이 되는 Cancel 버튼을 비활성화 해야하는데 실수로 Cancel 대신 Delete를 넣은 것 같습니다. 생각보다 어렵지 않게 오류가 찾아졌네요. 다행입니다.

다시 프로그램을 실행시켜 Search Keyword 데이터를 삭제해 봅니다. 잘 동작을 합니다. Del 버튼도 비활성화 되지 않고 남아 있습니다. 마지막 데이터를 지워도 Del 버튼은 잘 동작해서 비활성화 됩니다. 그런데 화면에 남아 있는 데이터들이 우리가 원하는 모습이 아닙니다.

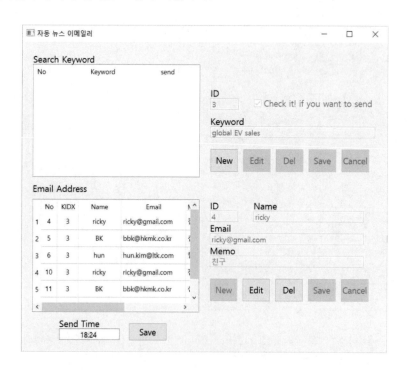

하나 남아 있는 Search Keyword를 삭제했을 때 나타나는 문제입니다. 앞의 그림에서 보이는 바와 같이 Search Keyword 테이블에 자료가 없을 때는 우측과 하단 Email Address에도 값이 있으면 안됩니다. 모두 데이

터가 삭제되어야 맞습니다. 앞에서 본 pbDeleteClicked() 함수를 또 살펴봐야 할 것 같습니다.

```
        if cnt == 1: # 마지막 데이터 삭제. 더이상 데이터가 없음
                self.pbEdit.setEnabled(False)
                self.pbDelete.setEnabled(False)
        else:
                self.pbEdit.setEnabled(True)
                self.pbDelete.setEnabled(True)
                if sel == 0:
                        self.tblNews.selectRow(0)
                        self.newsTableClicked(0, 0)
                else:
                        self.tblNews.selectRow(sel-1)
                        self.newsTableClicked(sel-1, 0)
                # Email Address를 삭제 후, GUI를 변경하는 루틴이
                # 들어가야 함 새롭게 선택된 kidx에 따라서 email을
                # 불러서 화면에 보여줘야 함
                self.tblNews.setFocus()
```

이 코드 중에서 아래의 주석처리가 된 부분에 해당하는 코드가 들어가야 할 것 같습니다. 그런데 데이터가 한개 있을 때 삭제가 문제이지 여러개 있을 때 삭제는 문제가 없었습니다. 그렇다면 상단의 if문에서 cnt == 1에서 처리를 해 줘도 무방할 것 같습니다.

데이터가 있을 때는 이메일 정보가 잘 나타납니다. 이유는 데이터를 삭제하고 우측에 정보를 쉽게 표현하기 위해서 newsTableClicked()를 호출하기 때문입니다.

```
        if sel == 0:
                self.tblNews.selectRow(0)
                self.newsTableClicked(0, 0)
        else:
                self.tblNews.selectRow(sel-1)
                self.newsTableClicked(sel-1, 0)
```

pbDeleteClicked() 함수의 일부인데요. 삭제를 할 위치가 첫번째, 즉 0이었으면 newsTableClicked(0, 0)을 호출해서 테이블의 맨 앞 줄 자료를 클릭한 것처럼 해주고, 첫번째가 아니면 삭제한 것 바로 앞의 데이터를 클릭한 것처럼 함수를 호출해 주는 것입니다.

그러면 newsTableClicked() 함수에서는 Search Keyword 테이블 우측에 정보를 표시해 줍니다. 그리고나서 loadEmailTable() 함수를 이용해서 Email Address 테이블에 정보를 출력해줍니다. 다음은 emailTableClicked()를 이용해 Email Address의 첫번째를 클릭한 것과 같이 해 줍니다.

```
    def newsTableClicked(self, row, col):



        self.loadEmailTable(key)
        if row:


                self.emailTableClicked(0, 0)
```

그러면 자동적으로 Email Address 테이블 우측의 정보도 표시가 될 것입니다. 그런데 cnt가 1로서 Search Keyword에 정보가 없을 때는 이런 과정이 생략됨으로 인해서 Email Address 테이블과 그 우측에 정보가 그대로 남아 있게 되는 것입니다.

```
        if cnt == 1: # 마지막 데이터 삭제. 더이상 데이터가 없음
                self.pbEdit.setEnabled(False)
                self.pbDelete.setEnabled(False)


                self.loadEmailTable(0)


        self.leSearch.clear()
                self.leNewID.clear()
                self.cbSend.setChecked(False)


                self.leEmailID.clear()
                self.leName.clear()
                self.leEmail.clear()
                self.leMemo.clear()
        else:
```

따라서 위와 같이 cnt가 1일 경우에 추가 작업이 필요합니다. 먼저 loadEmailTable( ) 함수에 매개변수로 0을 넣었습니다. 0의 의미는 kidx로 Search Keyword의 idx입니다. idx는 1부터 시작을 해서 점차 1씩 증가하는 값인데 0을 넣었다는 의미는 데이터가 없다는 의미입니다. 데이터가 없으니 Email Address 테이블에는 아무것도 나타나지 않게 됩니다. 그 이후는 Search Keyword 및 Email Address 우측에 나오는 위젯들인데 모두 Clear( ) 함수를 호출해서 내용을 지워주고 있습니다.

테스트를 할 때는 데이터베이스에 정보가 있어야 하므로 데이터베이스 파일을 삭제해주고, 소스 중에서 074_newsMailerDB6.py를 실행시켜 데이터베이스를 만들고 테스트용 데이터가 들어가도록 해 줍니다. 반드시 데이터베이스 파일을 먼저 삭제해 줘야 합니다. 테스트용 프로그램에서는 kidx가 1, 2, 3만 들어가는데 데이터베이스가 삭제되지 않았다면 keyword 테이블의 idx는 계속 증가하기 때문입니다.

이메일 데이터를 이젠 지워봅니다.
이메일이 여러개 있는데도 Del 버튼이 비활성화 됩니다. 소스코드를 Search Keyword 쪽에서 복사를 해서 구현을 하다보니 생긴 이슈로 보입니다. 역시나 위치를 찾아가니 Cancel이 들어가야 할 자리에 Delete가 들어가서 생긴 문제입니다. 이전과 동일하게 버튼 위젯의 이름을 바꿔서 해결해 줍니다.

이로서 자동으로 영어뉴스를 검색하고 한글로 요약해서 이메일을 보내기 위한 GUI 작업을 모두 끝을 냈습니다. 데이터베이스와 GUI를 어떻게 활용하는지를 많이 봤네요. 에러도 수정을 했습니다만, 세세하게 다뤄야 할 것들이 아직도 보입니다. 하지만 이정도에서 GUI와 데이터베이스에 대한 것은 마무리 짓고 다음으로 넘어가겠습니다.

눈에 밟힌다는 것 하나 말씀드려볼까요?
추가나 수정을 할 때, 입력을 마치고 Tab Key를 누르면 다음 입력 위젯으로 이동을 할 수 있게 설정을 해줘야겠다는 생각을 했습니다. TabIndex라는 용어로 사용을 했었는데 파이썬에서는 TabOrder로 사용을 합니다. 각 위젯에 TabOrder를 주어서 현재의 위젯에서 탭을 눌렀을 때, 원하는 다음의 위젯으로 포커스를 옮길 수 있는 기능입니다. 이 기능이 잘 되어 있다면 입력을 할 때 마우스를 사용할 필요 없이 Tab과 Shift + Tab을 이용하여 앞 뒤로 포커스를 이동해가면서 입력을 할 수 있는 유용한 기능이죠. 그런데 요즘은 잘 쓰지 않는 기능같습니다. 회사 내의 포털에서도 기능을 제공하지 않으니 말입니다.

13. 쓰레드(Thread)

쓰레드는 실 또는 맥락을 의미합니다. 우리가 만든 프로그램은 모두 순차적으로 실행이 됩니다. 하나의 실을 따라 해야 할 일들이 연결되어 있듯이 말이죠. 엑셀을 비교했던 프로그램을 생각해 봅니다. for문을 돌면서 혹은 다른 함수를 호출하건, 다른 패키지에 있는 기능을 사용하건 프로그램은 순차적으로 실행이 됩니다. 그런데 우리는 동시 다발적으로 일을 하고 싶을 경우가 많죠. 유튜브를 모니터 한쪽에 틀어 놓고 문서 작업을 하는 경우가 하나의 예가 아닐까요? 우리가 만든 프로그램 상에서도 이렇게 다중 작업을 해야 할 경우가 있습니다. 예를 들자면 파일을 다운로드 하면서 다른 작업을 하는 경우일 겁니다. 우리의 프로그램, 그러니까 하나의 쓰레드에서 또 하나의 쓰레드를 만들어 분기 시키고 현재의 쓰레드에서는 원래 하던 일을 하는 것입니다. 이와 같이 하나의 쓰레드에서 여러개의 쓰레드를 이용해서 프로그램이 돌아가는 것을 멀티쓰레드라고 합니다.

090_Thread.py

```python
import threading
import time


def doingJob(_id, _duration):
    while True:
        time.sleep(_duration)
        print(f"Doing Something {_id}")

# 쓰레드1 생성
thread1 = threading.Thread(target=doingJob, args=('RPA', 1))
thread1.start()
print("쓰레드 1 시작됨")

# 쓰레드2 생성
thread2 = threading.Thread(target=doingJob,
            args=('Process Automation',0.5))
thread2.start()
print("쓰레드 2 시작됨")

print("5초 Sleep 호출")
time.sleep(5)
print("메인 쓰레드 종료")
```

일반적인 함수 doingJob()이 있습니다. _duration 마다 매개 변수로 넘겨 받은 _id를 무한정 출력하는 프로그램입니다. doingJob() 함수를 doingJob('RPA', 1)과 같이 호출을 했다면 매 1초마다 "Doing Something RPA"를 무한정 출력하게 됩니다.

그리고나면 print("쓰레드 1 시작됨")으로 절대 도달하지 못하고 계속 1초마다 "Doing Something RPA"만 출력하게 됩니다.

함수를 직접 호출하지 않고 Thread()에서 target으로 함수명을 지정하고, args로 매개변수를 넘깁니다. 그리고 start() 함수를 통해서 쓰레드를 시작할 수 있습니다. 이렇게 동일한 함수를 Thread를 이용해서 하나는 1초마다 하나는 0.5초마다 반복을 하도록 하고 5초를 쉬었다가 프로그램이 맨 마지막에 도착해서 "메인 쓰레드 종료"를 출력하고 프로그램은 종료됩니다.

그런데 "메인 쓰레드 종료"를 출력하고도 우리가 실행시킨 0.5초 1초마다 출력되는 쓰레드는 종료되지 않고 끝까지 살아남아서 "Doing Something RPA"와 "Doing Something Process Automation"를 무한정 출력하고 프로그램이 종료되지 않습니다.

프로그램이 종료될 때, 쓰레드가 같이 종료되길 원하는 경우가 대부분일텐데 그 경우에는 다음과 같이 Daemon을 True로 넣어주면 됩니다.

```
thread1 = threading.Thread(target=doingJob, args=('RPA', 1), daemon=True)
```

쓰레드는 일반적으로 함수 안에 While문을 많이 사용하게 되는데 다음과 같이 쓰레드를 끝내기 위해서 조건문을 다음과 같이 이용할 수도 있습니다.

091_Thread2.py

```
import threading
import time


stopped = False
def doingJob(_id, _duration):
        while not stopped:
                time.sleep(_duration)
                print(f"Doing Something {_id}")

# 쓰레드1 생성
thread1 = threading.Thread(target=doingJob, args = ('RPA', 1))
thread1.start()
print("쓰레드 1 시작됨")

print("5초 Sleep 호출")
time.sleep(5)
stopped = True
print("메인 쓰레드 종료")
```

stopped라는 변수를 선언해 놓고, while문의 조건을 stopped를 사용합니다. 그리고 종료를 할 경우에는 stopped 변수를 바꿔서 doingJob() 함수의 while문을 빠져나가면서 쓰레드를 종료시킬 수 있습니다.

다시 한번 멀티 쓰레드를 이용한 프로그램의 예를 들어 봅니다. 용량이 큰 파일을 네트워크 드라이브로 복사를 하면서 다른 일을 하려고 할 때를 가정해 보겠습니다. 싱글 쓰레드에서 파일을 복사하는 명령을 내린 다음에는 파일의 복사가 끝날 때까지 다른 작업을 할 수 없습니다. 이럴 경우 파일 복사를 별도의 쓰레드로 빼서 작업을 하게 되면 사용자가 기다리는 일 없이 다른 기능을 수행할 수 있습니다.

우리 프로그램에서는 사용자가 Search Keyword나 Email Address를 언제나 필요할 때 수정을 해야 합니다. 그런데 While문을 돌면서 이메일을 보낼 시간이 되었는지 확인하는 프로그램을 만든다면 Search Keyword나 Email Address를 입력할 방법이 없어지는 것이죠. 그 반대도 마찬가지이구요. 그래서 우리는 쓰레드를 다음과 같이 만들어 시간을 체크할 것입니다. 우리가 입력한 시간은 분 단위이기 때문에 쓰레드는 1분마다 시간이 같은지 확인을 하고 그에 따라서 동작을 하게 될 것입니다.

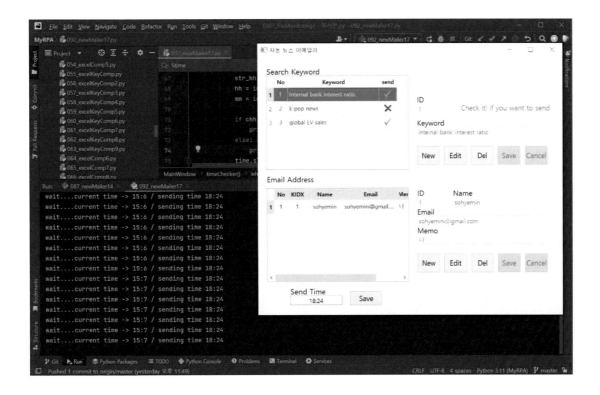

쓰레드를 이용하여 매 6초마다 현재의 시간과 입력된 프로그램상의 Send Time을 비교하도록 하였습니다. 60초마다 체크를 하는 것이 맞겠으나 테스트 용도로 6초마다 출력되도록 하여 테스트를 해 봤습니다.

092_newMailer17.py

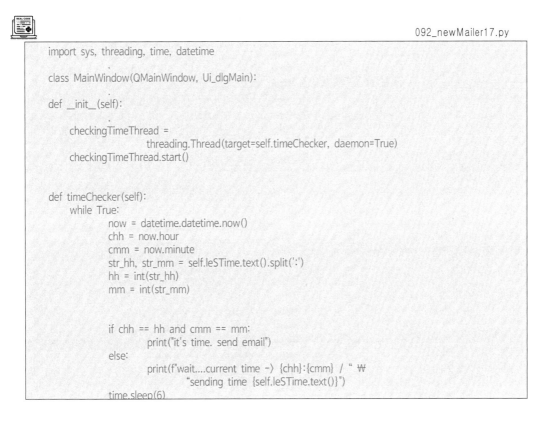

```python
import sys, threading, time, datetime

class MainWindow(QMainWindow, Ui_dlgMain):

    def __init__(self):

        checkingTimeThread = \
                    threading.Thread(target=self.timeChecker, daemon=True)
        checkingTimeThread.start()


    def timeChecker(self):
        while True:
            now = datetime.datetime.now()
            chh = now.hour
            cmm = now.minute
            str_hh, str_mm = self.leSTime.text().split(':')
            hh = int(str_hh)
            mm = int(str_mm)


            if chh == hh and cmm == mm:
                print("it's time. send email")
            else:
                print(f"wait....current time -> {chh}:{cmm} / "
                      "sending time {self.leSTime.text()}")
            time.sleep(6)
```

쓰레드를 사용하기 위한 threading, sleep() 함수를 사용하기 위한 time, 현재의 시간을 불러 사용하기 위한 datetime을 각각 import 합니다.

__init__() 함수에서는 Thread를 daemon 형식으로 실행을 합니다. 이렇게 해야만 프로그램이 종료될 때, Thread가 같이 종료가 됩니다.

쓰레드로 동작하는 timeChecker() 함수는 무한 반복 while문으로 구성이 되어 있습니다. while문 맨 아래를 보시면 sleep(6)로 이 while문은 6초마다 반복이 됩니다. 나중에는 6을 60으로 바꾸어 실행을 하게되면 1분마나 시간을 체크하게 됩니다. 우리기 지정한 이메일을 발송하는 시간이 분 단위이기 때문에 6초로 하게되면 같은 시간이 10번 반복이 되므로 또 다른 처리가 필요하지만 60초 단위면 별다른 작업없이 설정한 시간과 실제시간이 일치하는 때에만 실행을 해 주면 됩니다.

datetime.datetime.now()로 현재 시간을 가지고 와서 hour와 minute을 각각 받습니다. 그리고 실행 시간은 leSTime 위젯에서 읽습니다. 읽은 값을 ':'을 기준으로 split()하게 되면 각각 두 개의 숫자가 나오는데 숫자형이 아니고 문자형이므로 int() 함수를 써서 정수형으로 변환을 해 줍니다.

if문에서 시간끼리, 분끼리 비교를 해서 모두 같을 경우에는 이메일을 보내는 루틴으로 이동을 하면 되고, 그렇지 않으면 그냥 지나가는 구조입니다.

이젠 영문 구글 뉴스를 검색하고, ChatGPT에 던져서 한글로 요약을 한 후에, 이메일로 한글 요약본과 영어 기사제목 그리고 링크를 보내는 루틴을 만들어서 GUI와 결합을 시켜야겠습니다. 그 첫번째가 구글 뉴스 검색하는 부분입니다. 이전에 만들었던 구글 뉴스 검색하는 소스를 가지고와서 살펴보고 우리의 필요에 맞게 클래스화를 하겠습니다.

14. 구글 뉴스 크롤링

앞서 우리는 구글 뉴스를 크롤링하는 패키지를 사용해봤습니다.

017_GoogleNewsCrawling2.py를 찾아보시면 아주 간단한 코드로 뉴스를 찾아 볼 수 있음을 알 수 있습니다. 그런데 테스트를 위해서 실행을 해 보니 "None type" 에러만 발생하고 크롤링이 되지 않습니다. 어디가 문제일까요? 혹시 몰라 GoogleNews 패키지를 업데이트 했습니다. 이렇게 판단할 수 있었던 이유는 웹과 같은 서비스는 그 구성이 수시로 바뀌기 때문에 구성에 따라서 기존 구현한 내용이 동작을 하지 않을 수 있습니다. 따라서 이런 패키지들은 자주 업그레이드가 될 수 있을 것이라 유추할 수 있습니다. 그래서 혹시나 하는 마음에 다음과 같이 업데이트를 했더니 잘 동작을 합니다.

```
pip install --upgrade GoogleNews
```

테스트를 한 코드를 먼저 보도록 하겠습니다.

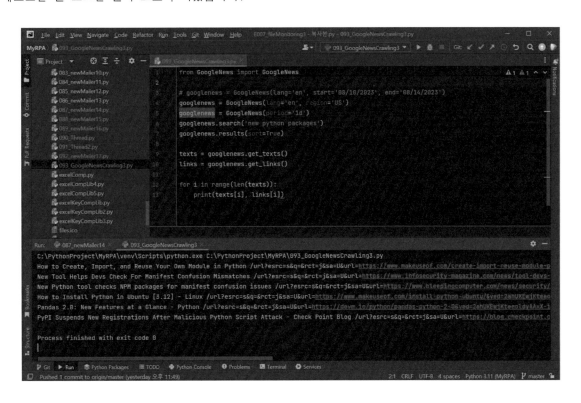

```
googlenews = GoogleNews(lang='en', region='US')
```

언어와 지역을 각각 영어와 미국으로 선정을 합니다.

```
googlenews = GoogleNews(period='1d')
```

뉴스의 기간은 하루로 설정을 합니다. 매일 특정 시간에 메일을 보내고 검색 당시부터 기간을 하루로 설정을 하면 매일 매일의 뉴스를 볼 수 있습니다.

```
googlenews.search('new python packages')
```

검색어를 넣고 있습니다. 이 부분은 데이터베이스에서 읽어서 검색어를 넘겨주면 되겠습니다. 넣어준 검색어에 따라서 웹 크롤링을 진행을 합니다.

```
googlenews.results(sort=True)
```

검색된 결과에 대해서 소팅을 할 수 있습니다.

```
texts = googlenews.get_texts()
links = googlenews.get_links()

for i in range(len(texts)):
    print(texts[i], links[i])
```

검색된 결과로부터 뉴스의 제목은 texts에 뉴스의 링크는 links에 나눠서 넣고, for 문을 이용해서 프린트를 합니다.

15. ChatGPT로 요약하기

ChatGPT는 007_chatGPT.py에서 이미 테스트를 했습니다. 이 테스트 코드를 활용해서 구글 영어 뉴스를 한글로 요약시켜봐야겠습니다. 만약에 ChatGPT의 사용방법이 바뀌었다면? 바로 ChatGPTR에 직접 물어보시기 바랍니다. ChatGPT가 잘 알려줄 것입니다.

```python
from GoogleNews import GoogleNews
import openai

# OpenAI API 키 설정
openai.api_key = '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'

# ChatGPT에 대화 요청 보내기
def send_message(message):
    response = openai.Completion.create(
                    engine='text-davinci-003', # 사용할 엔진 선택
                    prompt=message,
                    max_tokens=50 # 생성된 문장의 최대 길이 설정
            )
    return response.choices[0].text.strip()

googlenews = GoogleNews(lang='en', region='US')
googlenews = GoogleNews(period='1d')
googlenews.search('new python packages')
googlenews.results(sort=True)

texts = googlenews.get_texts()
links = googlenews.get_links()

title = []
summary = []
question = None
for i in range(len(texts)):
    print(texts[i], links[i])
    question = f"{texts[i]} 를 한글로 번역해주세요"
    response = send_message(question)
    print("제목: ", response)

    question = f"{links[i]} 를 한글로 요약해주세요"
    response = send_message(question)
    print("내용: ", response)
```

이미 앞에서 사용을 했던 코드라 문제없이 잘 동작할 것으로 예상을 했는데 안타깝게도 오류가 발생합니다. 이유는 오류 메시지에서 찾을 수 있었습니다. 결국 사용을 하기 위해서는 돈을 내야한다는 얘기입니다.

```
Run:    087_newMailer14      094_GoogleNewsCrawling4

C:\PythonProject\MyRPA\venv\Scripts\python.exe C:\PythonProject\MyRPA\094_GoogleNewsCrawling4.py
How to Create, Import, and Reuse Your Own Module in Python /url?esrc=s&q=&rct=j&sa=U&url=https://www.makeuseof.com/create-import-reuse-
Traceback (most recent call last):
  File "C:\PythonProject\MyRPA\094_GoogleNewsCrawling4.py", line 31, in <module>
    response = send_message(question)
               ^^^^^^^^^^^^^^^^^^^^^^^
  File "C:\PythonProject\MyRPA\094_GoogleNewsCrawling4.py", line 9, in send_message
    response = openai.Completion.create(
               ^^^^^^^^^^^^^^^^^^^^^^^^^^
  File "C:\PythonProject\MyRPA\venv\Lib\site-packages\openai\api_resources\completion.py", line 25, in create
    return super().create(*args, **kwargs)
           ^^^^^^^^^^^^^^^^^^^^^^^^^^^^^^^^^
  File "C:\PythonProject\MyRPA\venv\Lib\site-packages\openai\api_resources\abstract\engine_api_resource.py", line 153, in create
    response, _, api_key = requestor.request(
                           ^^^^^^^^^^^^^^^^^^^
  File "C:\PythonProject\MyRPA\venv\Lib\site-packages\openai\api_requestor.py", line 298, in request
    resp, got_stream = self._interpret_response(result, stream)
                       ^^^^^^^^^^^^^^^^^^^^^^^^^^^^^^^^^^^^^^^^^^
  File "C:\PythonProject\MyRPA\venv\Lib\site-packages\openai\api_requestor.py", line 700, in _interpret_response
    self._interpret_response_line(
  File "C:\PythonProject\MyRPA\venv\Lib\site-packages\openai\api_requestor.py", line 763, in _interpret_response_line
    raise self.handle_error_response(
openai.error.RateLimitError: You exceeded your current quota, please check your plan and billing details.

Process finished with exit code 1

  Git    ▶ Run    Python Packages    ☰ TODO    Python Console    Problems    Terminal    Services
```

많은 돈을 내는 것은 아니지만 무료가 아닙니다. 사람들을 등록하고 나서 사용을 하려면 얼만큼을 사용할
지 알 수가 없습니다.

다른 방법을 고민해 봐야겠습니다.

16. Google을 이용한 번역

구글을 통해서 번역을 하는 것도 하나의 방법일 것 같아 찾아보니 googletrans라는 패키지를 찾을 수 있었습니다. googletrans 패키지는 파이썬에서 사용되는 Google Translate API의 한 종류입니다. 이 API를 사용하여 텍스트를 다른 언어로 번역할 수 있습니다. 제목을 번역하고 내용도 번역하여 이메일을 보내주는 것도 하나의 방법이 될 수 있겠다 싶습니다. 그래서 한번 테스트 해 보기로 합니다.

```
pip install googletrans==4.0.0-rc1
```

googletrans 패키지를 사용하기 위해서 위와 같이 패키지를 설치합니다. 그런데 "googletrans" 패키지는 공식적으로 Google에서 제공하는 공식 API가 아닌, 개인이 개발한 비공식 패키지입니다. 이 패키지는 Google Translate 서비스를 크롤링하여 데이터를 가져와 번역하는 방식을 사용합니다. 따라서 Google의 정책이나 서비스 변경에 따라 작동하지 않을 수 있거나 미래에 작동하지 않을 가능성이 있습니다.

영어를 던지고 번역을 요청하니 번역 결과가 잘 나타납니다. 하지만 공식 지원이 아니라니 뭔가 아쉽습니다. 구글에서 공식적으로 지원하는 패키지는 없을까요?

다행히도 Google은 Google Cloud Translation API라는 공식적인 번역 서비스를 제공하고 있습니다. 이 API는 안정성과 신뢰성이 보장되며, 개발자들은 Google Cloud Platform 계정을 생성하고 API 토큰을 발급받아 사용할 수 있습니다. 공식 API를 사용하는 것이 더 안정적이고 지속 가능한 방법이겠죠.

따라서 Google Translate 기능을 파이썬에서 사용하려면 "googletrans" 패키지 대신 Google Cloud Translation API를 고려해 볼 수 있을 것 같습니다만 돈을 요구하네요. 90일 정도 무료로 사용할 수 있다고 하긴 합니다. 이 외에도 국내에서 파파고 서비스나 카카오톡 서비스 등이 있습니다만 우리와 같은 개발자가 만든 서비스를 이용해 보려고 합니다.

우리 개발자들은 막히면 새로운 방법을 찾게 되어 있기 때문입니다. 그래서 googletrans 기능을 이용해서 크롤링 한 내용을 번역해 보도록 하겠습니다.

096_googleTrans2.py

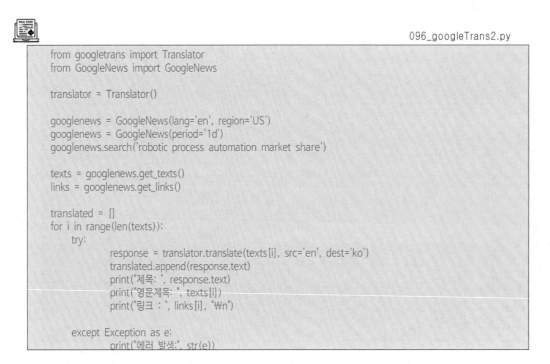

```python
from googletrans import Translator
from GoogleNews import GoogleNews

translator = Translator()

googlenews = GoogleNews(lang='en', region='US')
googlenews = GoogleNews(period='1d')
googlenews.search('robotic process automation market share')

texts = googlenews.get_texts()
links = googlenews.get_links()

translated = []
for i in range(len(texts)):
    try:
        response = translator.translate(texts[i], src='en', dest='ko')
        translated.append(response.text)
        print("제목: ", response.text)
        print("영문제목: ", texts[i])
        print("링크 : ", links[i], "\n")

    except Exception as e:
        print("에러 발생:", str(e))
```

Translator는 번역하고자 하는 text[i]와 원본 문자열이 영어임을 나타내는 'en' 그리고 번역을 한글로 하라는 'ko'를 매개변수로 넘겨서 번역결과를 받습니다. 그리고 번역결과 중에서 text만을 골라내면 됩니다. 생각보다 사용 방법이 간단합니다.

그런데 결과를 보니 link가 생각한 만큼 깔끔하게 나오지 않은 것 같습니다. 그래서 http:// 이하를 클릭해보니 없는 페이지라고 모두 나옵니다. 링크가 잘못되었습니다. 아무래도 구글에서 해당 뉴스 페이지를 변경한 듯 합니다.

googletrans 페이지를 pypi.org에서 찾아보고 인터넷 검색을 해 봐도 정확한 이유를 알 수 없어 링크를 나름 분석해 보고, 해당 기사를 직접 검색했습니다. 그래서 찾은 결과, 해당 링크에서의 문제점은 &ved라는 문자열 이하가 실제 링크에 붙어 있었습니다. 그래서 http://부터 &ved 앞까지 잘라내면 제대로 된 링크가 되었습니다.

소스코드에서 links 리스트를 잘 조작해서 필요없는 부분을 버리고 제대로 된 링크만 남기도록 코드를 만들어 보겠습니다. 파이썬에서 제공하는 기본 함수 중에서 find()를 사용하면 내가 원하는 문자열의 위치를 찾을 수 있으니 그 방법을 사용해보고자 합니다.

```python
from googletrans import Translator
from GoogleNews import GoogleNews

translator = Translator()

def getLink(link):
    spos = link.find("https://")
    epos = link.find("&ved=")
    return link[spos:epos]

googlenews = GoogleNews(lang='en', region='US')
googlenews = GoogleNews(period='1d')
googlenews.search('robotic process automation market share')

texts = googlenews.get_texts()
links = googlenews.get_links()
translated = []
for i in range(len(texts)):
    try:
        response = translator.translate(texts[i], src='en', dest='ko')
        translated.append(response.text)
        print("제목: ", response.text)
        print("영문제목: ", texts[i])
        print("링크 : ", getLink(links[i]), "₩n")
    except Exception as e:
        print("에러 발생:", str(e))
```

getLink()라는 함수를 만들었습니다. find() 함수는 문자열의 위치를 나타내는 숫자를 돌려줍니다. 그래서 spos는 "https://"가 시작되는 곳의 위치를, epos는 "&ved="가 있는 곳의 위치를 알려줍니다. 그래서 이 함수는 https:// 부터 &ved= 앞까지의 정확한 링크를 반환하게 되는 것입니다. 즉, 불필요한 내용이 들어간 links를 매개변수로 받아 정확한 링크만 반환하게 되는 구조입니다. 문자열의 일부를 발췌하는 부분은 다음을 보면 좀더 이해하기 쉽습니다.

```
a = "안녕하세요.소혜민입니다"
print(a[7:9])
print(a[0:2])
```

위와 같이 코드를 입력했다면 첫번째 출력에서는 "혜민"을 두 번째 print() 함수의 결과는 "안녕"이 출력이 됩니다.

이젠 제목, 영문제목과 링크가 준비되었습니다. 다음으로는 이 내용을 가지고 Email에 들어갈 내용을 만들어보도록 하겠습니다. 이메일에는 HTML 형식을 만들어 링크를 클릭할 수 있게 만드는 것이 좋겠습니다. 그냥 텍스트만을 보내면 메일을 받아보는 쪽에서 링크 텍스트를 복사해서 웹브라우저에 복사해 넣어야 하는 불편함이 있을 수 있을 것 같습니다.

17. Email 보내기

우리가 만든 프로그램을 이용해서 "Robotic process automation market share"로 영문 뉴스를 검색한 결과는 다음과 같습니다.

제목: 로봇 워크 플로 향상 솔루션 시장, 규모, 분석 개요, 성장에 대한 독점 연구 보고서
영문제목: Exclusive Research Report on Robotic Workflow Enhancement Solutions Market, Size, Analytical Overview, Growth
링크 : https://www.openpr.com/news/3159814/exclusive-research-report-on-robotic-workflow-enhancement

제목: 협업 로봇 (COBOT) 시장 규모는 2029 년까지 1 억 3,400 만 달러를 성장시켜 8.2%의 CAGR |보고서를 평가합니다
영문제목: Collaborative Robot (Cobot) Market Size To Grow USD 1357.4 Million by 2029 at a CAGR of 8.2% | Valuates Reports
링크 :
https://www.prnewswire.co.uk/news-releases/collaborative-robot-cobot-market-size-to-grow-usd-1357-4-million-by-2029-at-a-cagr-of-8-2--valuates-reports-301895848.html

제목: 8.7% Valuates 보고서의 CAGR에서 2031 년까지 558.8 억 달러 증가하는 공장 자동화 시장 규모
영문제목: Factory Automation Market Size to Grow USD 558.8 Billion by 2031 at a CAGR of 8.7% Valuates Reports
링크 :
https://www.prnewswire.co.uk/news-releases/factory-automation-market-size-to-grow-usd-558-8-billion-by-2031-at-a-cagr-of-8-7-valuates-reports-301895830.html

제목: Fintech 시장 규모, 주식, 수익, 예측 2023-2028-theyscene.ca
영문제목: Fintech Market Size, Share, Revenue, Forecast 2023-2028 - theyyscene.ca
링크 : https://www.theyyscene.ca/fintech-market-size-share-revenue-forecast-2023-2028/

제목: RPA (Robotic Process Automation) 시장은 2023 년에서 2032 년까지 활발한 확장을 목격 할 것으로 예상 |
영문제목: Robotic Process Automation (Rpa) Market projected to witness vigorous expansion by 2023 to 2032 |
링크 : https://www.openpr.com/news/3157303/robotic-process-automation-rpa-market-projected-to-witness

제목: 로봇 공정 자동화 시스템 시장 2023 산업 점유율, 성장, 수요, 규모, 수익, 비용 구조
영문제목: Robotic Process Automation System Market 2023 Industry Share, Growth, Demand, Size, Revenue, Cost Structure an
링크 :
https://www.openpr.com/news/3156372/robotic-process-automation-system-market-2023-industry-share

이 내용을 이용해서 이메일을 보내는 루틴을 추가하도록 하겠습니다. 먼저 이전에 우리가 살펴봤던 이메일을 보내는 코드를 살펴보겠습니다. 015_sendEmail.py에서 살펴본 내용을 살짝 수정한 코드입니다.

```
import smtplib
from email.mime.text import MIMEText
from email.mime.multipart import MIMEMultipart


# Set up the connection to the SMTP server
smtp_server = 'smtp.naver.com'
smtp_port = 587
smtp_username = 'rpa@naver.com'
smtp_password = 'abcdefg'
smtp_connection = smtplib.SMTP(smtp_server, smtp_port)
smtp_connection.ehlo()
smtp_connection.starttls()
smtp_connection.login(smtp_username, smtp_password)


# Define the email message
from_email = 'rpa@naver.com'
to_email = 'rpa_sohyemin@gmail.com'
subject = 'Daily News'


html_title = """
<html>
<body>
<h4>안녕하세요. RPA Email New 입니다. !</h4>
<h4>xxx 에 대한 뉴스를 다음과 같이 보내드리오니 참고하세요.</h4>
<br>
"""


html_body = """
<h4> 1. RPA 에 대한 뉴스입니다. </h4>
<a href=https://daum.net> It's news title</a>
<br>
"""


html_tail = """
<br><br>
<h4>즐거운 하루되시길 바랍니다.</h4>
<h4>감사합니다.</h4>
<h4>소혜민 드림.</h4>
</body>
</html>
"""


html_body = html_title + html_body + html_body + html_tail


message = MIMEMultipart()
message['From'] = from_email
message['To'] = to_email
message['Subject'] = subject
message.attach(MIMEText(html_body, 'html'))


smtp_connection.sendmail(from_email, to_email, message.as_string())
smtp_connection.quit()
```

기존에 이메일을 테스트 했던 코드에서 이메일의 본문 내용만 바뀌었습니다. 하나로 되어 있던 HTML을 세 부분으로 나누었습니다. 나중에 뉴스의 개수에 따라서 중간 부분만을 합해서 전체 뉴스를 만들기 위함입니다.

이제 이메일을 보내는 모듈을 웹크롤링된 번역된 영문 뉴스 모듈과 합쳐서 테스트를 해 보도록 하겠습니다.

18. 이메일에 뉴스를 담아 송부하기

뉴스를 크롤링하고, 크롤링 한 내용 중 제목을 한글로 번역을 하여 이메일로 송부하는 클래스를 만들어보도록 하겠습니다. 이렇게 클래스가 만들어지면 우리가 만들었던 GUI와 합쳐져서 프로그램을 최종 완성할 수 있겠습니다.

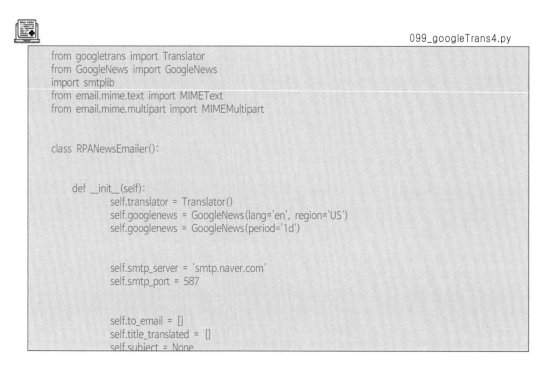

099_googleTrans4.py

```python
if __name__ == "__main__":
    rpa = RPANewsEmailer()
    rpa.emailServerLogin('abc@naver.com', 'def9090')
    receiver = ['ricky@gmail.com', 'hyemini@gmail.com']
    rpa.emailReceiver(receiver)
    rpa.setEmailSubject('Daily Email News')
    rpa.newsCrawling('Electric Vehicle safety')
    rpa.sendEmail()
```

RPANewsEmailer() 클래스는 위와 같이 사용을 하게 됩니다. 먼저 클래스 변수 rpa를 선언해 줬습니다.

emailServerLogin() 함수를 이용해서는 이메일 id와 비밀번호를 각각 넣어줍니다. 네이버 이메일을 기준으로 테스트를 완료한 코드입니다. 네이버 서버들의 정보가 들어 있기 때문에 다른 메일 서버를 사용하려면 다음에 나오는 코드들의 정보를 변경해 줘야 합니다.

emailReceiver() 함수에는 이메일을 받을 사람을 리스트 형태로 만들어 매개변수로 넘겨줍니다. 이메일을 보낼 때, 이메일 제목은 setEmailSubject() 함수를 이용해 정해주고, 뉴스를 검색할 검색어는 newsCrawling() 함수에 매개변수로 넘깁니다. 그리고 마지막으로 sendEmail() 함수를 호출하면 이메일 발송이 완료 됩니다.

그러면 위에서 호출한 코드들이 실제로 어떻게 구현이 되어 있는지를 확인해보겠습니다.

099_googleTrans4.py

```python
from googletrans import Translator
from GoogleNews import GoogleNews
import smtplib
from email.mime.text import MIMEText
from email.mime.multipart import MIMEMultipart


class RPANewsEmailer():

    def __init__(self):
        self.translator = Translator()
        self.googlenews = GoogleNews(lang='en', region='US')
        self.googlenews = GoogleNews(period='1d')


        self.smtp_server = 'smtp.naver.com'
        self.smtp_port = 587


        self.to_email = []
        self.title_translated = []
        self.subject = None
```

```python
        self.html = None

    def emailServerLogin(self, username, password):
        self.smtp_username = username
        self.smtp_password = password
        self.smtp_connection = smtplib.SMTP(self.smtp_server,
                        self.smtp_port)
        self.smtp_connection.ehlo()
        self.smtp_connection.starttls()
        self.smtp_connection.login(self.smtp_username,
                        self.smtp_password)


    def emailReceiver(self, receivers):
        self.to_email = receivers


    def setEmailSubject(self, sub):
        self.subject = sub


    def setEmailHeader(self, search):
        self.html = None
        html_title = f"""
        〈html〉
        〈body〉
        〈h4〉안녕하세요. RPA Email New 입니다. !〈/h4〉
        〈h4〉{search} 에 대한 뉴스를 다음과 같이 보내드리오니 참고하세요.〈/h4〉
        〈br〉
        """
        self.html = html_title


    def addEmailBody(self, i, trans, addr, eng_title):
        html_body = f"""
        〈h4〉{i}. {trans}. 〈/h4〉
        〈a href={addr}〉{eng_title}〈/a〉
        〈br〉
        """
        self.html += html_body


    def setEmailTail(self, sender):
        html_tail = f"""
        〈br〉
        〈h4〉즐거운 하루되시길 바랍니다.〈/h4〉
        〈h4〉감사합니다.〈/h4〉
        〈h4〉{sender} 드림.〈/h4〉
        〈/body〉
        〈/html〉
        """
        self.html += html_tail


    def sendEmail(self):
        message = MIMEMultipart()
        message['From'] = self.smtp_username
        message['To'] = ', '.join(self.to_email)
        message['Subject'] = self.subject
        message.attach(MIMEText(self.html, 'html'))


        self.smtp_connection.sendmail(self.smtp_username,
                        self.to_email, message.as_string())


    def smtpConnectionQuit(self):
        self.smtp_connection.quit()
```

```
def getLink(self, link):
    spos = link.find("https://")
    epos = link.find("&ved=")
    return link[spos:epos]


def newsCrawling(self, keyword):
    self.googlenews.search(keyword)
    self.title_texts = self.googlenews.get_texts()
    self.links = self.googlenews.get_links()
    self.title_translated.clear()


    self.setEmailHeader(keyword)
    for i in range(len(self.title_texts)):
        try:
            response = self.translator.translate(
                    self.title_texts[i],
                    src='en', dest='ko')
            self.title_translated.append(response.text)
            print("제목: ", self.title_translated[i])
            print("영문제목: ", self.title_texts[i])
            print("링크 : ", self.getLink(self.links[i]), "\n")
            self.addEmailBody(i+1,
                    self.title_translated[i],
                    self.getLink(self.links[i]),
                    self.title_texts[i])
        except Exception as e:
            print("에러 발생:", str(e))
    self.setEmailTail('소혜민')
```

RPANewsEmailer() 라는 클래스를 만들었습니다. 이 클래스를 이용해서 구글 영문 뉴스 웹 크롤링, 구글 번역을 통해서 영문 뉴스 제목 번역을 하고 마지막으로 이메일을 보내는 일까지 하게 됩니다.

```
class RPANewsEmailer():


    def __init__(self):
        self.translator = Translator()
        self.googlenews = GoogleNews(lang='en', region='US')
        self.googlenews = GoogleNews(period='1d')


        self.smtp_server = 'smtp.naver.com'
        self.smtp_port = 587


        self.to_email = []
        self.title_translated = []
        self.subject = None
        self.html = None
```

자동으로 호출이되는 __init__() 함수입니다. 초기화 함수라고도 많이 불립니다. 그래서 이름이 init이기도 합니다. 이름과 같이 여기서는 모두 초기화를 진행합니다. 맨 첫줄에서는 구글 번역서비스를 사용하기 위한 Translator()를 초기화 합니다.

다음의 두줄은 구글뉴스에 대한 초기화 입니다. 언어는 영어로 설정하기 위해서 lang 매개변수에 'en'을 주었고 지역은 region 매개변수에 'US'를 각각 주었습니다. 다음은 기간을 설정하는 것으로 period 매개변수에 '1d'를 주어 하루로 설정을 했습니다.

다음의 두 줄은 이메일을 보내기 위한 정보입니다. smtp 서버의 주소와 포트를 각각 할당을 했습니다. 이러한 정보는 해당 사이트의 안내를 따라야 합니다. 파이썬으로 구현을 하기 위해서는 이러한 정보를 직접 찾아보거나 예제 코드를 찾아보는 것이 좋습니다.

다음의 네줄은 우리 프로그램에서 사용하게 될 변수들을 선언하고 초기화하는 부분입니다. to_email은 이메일을 수신하는 사람들의 이메일 주소를 리스트로 저장하기 위한 변수이고, title_translated는 영문 뉴스를 한글로 번역을 한 결과를 저장하기 위한 리스트입니다. 다음의 subject는 이메일의 제목입니다. 마지막 html 변수는 이메일의 본문에 해당하는 내용을 담게 될 변수입니다. 링크를 영문 제목에 달기 위해서 html 형식으로 이메일을 보내려고 합니다.

```python
def emailServerLogin(self, username, password):
    self.smtp_username = username
    self.smtp_password = password
    self.smtp_connection = smtplib.SMTP(self.smtp_server,
                                        self.smtp_port)
    self.smtp_connection.ehlo()
    self.smtp_connection.starttls()
    self.smtp_connection.login(self.smtp_username,
                               self.smtp_password)
```

이메일 서버에 로그인하는 함수입니다. 매개변수로 이메일 서버에서 사용하는 username과 그에 대응하는 비밀번호를 매개변수로 넘겨줍니다. 네이버 이메일을 사용하기 때문에 앞에는 네이버 이메일 주소와 네이버 비밀번호가 들어갑니다. 이메일 서버에 접속하는 방식에 대해서는 이렇게 구성이 되어 있구나 정도로만 확인하시면 됩니다. 이 함수의 맨 아래에서 로그인을 하는 login() 함수를 호출합니다.

```python
def emailReceiver(self, receivers):
    self.to_email = receivers

def setEmailSubject(self, sub):
    self.subject = sub
```

이메일을 수신하는 emailReciver() 함수와 이메일의 제목을 설정하는 setEmailSubject() 함수입니다. 이메일 수신함수의 매개변수는 리스트 형태로 전달이 됩니다. 왜냐하면 메일을 수신하는 사람이 여러사람일 것이기 때문입니다. 이메일 제목에 해당하는 함수는 문자열 형태로 매개변수를 전달하면 됩니다.

```python
def setEmailHeader(self, search):
        .
        .
def addEmailBody(self, i, trans, addr, eng_title):
    html_body = f"""
    <h4>{i}. {trans}. </h4>
    <a href={addr}>{eng_title}</a>
    <br>
    """
    self.html += html_body

def setEmailTail(self, sender):
```

이메일의 내용을 구성하게 될 함수들입니다. setEmailHeader()에는 인사말과 어떤 검색어를 이용해서 검색을 했다는 정보를 보여주고 addEmailBody는 검색된 뉴스의 개수 만큼 호출을 합니다. 뉴스가 다섯개 나왔다면 다섯번, 여섯개 나왔다면 여섯번과 같은 방식입니다. 그래서 함수 맨 아랫줄에 보면 실제로 보내게 될 html이라는 변수에 html_body를 계속 더해 주고 있습니다. 처음 나오는 문자열을 표현하는 방식이 있습니다. 바로 여러 줄을 하나의 변수에 넣고자 할 때 큰 따옴표 대신에 """"를 사용하는 방식입니다.

마지막은 setEmailTail() 함수입니다. 보낸 사람의 이름만 전달 받도록 되어 있으며 누구누구 드림과 같이 사용하기 위함입니다. setEmailHeader()와 setEmailTail()은 각각 한번씩 호출하면 되고, addEmailBody()는 뉴스의 개수만큼 호출 됩니다.

```
def sendEmail(self):
    message = MIMEMultipart()
    message['From'] = self.smtp_username
    message['To'] = ', '.join(self.to_email)
    message['Subject'] = self.subject
    message.attach(MIMEText(self.html, 'html'))

    self.smtp_connection.sendmail(self.smtp_username,
                        self.to_email, message.as_string())

def smtpConnectionQuit(self):
    self.smtp_connection.quit()
```

실제로 이메일을 보내는 함수와 이메일 서버와 연결을 끊는 함수입니다. 이메일을 보내는 sedEmail() 함수는 각 구성요소에 대해서 입력을 한 후에 이메일을 보내게 되어 있습니다. 이 중에서 메일을 받는 사람을 입력받는 message['To'] 부분을 살펴보도록 하겠습니다. self.to_email 변수에는 이메일을 받을 사람들이 리스트 형태로 들어 있습니다. 그런데 이메일을 보낼 때, 받는 사람들이 여러사람이라면 받는 사람에는 각 이메일 주소 사이에 ','를 입력하도록 되어 있습니다.

join()이라는 함수는 그 앞에 붙어 있는 구분자를 이용해서 각 리스트의 요소를 하나로 펼치면서 사이사이에 구분자를 넣어주는 함수입니다. 예를 들자면 다음과 같습니다.

```
lst = ['a', 'b', 'c']
print('_'.join(lst))
```

lst의 구성요소는 각각 'a', 'b', 'c'이고 구분자는 '_'입니다. 따라서 이 코드의 출력은 a_b_c가 됩니다.

그리고 메일의 본문은 'html' 형식으로 된 변수 self.html을 넘겨주고 마지막에 send() 함수를 통해서 실제로 이메일을 발송합니다.

getLink() 함수는 앞에서 살펴본 바와 달라진 사항이 없으니 생략하고 다음으로 넘어갑니다.

```
def newsCrawling(self, keyword):
    self.googlenews.search(keyword)
    self.title_texts = self.googlenews.get_texts()
    self.links = self.googlenews.get_links()
    self.title_translated.clear()


    self.setEmailHeader(keyword)
    for i in range(len(self.title_texts)):
        try:
            response = self.translator.translate(
                    self.title_texts[i],
                    src='en', dest='ko')
            self.title_translated.append(response.text)
            print("제목: ", self.title_translated[i])
            print("영문제목: ", self.title_texts[i])
            print("링크 :", self.getLink(self.links[i]), "\n")
            self.addEmailBody(i+1,
                    self.title_translated[i],
```

```
                        self.getLink(self.links[i]),
                        self.title_texts[i])
            except Exception as e:
                print("에러 발생:", str(e))
        self.setEmailTail('소혜민')
```

기존에 뉴스를 크롤링하는 기능에서 이메일의 본문을 구성하기 위한 기능만 추가되었습니다. 먼저 for문 앞에 setEmailHeader()를 통해서 이메일 본문의 인사말과 어떤 검색어를 이용해서 크롤링을 했는지를 저장합니다. 그리고 for문 내에서는 뉴스를 크롤링한 내용을 가지고 매번 addEmailBody()를 호출하여 메일 본문에 번역된 뉴스 제목과 원문 제목 그리고 링크를 만들 수 있는 정보들을 매개변수로 넘겨줍니다. 마지막에는 for문이 끝난 다음으로 메일 본문에 보낸 사람 이름을 넣는 것으로 이 함수는 종료가 됩니다.

```
        rpa = RPANewsEmailer()
        rpa.emailServerLogin('abc@naver.com', 'def9090')
        receiver = ['ricky@gmail.com', 'hyemini@gmail.com']
        rpa.emailReceiver(receiver)
        rpa.setEmailSubject('Daily Email News')
        rpa.newsCrawling('Electric Vehicle safety')
        rpa.sendEmail()
```

함수의 호출 순서는 위와 같습니다. 이 순서대로 GUI와 연결을 하면 우리의 프로그램이 완성이 됩니다. 이 프로그램을 통해서 받은 이메일은 다음과 같습니다.

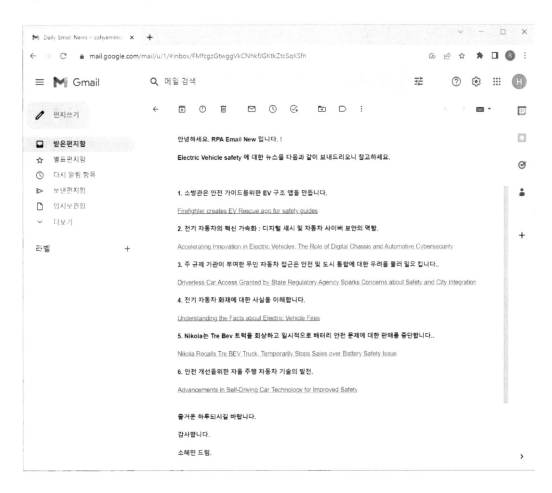

19. 최종 NewsEmailer

우리가 만든 GUI와 비즈니스 로직을 합쳐서 최종 프로그램을 만드는 마지막 장입니다. 화면에 무엇인가를 보여주고 프로그램 동작을 사용자와 키보드나 마우스 입력을 통해서 주고 받는 것을 GUI라고 합니다. 그리고 그 뒤에서 실제로 동작하는 기능들을 비즈니스 로직이라고 합니다. 이 두개를 합쳐야지만 하나의 프로그램이 완성이 됩니다. 이제 이 둘을 합쳐보도록 하겠습니다. 앞서 만든 099_googleTrans4.py는 NewsCrawler.py라는 이름으로 복사를 해서 사용하도록 하겠습니다. 앞에 숫자가 붙은 파일은 import가 안되기 때문입니다.

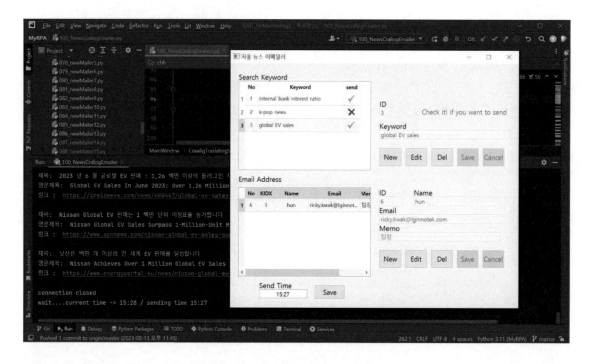

먼저 실행된 파일을 보시죠. 시간이 되면 자동으로 데이터베이스를 검색해서 keyword에 해당하는 검색어로 구글 영문 뉴스를 크롤링하고 제목을 구글 번역하여 이메일을 보내는 동작을 합니다. 이미 각각을 패키지로 만들어 놓았기 때문에 간단하게 구현이 된 것을 아래와 같이 볼 수 있습니다.

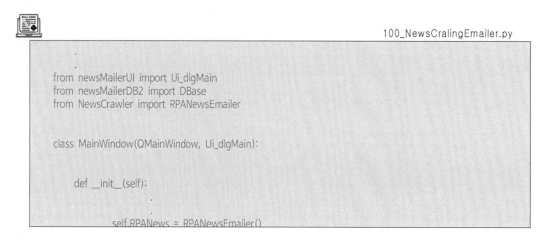

100_NewsCralingEmailer.py

```
    ·
    ·
from newsMailerUI import Ui_dlgMain
from newsMailerDB2 import DBase
from NewsCrawler import RPANewsEmailer


class MainWindow(QMainWindow, Ui_dlgMain):

    def __init__(self):
        ·
        ·
        self.RPANews = RPANewsEmailer()
```

```python
            checkingTimeThread = threading.Thread(target=self.timeChecker,
                                    daemon=True)
            checkingTimeThread.start()


    def timeChecker(self):
        while True:
                now = datetime.datetime.now()
                chh = now.hour
                cmm = now.minute
                str_hh, str_mm = self.leSTime.text().split(':')
                hh = int(str_hh)
                mm = int(str_mm)


                if chh == hh and cmm == mm:
                        self.CrawligTraslatingSendingEmail()
                else:
                        print(f"wait....current time -> {chh}:{cmm}    ₩
                             "/ sending time {self.leSTime.text()}")
                time.sleep(60)


    def CrawligTraslatingSendingEmail(self):
        print("it's time. send email")
        dbase = DBase()
        rows = dbase.getAllData('keyword')
        cnt = len(rows)
        receiver = []
        self.RPANews.emailServerLogin('ricky@naver.com', 'ddsft0$')


        for i in range(cnt):
                receiver.clear()
                idx, keyword, send = rows[i]
                if send == 1:
                        email_rows = dbase.getEmailForSending(idx)
                        email_cnt = len(email_rows)


                        for i in range(email_cnt):
                        idx, kidx, name, email, memo = email_rows[i]
                             receiver.append(email)


                        self.RPANews.emailReceiver(receiver)
                        self.RPANews.setEmailSubject(
                                    f"Daily Email News : {keyword}")
                        self.RPANews.newsCrawling(keyword)
                        self.RPANews.sendEmail()


        self.RPANews.smtpConnectionQuit()
```

이번 책에서 해보고자 했던 마지막 프로젝트네요. ChatGPT를 사용하지 않고 단순 구글 번역을 사용했지만 파이썬을 배워보고 싶었던 분들께는 작은 도움이 되지 않았을까 합니다. 마지막으로 우리가 만들었던 패키지들을 사용한 프로그램을 살펴보도록 하겠습니다.

```python
from newsMailerUI import Ui_dlgMain
from newsMailerDB2 import DBase
from NewsCrawler import RPANewsEmailer
```

QT Designer로 디자인을 했던 UI를 변환한 UI_dlgMain을 먼저 import 했습니다. 다음은 정보들을 담고 있어야 할 sqlite3 데이터베이스를 이용한 DBase, 마지막으로 구글 뉴스 크롤링, 구글 번역 마지막으로 네이버 이메일을 보내는 RPANewsEmailer까지 import를 했습니다.

```
class MainWindow(QMainWindow, Ui_dlgMain):

    def __init__(self):
                .
                .
        self.RPANews = RPANewsEmailer()
        checkingTimeThread = threading.Thread(target=self.timeChecker,
                                               daemon=True)
        checkingTimeThread.start()
```

우리 프로그램의 Main 클래스이름은 MainWindow입니다. 그리고 RPANewsEmailer() 클래스를 초기화해서 이 메일을 보내기 위한 준비를 합니다. 마지막으로 이메일을 보낼 시간을 검사할 쓰레드를 실행합니다. 매일 같은 시간에 우리 프로그램은 한 번 동작을 합니다.

```
def timeChecker(self):
    while True:
        now = datetime.datetime.now()
        chh = now.hour
        cmm = now.minute
        str_hh, str_mm = self.leSTime.text().split(':')
        hh = int(str_hh)
        mm = int(str_mm)

        if chh == hh and cmm == mm:
            self.CrawligTraslatingSendingEmail()
        else:
            print(f"wait....current time -) {chh}:{cmm}   ₩
                    "/ sending time {self.leSTime.text()}")
        time.sleep(60)
```

쓰레드로 호출이 되는 함수입니다. 맨 아래 sleep() 함수를 이용해서 매 60초마다 반복이 되는 효과를 가지게 됩니다. 매 1분마다 설정된 시간과 분을 비교해서 같은 경우에만 CrawlingTraslatingSendingEmail() 함수를 호출합니다. 그러니까 모든 기능은 이 함수에 있는 것이죠. 하루에 한번만 호출이 되는 함수입니다.

```
def CrawligTraslatingSendingEmail(self):
    print("it's time. send email")
    dbase = DBase()
    rows = dbase.getAllData('keyword')
    cnt = len(rows)
    receiver = []
    self.RPANews.emailServerLogin('ricky@naver.com', 'ddsft0$')

    for i in range(cnt):
        receiver.clear()
        idx, keyword, send = rows[i]
        if send == 1:
            email_rows = dbase.getEmailForSending(idx)
            email_cnt = len(email_rows)

            for i in range(email_cnt):
                idx, kidx, name, email, memo = email_rows[i]
                receiver.append(email)

            self.RPANews.emailReceiver(receiver)
```

```
self.RPANews.setEmailSubject(
                f"Daily Email News : {keyword}")
self.RPANews.newsCrawling(keyword)
self.RPANews.sendEmail()

self.RPANews.smtpConnectionQuit()
```

우리가 원하는 기능을 가진 함수입니다. 먼저 getAllData() 함수를 이용해서 keyword 데이터를 모두 읽어옵니다. 다음에는 emailServerLogin() 함수를 이용해서 이메일 서버에 로그인을 합니다. 이 함수와 짝이 되는 부분은 함수 맨 마지막 부분에 smtpConnectionQuit() 함수입니다.

keyword 데이터베이스의 내용을 체크하는 for 문이 있습니다. for문 내에서는 각 keyword의 정보를 읽어 send가 1인 경우에 한해서만 작업을 수행합니다. 왜냐하면 send가 1인 경우에만 이메일을 보내기 위함입니다. send가 1인지를 검사하기 전에 receiver 리스트 변수를 clear() 합니다. 이 리스트는 메일을 수신할 사람을 담고 있을 변수입니다. 이전에 keyword에서 추가된 이메일 주소가 있다면 삭제를 해 주기 위함입니다. send가 1인 경우에는 email 데이터베이스에서 keyword의 idx와 같은 kidx를 가진 이메일 주소만을 검색합니다. 이 기능을 수행하기 위해서 우리가 DBase클래스에서 만들어 놓은 함수가 getEmailForSending() 입니다. 이메일을 수신할 리스트를 email 데이터베이스에서 받아서 다음에 있는 for 문에서 receiver 리스트에 계속 추가합니다. 리스트를 추가하기 위해서는 append() 함수를 사용하고 있습니다. 이렇게 이메일을 받을 리스트의 준비가 끝나면 emailReceiver() 함수를 이용해서 메일 수신자를 등록해 줍니다. 다음은 보낼 이메일의 제목을 설정하는 함수를 호출하는데 "Daily Email News : " 다음에 keyword를 붙여서 메일의 제목을 설정합니다. 메일 제목을 설정하는 함수는 setEmailSubject() 입니다. 이메일 제목과 이메일 받을 사람이 다 정해졌으므로 이제는 newsCrawling() 함수에 keyword를 매개변수로 넘겨서 실제 구글 뉴스를 크롤링합니다. 그리고 구글 번역 서비스를 이용해서 제목을 번역하고요. 마지막으로 메일을 보낼 본문까지도 만들어 놓습니다.

이 모든 작업을 마무리 짓는 함수는 sendEmail() 입니다. 검색한 keyword를 이용해서 제목을 설정하고 메일 수신인을 검색해서 리스트에 담고, 크롤링 하고 제목을 번역해서 메일의 본문을 완성한 내용을 실제로 메일을 보냅니다. 그리고 다음의 keyword가 있다면 지금까지의 내용을 반복하는 것입니다.

프로그램을 실행하고 검색어와 검색어에 관심을 가진 분들을 등록하면 이젠 설정된 시간에 매일 한번씩 뉴스를 전달할 수 있습니다.

아직도 ChatGPT에 대한 미련이 있긴합니다만 이미 구현 방법은 앞에서 설명을 했으니 필요하다면 참고해서 구현해 보시기 바랍니다.

제6장 할 수 있는 또 다른 것들

    파이썬으로 할 수 있는 다양한 것들이 있습니다. 생각하는 대부분의 것들을 직접 만들어 볼 수 있다고 생각합니다. 당장 만들어 보고 싶은 프로그램이 있다면 검색을 해 보세요. 분명히 이미 다른 분들이 만들어 놓은 패키지들을 어렵지 않게 찾을 수 있을 것입니다.

1. 유튜브 비디오 다운로드하기

유튜브는 이젠 우리와 떼어 놓을래야 떼어 놓을 수 없을 만큼 가까워진 서비스입니다. 새로운 뉴스를 접하기도 하고 필요한 정보를 문자가 아닌 비디오로 습득을 하기도 합니다. pypi를 살펴보면 유튜브와 관련된 패키지들이 많은데 그 중의 하나를 소개하려고 합니다.

pip install pytube

이 패키지와 관련해서는 다음을 참고하였습니다.

https://pytube.io/en/latest/user/quickstart.html

유튜브에서 유용한 정보를 찾았는데 다운로드를 받고자 할 때가 있습니다. 다음의 코드는 주어진 유튜브 영상에서 제목과 썸네일 주소를 얻어옵니다. 마지막으로는 해당 영상의 최고의 해상도로 주어진 폴더에 저장을 합니다.

E001_pytube.py

```python
from pytube import YouTube


try:
    yt = YouTube('https://youtu.be/A8KQhwmdZlw')
    print(yt.title)
    print(yt.thumbnail_url)
    yt_stream = yt.streams.get_highest_resolution()
    yt_stream.download(".\\")
except Exception as e:
    print(e)
```

2. 파일 압축 및 파일 다루기

프로그램을 만들다보면 프로그램 상에서 파일을 압축하고 압축을 풀고, 폴더를 만들고, 파일이 있는지 확인하는 작업을 해 보려고 합니다.

E002_zip.py

```python
import shutil, os, zipfile


# .\res 폴더를 zip으로 압축합니다.
shutil.make_archive('rpa_d', 'zip', "..\\res")


if not os.path.exists(r'.\zip'):
os.mkdir(r'.\zip')
        print("폴더를 만들었습니다.")
else:
        print("zip 폴더가 존재합니다.")


shutil.make_archive('.\\zip\\rpa_d', 'tar', "..\\res")


shutil.move('.\\rpa_d.zip', '.\\zip\\rpa_d.zip')
shutil.unpack_archive('.\\zip\\rpa_d.zip', '.\\zip', 'zip')


if not os.path.exists(r'.\zip\tar'):
        os.mkdir(r'.\zip\tar')
        print("tar 폴더를 만들었습니다.")
else:
        print("tar 폴더가 존재합니다.")
shutil.unpack_archive('.\\zip\\rpa_d.tar', '.\\zip\\tar', 'tar')


extract_fname = None
with zipfile.ZipFile(".\\zip\\file_zip.zip", 'w') as my_zip:
        f_list = os.listdir(".\\")
        for f in f_list:
                if os.path.splitext(f)[1] == '.py':
                        my_zip.write(f)
                        if extract_fname == None:
                                extract_fname = f
                                print(f"첫번째 파일 = {f}")


zip = zipfile.ZipFile(".\\zip\\file_zip.zip")
lst = zip.namelist()
print(f"압축파일내에 있는 파일들 \n{lst}")


os.chdir(r".\zip")
zipfile.ZipFile(".\\file_zip.zip").extract(extract_fname)
```

세 개의 파일을 import 했습니다.

```
import shutil, os, zipfile
```

shutil와 os 패키지는 정말로 많이 사용하게 되는 패키지 중의 하나입니다. 파일을 복사하고 이동하는 등의 대부분의 기능들을 shutil이 가지고 있기 때문입니다. 그리고 shutil에서 부족한 부분들을 os 패키지를 통해서 커버를 해 줍니다. 마지막의 zip 파일은 shutil을 이용해서 압축 파일을 만들때, 개별 파일을 압축파일에 넣는 기능을 찾지 못해서 사용하게 된 패키지입니다.

```
# .\res 폴더를 zip으로 압축합니다.
shutil.make_archive('rpa_d', 'zip', "..\\res")

if not os.path.exists(r'.\zip'):
os.mkdir(r'.\zip')
        print("폴더를 만들었습니다.")
    else:
        print("zip 폴더가 존재한니다.")

shutil.make_archive('.\\zip\\rpa_d', 'tar', "..\\res")
```

make_archive() 함수는 폴더를 압축하는 shutil 패키지 안에 있는 함수입니다. 첫번째 매개변수는 압축하게 될 파일명입니다. 확장자는 두번째 있는 압축형식에 따릅니다. 두번째 있는 압축 형식은 'zip'을 선택을 했습니다. 여기에는 다른 압축 형식을 사용할 수도 있는데 'tar'를 예제로 사용하는 것을 맨 아래에서 볼 수 있습니다. 마지막 매개변수는 압축할 폴더 이름을 나타냅니다. 현재의 파일이 있는 곳에서 하나 아래에 있는 res 폴더를 압축하게 됩니다.

다음은 os.path.exists() 라는 함수를 사용했는데 해당 경로가 존재를 하면 True를 그렇지 않으면 False를 반환해주는 함수입니다. 따라서 zip 이라는 폴더가 있는지를 확인하고 폴더가 없다면 zip 이라는 폴더를 만들게 됩니다.

맨 아랫줄에는 tar 형식으로 압축을 하는데 압축 파일을 새로 만든 폴더에 바로 생성하도록 파일명 앞에 경로를 추가했습니다.

```
shutil.move('.\\rpa_d.zip', '.\\zip\\rpa_d.zip')
shutil.unpack_archive('.\\zip\\rpa_d.zip', '.\\zip', 'zip')

if not os.path.exists(r'.\zip\tar'):
        os.mkdir(r'.\zip\tar')
        print("tar 폴더를 만들었습니다.")
    else:
        print("tar 폴더가 존재한니다.")
shutil.unpack_archive('.\\zip\\rpa_d.tar', '.\\zip\\tar', 'tar')
```

shutil의 move() 함수를 이용해서 현재의 폴더에 만들었던 rpa_d.zip 파일을 zip 폴더 안으로 이동하는 명령이 있습니다. 압축을 했으니 압축을 풀어도 봐야겠습니다. unpack_archive() 함수를 이용하면 압축을 풀 수 있습니다. 첫번째는 압축 파일명, 두번째 인자는 압축을 풀어 놓을 대상 폴더 마지막은 압축파일의 형식을 입력하면 됩니다.

if 문을 두고 os 패키지의 mkdir() 함수를 호출한 이유는 이미 존재하는 폴더를 mkdir() 함수를 이용해서 폴더를 만들 경우 이미 존재하기 때문에 에러가 발생합니다. 이 에러 발생을 막기 위해서 os.path.exists()를 이용해서 폴더가 존재하는지를 확인하는 루틴입니다.

맨 아래는 tar 파일을 생성한 tar 폴더에 압축을 해제하는 코드입니다.

```
extract_fname = None
with zipfile.ZipFile(".\\zip\\file_zip.zip", 'w') as my_zip:
    f_list = os.listdir(".\\")
    for f in f_list:
            if os.path.splitext(f)[1] == '.py':
                    my_zip.write(f)
                    if extract_fname == None:
                            extract_fname = f
                    print(f"첫번째 파일 = {f}")
```

shutil을 이용해서는 폴더 단위로 압축을 하고 압축을 풀었습니다. 그런데 폴더 단위가 아니라 파일 단위로 압축파일을 만들어야 하는 경우가 있습니다. 그런 경우에는 zipfile 패키지를 사용하면 됩니다.

맨 앞에 extract_fname은 단순하게 첫번째 파일 이름을 저장하기 위한 변수입니다. None을 할당해 놓고, None일 경우에 한해서 파일 이름을 저장하도록 하고 있습니다. 두번째 if문이 바로 그 내용입니다. 압축을 하는데 첫번째 파일 이름만 저장해 두는 것입니다. 그 이외의 용도는 없습니다.

zipfile 패키지는 with문을 통해서 file_zip.zip 파일을 쓰게 됩니다. ZipFile() 함수를 ‘w’, 쓰기용도 (Write)로 파일을 만들고 이름을 my_zip으로 줍니다. with 문 다음부터 들여쓴 내용이 모두 with 문인데 이 문장 안에서 ZipFile() 함수를 통해서 쓰기 용도로 연 파일 file_zip.zip 파일은 my_zip으로 접근을 할 수 있게 됩니다. 일반적으로 파일을 열고나서는 닫아주는 것이 일반적입니다. 하지만 with문의 경우에는 with 문이 끝나는 지점에서 자동으로 파일을 닫아줍니다. with문은 with문 내에서 사용한 것들, 일반적으로 리소스라 부르는 것들을 별도로 닫아줄 필요가 없다고 합니다.

os 패키지에 있는 listdir() 함수는 매개변수로 주어진 경로의 모든 파일들의 리스트들 반환니다. 그러므로 f_list에는 파일명이 들어 있습니다.

이 파일명들을 하나씩 돌아가며 반복하는 for문이 그 다음에 있습니다. f는 파일명을 가지고 있는 변수가 되는 것입니다. for문 안에서 처음 만나는 if문 안에는 os.path.splitext(f)가 있습니다. os 패키지 내의 path 클래스의 splittest() 함수는 주어진 파일명을 파일명과 ‘.’을 포함하는 확장자를 가지고 있습니다. 즉, abc.def라면 이 함수에 의해서 abc와 .def로 나누어지게 됩니다. 여기에 [1]을 가져오게 했으니 .def를 반환하게 됩니다. 지금 우리 프로젝트 내에서 파일 리스트를 가지고 왔기 때문에 .py파일들이 많이 있습니다.

```
if os.path.splitext(f)[1] == '.py':
        my_zip.write(f)
```

그러니까 위의 문장은 os.listdir()로 가지고 온 파일 리스트 중에서 확장자가 ‘.py’인 파일들에 한해서 my_zip.write()를 이용해서 my_zip 파일에 추가를 하고 있습니다. 압축 파일에 for문을 돌면서 확장자가 .py인 파일들을 추가하고 있는 것입니다.

다음의 if문은 첫 .py파일을 만났을 때, extract_fname에 그 파일명을 저장해 두는 루틴입니다.

```
if extract_fname == None:
    extract_fname = f
    print(f"첫번째 파일 = {f}")
```

with문 앞에서 extract_fname을 선언하고 None을 입력해 놨습니다. 따라서 이 if문을 시작하면 extract_fname == None을 만족하기 때문에 그 안의 내용을 실행합니다. 실행하는 부분은 별다른 기능 없이 파일명을 가지고 있는 f를 extract_fname에 저장을 합니다. 그리고 프린트를 하고 종료가 됩니다. 그러면 extracct_fname은 더이상 None이 아니기 때문에 이 if문은 다시는 실행되지 않게 됩니다.

```
zip = zipfile.ZipFile(".\\zip\\file_zip.zip")
lst = zip.namelist()
print(f"압축파일내에 있는 파일들 \n{lst}")
```

우리가 사용했던 .\zip\file_zip.zip을 열고 namelist()라는 함수를 통해서 zip 파일에 들어 있는 함수 리스트 들을 lst라는 변수에 저장을 합니다. 이 결과를 lst를 출력해 봄으로써 어떤 파일들이 들어 있는지를 확인할 수 있습니다.

```
os.chdir(r".\zip")
zipfile.ZipFile(".\\file_zip.zip").extract(extract_fname)
```

os 패키지 내의 chdir()은 디렉토리를 이동하는 것입니다. chdir의 의미는 change directory입니다. 현재의 위치는 우리의 소스코드 E002_zip.py가 있는 곳을 의미합니다. 파이참의 왼쪽에 프로젝트 정보를 보면 알수 있습니다. 이 곳의 하위에 zip 이라는 폴더를 만들었습니다. 따라서 현재 프로그램이 실행되는 위치는 E002_zip.py 파일이 존재하는 곳인데 여기서 프로그램이 실행되는 위치를 zip 폴더로 이동을 한 것입니다. zip 폴더에는 file_zip.zip 이 존재합니다. 그리고 extract() 함수를 이용해서 매개변수로 file_zip.zip 파일 안에 들어 있는 파일명을 줍니다. 그러면 그 파일만을 압축을 풀어 현재의 디렉토리에 써 줍니다. 전체 압축 파일을 압축을 푸는 것이 아니라 그 중에서 하나의 파일만 압축을 해제하는 것이죠. 그래도 아직 압축 파일 내에 extract_fname에 있는 파일은 존재를 합니다.

이와 같이 shutil은 폴더 전체를 압축하고 풀 수 밖에 없지만 ZipFile 패키지는 파일을 일일이 하나씩 압축파일에 추가할 수 있고, 개별 파일에 대해 압축을 풀 수 있는 기능을 가지고 있습니다.

3. 폴더 모니터링

최근에 의뢰를 받았던 프로그램 중에 하나입니다. 세 개의 폴더를 만들어 놓고, 사용자가 직접 구분한 파일을 해당 폴더에 복사를 하면 미리 정의해 놓은 동작을 수행하도록 구현을 해 달라고 합니다.

먼저 파일 리스트를 구해오는 방법이 필요할 것이고, 사용자로 부터 주어진 경로나 파일이 존재하는지 확인을 할 수 있는 방법이 있다면 더 좋을 것 같습니다. 파이썬에서 제공하는 기본 기능을 이용하면 아주 쉽게 만들 수가 있죠.

E003_fileListup.py

```python
import glob
import os


path = "./"
file_list = os.listdir(path)
print(file_list)


isExist1 = os.path.exists(r".\\E001_Thread.py")
isExist2 = os.path.exists(r".\\")
isExist3 = os.path.exists(r".\\test.py")
print(isExist1, isExist2, isExist3)


isFile1 = os.path.isfile(r".\\E001_Thread.py")
isFile2 = os.path.isfile(r".\\")
print(isFile1, isFile2)


path = "./*.py"
file_list = glob.glob(path)
print(file_list)
```

파이썬의 기본 패키지 중의 하나인 os 패키지에는 listdir()이라는 함수와 path.exists()라는 유용한 함수가 각각 존재합니다. listdir() 함수에 매개변수로 경로명을 주면, 해당 경로에 있는 파일명을 모두 가져올 수 있습니다.   또한 path.exists() 함수는 주어진 경로나 주어진 파일이 존재하는지를 확인할 수 있는 함수입니다.

다음으로는 path.isfile() 함수를 이용해서 존재한다고 확인된 것이 파일인지 아니면 경로인지를 확인할 수 있습니다. 폴더, 혹은 디렉토리 여부를 확인하는 isdir() 함수를 사용할 수도 있습니다.

파일의 리스트를 가져올 때, 특정 확장자만 가진 파일이 필요할 수도 있는데 이때는 listdir()로 가져온 리스트에서 검색을 하는 방법이 있을 수 있고, 쉬운 방법으로는 glob 패키지에서 glob() 함수로 파일 리스트를 가져올 수 있는데 이때, path를 줄 때, *.py와 같이 특정 확장자를 필터링 해서 가져올 수도 있습니다.

출력 결과는 다음과 같습니다.

```
['E001_Thread.py', 'E002_Thread2.py', 'E003_fileListup.py',
 'E003_fileMonitoring.py']
True True False
True False
['.\\E001_Thread.py', '.\\E002_Thread2.py', '.\\E003_fileListup.py',
 '.\\E003_fileMonitoring.py']


Process finished with exit code 0
```

그런데 파일 이름만 가지고서는 모니터링을 할 수가 없습니다. 처음에 해당 폴더를 앞의 방법을 써서 스캔을 한 후에는 파일이 변경되었는지, 추가되었는지를 일정 시간마다 체크를 해야 하기 때문입니다. 파일의 정보가 바뀌었다면 새로운 동작을 시켜야 할 필요도 있겠죠.

각 파일의 속성을 살펴보기 위해서는 탐색기에서 마우스 오른쪽 버튼을 눌러 속성을 볼 수 있습니다.

파일 이름이 중요하고 그 다음엔 파일의 크기 만든날짜인 Create Time인 ctime, 수정한 날짜인 Modified Time인 mtime, 마지막으로 액세스한 Access Time인 aTime을 확인할 수 있습니다. Access Time은 파일을 읽을 경우에도 변경이 되기 때문에 파일을 수정할 때 바뀌는 날짜인 Modified Time이 파일을 구분하는데 적당할 것 같습니다.

E004_fileInfo.py

```python
from os import path
import datetime


file = r"./E004_fileInfo.py"
ctime = path.getctime(file) # Creating time
mtime = path.getmtime(file) # Modify time
atime = path.getatime(file) # Access time
size = path.getsize(file) # File size
```

```
print(ctime)
print(datetime.datetime.fromtimestamp(ctime))
print(datetime.datetime.fromtimestamp(mtime))
print(datetime.datetime.fromtimestamp(atime))
print(size)
```

이 코드를 실행을 해 보면 실행 결과는 다음과 같습니다.

```
1691298826.082862
2023-08-06 14:13:46.082862
2023-08-06 17:45:58.810204
2023-08-06 17:45:58.810204
414


Process finished with exit code 0
```

프로그램의 후반에 나와 있는 다섯 개의 프린트 문의 결과입니다. 첫 줄은 ctime을 그대로 출력했습니다. 타임스탬프라는 실수형 숫자로 출력이 됩니다. 이해하기 어려우므로 datetime의 fromtimestamp()라는 함수를 이용해서 우리가 알아보기 쉬운 날짜 형태로 변경을 해서 출력을 ctime, mtime, atime을 각각 출력합니다. 마지막은 getsize() 함수를 이용해서 파일의 사이즈를 출력하고 있는데 그 사이즈는 414바이트라고 나옵니다.

이제 폴더를 모니터링하는데 필요한 모든 준비가 끝이 났습니다. 폴더를 사용자로부터 입력을 받아서 파일이 추가되었는지 삭제되었는지 혹은 수정이 되었는지를 확인해 보도록 하겠습니다. 수정의 경우에는 날짜와 크기를 비교해서 판단을 할 수 있습니다. 무한루프를 돌면서 파일이 있는지 있다면 이전에도 존재를 했었는지를 판단할 수 있을 것 같습니다. 이전에도 존재를 했는데 크기나 mtime이 같다면 변경이 없는 것이고 크기나 mtime이 변경이 되었다면 파일이 수정이 된 것입니다. 새롭게 리스트에 추가가 되었다면 파일이 추가된 것이고, 리스트에서 사라졌다면 삭제가 된 것입니다.

먼저 파일이 삭제되거나 추가된 경우만 살펴보도록 하겠습니다. 코드는 생각보다 간단하게 구현을 할 수 있습니다. 리스트 사용 방법만 알면 쉽게 구현을 할 수 있습니다.

E005_fileMonitoring.py

```
import os, time

path = "./"
file_list_org = []

if not os.path.exists(path):
    print("해당 경로가 존재하지 않아 프로그램을 종료합니다.")
    exit(0)

while True:
    file_list_new = os.listdir(path)

    # 추가되었는지 확인
    for added in file_list_new:
        if added not in file_list_org:
            print(f"added = {added}")
            file_list_org.append(added)

    # 삭제가 되었는지 확인
    for deleted in file_list_org:
        if deleted not in file_list_new:
            print(f"deleted = {deleted}")
            file_list_org.remove(deleted)
```

```
        time.sleep(1)
```

전체적으로 복잡하지 않은 코드입니다. 다만 무한하게 반복되는 while 문 안에 두 개의 for 문이 각각 돌고 있습니다.

```
path = "./"
file_list_org = []
```

먼저 path는 모니터링을 할 경로를 지정하고 있습니다. 다음은 file_list_org라는 리스트인데 여기에는 기존의 파일 리스트를 담아 놓고, 현재 시점에서 파일을 스캔을 한 리스트와 비교하기 위한 목적으로 사용을 할 변수입니다.

```
if not os.path.exists(path):
    print("해당 경로가 존재하지 않아 프로그램을 종료합니다.")
    exit(0)
```

path로 주어진 경로가 존재하는지를 확인하는 부분입니다. 해당 경로가 없다면 프로그램을 더 이상 진행시키지 않고 종료하기 위한 코드입니다.

다음은 while문 입니다. 조건이 True로 되어 있기 때문에 강제적으로 프로그램을 종료하지 않는 이상 무한하게 이 루틴은 지속되며 주어진 경로에 파일이 추가되는지 삭제되는지를 모니터링하는 루틴입니다. 추가되는 것은 파일을 새로 만들거나 다른 곳에서 복사 또는 이동해 오는 경우입니다. 삭제되는 경우는 말 그대로 삭제되거나 아니면 다른 곳으로 이동되는 경우입니다. 같은 SSD나 하드디스크 드라이브에서는 파일의 위치 정보만 바꾸어 이동을 합니다. 그런데 C 드라이브에서 D 드라이브와 같이 물리적인 이동은 복사 후에 원본 파일을 삭제하는 것이 이동입니다.

```
file_list_new = os.listdir(path)
```

listdir() 함수는 매개변수로 받은 경로에 대해서 전체 파일 리스트를 읽어서 반환을 합니다. 위의 코드에 대한 반환값 file_list_new를 출력해 보면 다음과 같습니다.

```
['E001_Thread.py', 'E002_Thread2.py', 'E003_fileListup.py', 'E003_fileMonitoring.py',
'E004_fileInfo.py', 'E005_fileMonitoring.py', 'E006_fileMonitoring2.py']
```

```
# 추가되었는지 확인
for added in file_list_new:
    if added not in file_list_org:
        print(f"added = {added}")
        file_list_org.append(added)
```

파일이 추가되었는지를 확인하는 루틴입니다. 맨 처음에는 원래에 파일이 있었더라도 우리 프로그램에서 처음으로 인지를 한 경우이므로 추가되었다고 표시를 할 수 밖에 없습니다. 아니면 맨 처음에 읽어올 때는 무시를 하고 넘어갈 수도 있겠습니다. 이 프로그램은 전자를 기준으로 합니다.

앞서 추가한 file_list_new를 반복하면서 if문을 통해서 비교를 합니다. 처음으로 for문을 반복하는 것이기 때문에 프로그램 초반에 초기화를 해 놓은대로 file_list_org에는 아무런 정보도 없습니다. 따라서 맨 처음 file_list_new를 통해 들어온 모든 값들은 if문의 조건인 file_list_org에 없다는 조건에 맞기 때문에 추가가 되었다고 print() 함수를 만나 파일명들을 출력합니다. 그리고 비어있는 file_list_org에 해당 정보를 추가합니다.

이 for문을 모두 수행하고 나면 주어진 경로를 스캔했던 file_list_new와 file_list_org는 같아지게 됩니다.

```python
# 삭제가 되었는지 확인
for deleted in file_list_org:
    if deleted not in file_list_new:
        print(f"deleted = {deleted}")
        file_list_org.remove(deleted)
```

앞에서 본 for문이 file_list_new 그러니까 while문 초반에 주어진 경로에서 읽었던 파일리스트를 기준으로 반복이 되었습니다. 이번에는 삭제가 되었는지 확인을 하기 위해서 기존에 파일 리스트 file_list_org를 기준으로 반복을 합니다. 기존의 파일 리스트를 기준으로 새로 스캔한 파일 리스트에서 찾을 수 없는 파일이 있다면 그 파일은 삭제된 것이기 때문입니다. 삭제가 되었다면 print()함수로 삭제된 파일명을 출력해주고, file_list_org 리스트에서 해당 파일을 삭제해 줍니다.

현재 작업 중인 폴더에서 프로그램을 실행하면 현재 폴더에 있는 모든 파일에 대해서 add되었다는 메시지가 출력이 됩니다. 그리고 파일을 복사해 넣거나 삭제를 해 보면 메시지가 잘 나타나는 것을 볼 수 있습니다.

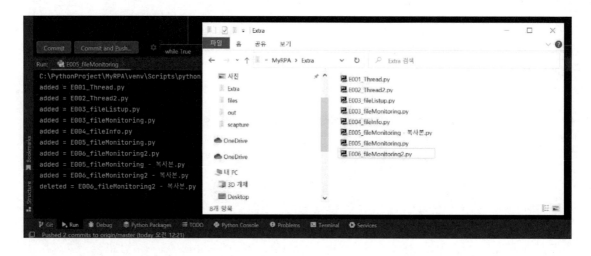

작업 중인 폴더에서 두 개의 파일을 복사해서 붙여넣기를 했다가 하나의 파일을 지워본 결과입니다. 매 1초마다 while문이 돌기 때문에 약간 늦게 나타나는 감이 있습니다만 제대로 검출을 해 내고 있습니다.

파일 수정 검출

파일의 추가와 삭제는 검출을 해 냈지만 파일이 수정이 된 경우는 어떨까요? 여기엔 두 가지 경우가 있습니다. 파일의 이름이 변경되는 수정과 파일의 내용이 수정되는 경우입니다. 파일의 이름이 변경되는 경우는 기존 프로그램에서 검출을 해 낼 수 있습니다. 왜냐하면 기존에 없던 파일 이름이 생겼기 때문에 add로 검출되고, 기존에 있던 파일명이 사라진 것이므로 delete로 각각 검출이 됩니다. while문에서 add를 먼저 체크하기 때문에 add가 먼저 나오고 delete가 뒤에 나오는 것입니다.

그럼 내용이 바뀌었을 때는 어떻게 확인을 할 수 있을까요? 이때는 파일이 수정된 날짜나 파일의 크기를 비교해봐야 합니다. 기존에 파일명 리스트만 있는 파일과 별개로 파일명에 파일이 수정된 날짜, ctime과 파일 크기를 함께 저장해 둔다면 동일한 파일명이 있을 때에 날짜와 크기를 비교해서 수정이 되었는지를 판단할 수 있겠습니다.

```python
import os, datetime, time

path = "./"
info_org = []
info_new = []
file_list_org = []

if not os.path.exists(path):
    print("해당 경로가 존재하지 않아 프로그램을 종료합니다.")
    exit(0)

while True:
    info_new.clear()
    file_list_new = os.listdir(path)
    for file in file_list_new:
        # 상세정보 업데이트
        mtime = datetime.datetime.fromtimestamp(os.path.getmtime(file))
        size = os.path.getsize(file)
        info_new.append((file, mtime, size))

    # 추가되었는지 확인
    for added in file_list_new:
        if added not in file_list_org:
            print(f"added = {added}")
            file_list_org.append(added)
            mtime = datetime.datetime.fromtimestamp₩
                            (os.path.getmtime(added))
            size = os.path.getsize(added)
            info_org.append((added, mtime, size))

    # 삭제가 되었는지 확인
    for deleted in file_list_org:
        if deleted not in file_list_new:
            print(f"deleted = {deleted}")
            file_list_org.remove(deleted)
            for del_data in info_org:
                if del_data[0] == deleted:
                    info_org.remove(del_data)

    for org in info_org:
        if org not in info_new:
            try:
                mtime = datetime.datetime.fromtimestamp₩
                                (os.path.getmtime(org[0]))
                size = os.path.getsize(org[0])
                info_org.append((org[0], mtime, size))
                print(f"modified = {org[0]}")
            except:
                print(f"file deleted already = {org[0]}")
                info_org.remove(org)

    time.sleep(1)
```

이전 코드에 파일 변경을 검출하기 위한 코드를 추가하였습니다. 하나씩 살펴보도록 하겠습니다. 파일의 변경 날짜를 확인하기 위해서 datetime 패키지가 추가 되었네요.

```
path = "./"
info_org = []
info_new = []
file_list_org = []
```

파일의 정보를 저장하기 위한 두 개의 리스트가 추가되었습니다. 하나는 info_org로 file_list_org와 같은 역할을 합니다. 여기에는 파일명과 함께 파일의 mtime과 파일 사이즈를 info_new로 부터 받아서 넣습니다. info_new에는 while문의 처음에 file_list_new에 파일 정보를 넣는 때에 추가적으로 파일의 사이즈와 날짜를 입력합니다. 이 내용은 다음과 같습니다.

```
info_new.clear()
file_list_new = os.listdir(path)
for file in file_list_new:
        # 상세정보 업데이트
        mtime = datetime.datetime.fromtimestamp(os.path.getmtime(file))
        size = os.path.getsize(file)
        info_new.append((file, mtime, size))
```

한가지 다른 부분은 file_list_new는 별도로 초기화해주지 않는데 info_new는 clear() 함수를 이용해서 초기화를 해 주고, for문에서 mtime과 크기를 각각 계산해서 info_new에 append() 함수를 써서 추가해 주고 있습니다. 이유는 file_list_new가 listdir() 함수에 의해서 기존 값은 지워지고 새로 반환되는 값으로 채워지는데 반해서 info_new는 별도로 반환 받아서 값을 넣지 않고 우리가 하나 하나 추가해 줘야 하기 때문에 초반에 clear() 함수를 써서 초기화 해주는 것입니다.

초기화를 한 후에는 listdir() 로 부터 받아서 저장된 파일명 하나하나에 대해서 날짜와 크기를 확인해서 info_new 리스트에 추가를 하고 있습니다.

```
# 추가되었는지 확인
for added in file_list_new:
        if added not in file_list_org:
                print(f'added = {added}')
                file_list_org.append(added)
                mtime = datetime.datetime.fromtimestamp₩
                                        (os.path.getmtime(added))
                size = os.path.getsize(added)
                info_org.append((added, mtime, size))
```

추가되었는지 확인하는 루틴은 기존과 동일하지만 추가된 파일이 있을 경우는 그 파일의 날짜와 크기를 추가로 info_org에 저장하는 부분만 세 줄이 더해졌습니다.

삭제되는 부분 역시 삭제된 파일에 대해서 info_org에서 삭제, remove() 해주면 되겠죠?

```
# 삭제가 되었는지 확인
for deleted in file_list_org:
        if deleted not in file_list_new:
                print(f'deleted = {deleted}')
                file_list_org.remove(deleted)
                for del_data in info_org:
                        if del_data[0] == deleted:
                                info_org.remove(del_data)
```

file_list_org에서 지우는 루틴은 기존과 동일합니다만, 파일명을 날짜와 파일 사이즈가 함께 들어있는 info_org에서 바로 찾을 수 없기 때문에 별 수없이 for문을 이용해서 파일명 deleted가 info_org에 있는지 찾습니다. info_org에서 첫번째 데이터가 파일명이므로 del_data[0]과 같이 접근을 할 수 있습니다.

드디어 파일이 수정되었는지를 파악하는 루틴입니다.

```
for org in info_org:
        if org not in info_new:
                try:
                        mtime = datetime.datetime.fromtimestamp₩
                                        (os.path.getmtime(org[0]))
                        size = os.path.getsize(org[0])
                        info_org.append((org[0], mtime, size))
                        print(f"modified = {org[0]}")
                except:
                        print(f"file deleted already = {org[0]}")
                info_org.remove(org)
```

여기까지 왔을 때의 전제는 info_org와 info_new에 동일한 파일이 들어 있다고 가정을 합니다. 그런데 info_org와 info_new는 파일명만 들어 있는 리스트가 아니라 [파일명, 날짜, 크기]를 담고 있습니다. 즉 [파일명, 날짜, 크기]가 들어 있는 두 개의 리스트에 모두 같은 파일명은 존재를 하지만 날짜와 크기가 다른 것이 있을 수 있다는 가정입니다. 날짜와 크기가 다르다면 같은 파일명이라도 [파일명, 날짜, 크기]가 같을 수 없습니다. 위의 코드에서 org가 수정된 파일을 담고 있는 리스트에서 하나의 구성요소라면 info_new에서 같은 파일명은 찾을 수 있을지언정 같은 요소는 찾을 수 없기 때문에 if문 안으로 들어갑니다.

try ~ except~문이 없다고 가정을 하면 수정된 파일을 찾았기 때문에 수정된 내용을 info_org에 추가해주고, 기존에 있었던 org는 리스트에서 삭제를 합니다. 예를 들어 수정된 파일명이 TEST.py라고 한다면 [TEST.py, 2023/08/07, 123]은 이번에 info_new에서 찾은 정보이니 지우고, 수정된 정보 [TEST.py, 2023/08/08, 332]은 추가하는 것입니다.

마지막으로 try ~ except ~ 문을 사용한 이유를 설명드리고자 합니다. try ~ except ~는 예외적인 에러가 발생했을 때, 에러를 무시하고 넘어가기 위해서 사용하는 구문입니다. 왜냐하면요. mtime이나 size를 측정할 때 파일명을 넘겨서 파일이 있는지를 확인하고 넘어가야 하는데 해당 파일이 없을 때 에러가 발생하기 때문입니다. 삭제되는 루틴 다음에서 파일이 삭제된다면 파일이 변경되었는지 확인하는 중에 파일 사이즈나 날짜를 가져올 때, 해당 파일이 없는 상태에서 함수가 호출되기 때문에 에러가 발생합니다. 그래서 try ~ except ~ 활용합니다. 이 대신에 파일이 존재하는지를 확인하는 함수를 사용해도 무방합니다.

4. 폴더 모니터링 패키지

앞서서 주어진 폴더를 모니터링 하는 어찌보면 간단하고 어째 생각하면 복잡한 루틴을 만들어 봤습니다. 그런데 이런 폴더를 모니터링하는 패키지는 없는걸까요? 패키지가 있다면 더 쉽게 사용할 수 있지 않을까요?

한번 검색을 해 봅시다. "파이썬 폴더 모니터링" 혹은 "파이썬 디렉토리 모니터링"이라고 하면 되지 않을까 싶습니다. 검색 결과 watchdog 패키지를 찾을 수 있었습니다. pypi.org에 있는 샘플 소스가 있어 참고 할만 합니다만 이해하기가 좀 난해해 보입니다. 먼저 소스를 보면서 하나씩 살펴보도록 하겠습니다. 소스의 위치는 다음과 같습니다.

https://pypi.org/project/watchdog/

소스를 복사해 와서 먼저 실행을 해 봐야겠습니다.

E007_watchdog.py

```python
import sys
import time
import logging
from watchdog.observers import Observer
from watchdog.events import LoggingEventHandler


if __name__ == "__main__":
    logging.basicConfig(level=logging.INFO,
                        format='%(asctime)s - %(message)s',
                        datefmt='%Y-%m-%d %H:%M:%S')
    path = sys.argv[1] if len(sys.argv) > 1 else '.'
    event_handler = LoggingEventHandler()
    observer = Observer()
    observer.schedule(event_handler, path, recursive=True)
    observer.start()
    try:
        while True:
            time.sleep(1)
    finally:
        observer.stop()
        observer.join()
```

이 소스는 현재의 디렉토리를 모니터링한다고 합니다. 실행을 해서 현재 소스코드가 있는 디렉토리, 현재 폴더에서 파일 하나를 복사해서 붙여넣기를 하니 다음과 같은 메시지 3개가 뜹니다.

```
Run:    E007_watchdog

C:\PythonProject\MyRPA\venv\Scripts\python.exe C:\PythonProject\MyRPA\Extra\E007_watchdog.py
2023-08-08 08:26:38 - Created file: .\E007_watchdog - 복사본.py
2023-08-08 08:26:38 - Modified file: .\E007_watchdog - 복사본.py
2023-08-08 08:26:38 - Modified file: .\E007_watchdog - 복사본.py
Traceback (most recent call last):

Git    Run    Debug    Python Packages    TODO    Python Console    Problems    Terminal    Services
Pushed 2 commits to origin/master (yesterday 오전 12:21)                     11:53    CRLF    UTF-8    4
```

E007_watchdog.py를 복사해서 붙여넣기를 했고 E007_watchdog-복사본.py가 생기면서 Created 하나와 Modified file이라는 두 개의 메시지가 발생을 했습니다.

```
import sys
import time
import logging
from watchdog.observers import Observer
from watchdog.events import LoggingEventHandler
```

log라고 하는 것은 컴퓨터가 동작을 하면서 생기는 정보들을 일컫습니다. 그래서 logging 이라는 것은 그런 정보들을 보여주고 저장하는 것을 의미하는 것 같습니다. 다음은 우리가 사용할 watchdog 패키지들인데 Observer라는 관찰자와 LoggingEventHandler라는 것을 추가했습니다. 의미상으로 볼 때, 시스템에서 어떠한 이벤트 그러니까 컴퓨터 시스템에서 어떤 동작이 일어날 때, 그 정보들을 보여주고 저장하기 위한 것을 사용하기 위함인 듯 합니다.

```
if __name__ == "__main__":
```

이 파일을 직접 실행 시킬 때만 동작시키겠다는 의미네요.

```
logging.basicConfig(level=logging.INFO,
                    format='%(asctime)s - %(message)s',
                    datefmt='%Y-%m-%d %H:%M:%S')
```

파이썬의 기본 패키지인 logging에서 basicConfig() 함수를 호출하고 있습니다. level에 logging.INFO를 준 것을 보니 여러가지 시스템에서 올라오는 정보들 중에서 INFO로 분류된 정보만 보여주라는 의미 같습니다. 기억하실지 모르겠지만 메시지 박스를 구현해 볼 때, INFO, CRITICAL 등과 같이 메시지의 레벨을 구분해 줬던 것과 동일한 방식일 것 같습니다. format을 보니 프로그램을 실행시키고 터미널 창에 나타났던 메시지들이 형태와 일치합니다. 시간을 보여주고 '-' 다음에 메시지를 보여주는 형식입니다. 그 다음은 날짜 포맷입니다. 이것에 대해서 조금 더 알고 싶다면 검색을 해 보거나 basicConfig에 키보드 커서를 위치시키고 Ctrl + B를 누르면 조금 더 상세한 정보를 볼 수 있습니다.

```
path = sys.argv[1] if len(sys.argv) > 1 else '.'
```

생소한 if문의 형식입니다. len(sys.argv)가 1보다 크다면 sys.argv[1]를 path에 입력하라는 의미이고 그렇지 않으면 path에는 '.' 이 입력됩니다. 이 문장을 봤을 때 우리는 이 프로그램을 커맨드라인에서 입력해서 현재의 폴더 '.'가 아닌 다른 폴더도 모니터링을 할 수 있겠습니다. 이 소스코드의 이름을 E007_watchdog.py로 만들었습니다. 그렇다면 다음과 같이 커맨드 라인에서 입력을 한다면 C:\PROJECTs\a 폴더를 모니터링 할 수 있습니다.

(venv) PS C:\PythonProject\MyRPA\Extra> python E007_watchdog.py C:\PROJECTs\a

위와 같이 입력을 했을 때, sys.argv[0]에는 E007_watchdog.py이 들어있고, sys.argv[1]에는 C:\PROJECTs\a\이 들어 있습니다.

```
event_handler = LoggingEventHandler()
observer = Observer()
observer.schedule(event_handler, path, recursive=True)
observer.start()
```

LoggingEventHandler()를 하나 만들어주고, Observer()의 스케줄러에 이벤트 핸들러와 경로, 그리고 하위 디렉토리까지 모니터링하라는 recursive를 True로 선언을 해 주고 observer를 start() 함수를 써서 실행을 해 줍니다. start() 함수에 의해서 Observer() 내에서 쓰레드가 시작이 되고 이벤트핸들러에 의해서 이벤트를 받을 때마다 basicConfig() 에서 설정한 형식대로 로그가 터미널에 출력이 되는 것 같습니다.

```
try:
        while True:
                time.sleep(1)
finally:
        observer.stop()
        observer.join()
```

먼저 try ~ finally ~ 구문은 try ~ except ~와 마찬가지로 예외처리를 위한 루틴입니다. try ~ except ~ 에서는 예외가 발생했을 때에만 except가 실행되는데 반해서 finally문은 예외가 발생했건 발생하지 않았건 모두 실행이 된다고 합니다. 따라서 stop()과 join()함수는 항상 실행이 됩니다.

try문에는 무한 루프를 도는 while문이 있고 while에서는 sleep(1)만 있습니다. 프로그램을 종료시키지 않고 무한 반복하기 위함이며, 앞서 만들어진 observer 쓰레드가 종료되지 않도록 하기 위함입니다.

파일을 복사하고 삭제하고 하면 잘 동작을 합니다만, 우리는 로깅을 보고 싶은 것이 아니고 실제로 어떤 동작을 하도록 코드를 넣고 싶은 것이기 때문에 코드의 수정이 필요해 보입니다.

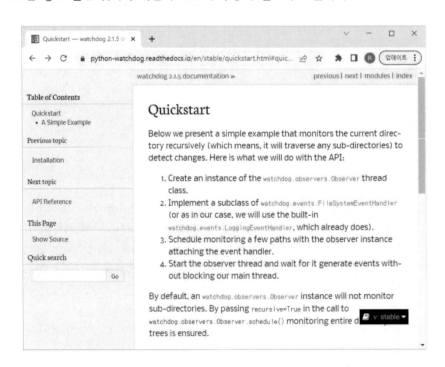

사이트에서 Quickstart를 찾아가서 보니 Implement a subclass of로 시작하는 2번 항목을 찾을 수 있었습니다. 거기엔 FileSystemEventHandler와 LoggingEventHandler가 모두 언급되고 있는데요. 우리는 Logging 보

다는 FileSystem 이벤트가 필요해 보입니다. 그래서 링크를 찾아 들어갔습니다.

　해당 페이지를 보니 다음의 그림에서 텍스트를 선택해 놓은 것과 같이 함수, methods를 override 할 수 있다는 문구가 보입니다. 오버라이딩이란 원래에 있던 함수들을 내가 만든 함수로 대체할 수 있다는 의미입니다.

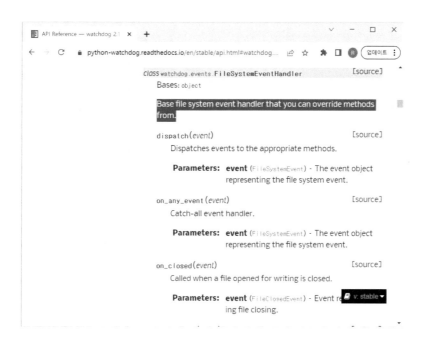

　웹에서 찾아보면 함수 이름들이 보이는데 이들 중에서 내가 직접 다시 만들고자 하는 것은 다음과 같습니다.

- on_created(event)
- on_deleted(event)
- on_modified(event)

파일이 생성되거나 지워지거나 변경되었을 때 특정 작업을 하도록 해 보겠습니다.

```python
import sys
import time
import logging
from watchdog.observers import Observer
from watchdog.events import LoggingEventHandler, FileSystemEventHandler


class FolderMonitoring(FileSystemEventHandler):
    def on_created(self, event):
        print(event.src_path, event.event_type, event.is_directory)


    def on_deleted(self, event):
        print(event)


    def on_modified(self, event):
        print(event)
```

```
if __name__ == "__main__":
    # logging.basicConfig(level=logging.INFO,
    # format='%(asctime)s - %(message)s',
    # datefmt='%Y-%m-%d %H:%M:%S')
    path = sys.argv[1] if len(sys.argv) > 1 else '.'
    event_handler = FolderMonitoring()
    observer = Observer()
    observer.schedule(event_handler, path, recursive=True)
    observer.start()
    try:
        while True:
            time.sleep(1)
    finally:
        observer.stop()
        observer.join()
```

메인 프로그램이 시작되는 if문 이하에서 변경된 부분을 먼저 살펴보도록 하겠습니다. 우선 logging은 주석처리를 했으므로 더 이상 logging 정보는 보이지 않을 것입니다. 그리고 바뀐 부분은 event_handler에 해당하는 다음의 라인입니다.

```
event_handler = FolderMonitoring()
```

기존에 LoggingEventHandler가 FodlerMonitoring 클래스로 변경이 되었습니다. FolderMonitoring 클래스는 FileSystemEventHandler의 함수들을 오버라이딩 하기 위해서 새롭게 만든 클래스 입니다. 그 이외에 변경된 내용은 없습니다. 그러면 새롭게 만들어진 FolderMonitoring 클래스를 살펴보도록 하겠습니다.

```
class FolderMonitoring(FileSystemEventHandler):
```

클래스의 선언부분입니다. 이름은 FolderMonitoring이고 매개변수로 들어 있는 것은 우리가 import해 놓은 FileSystemEventHandler입니다. 이렇게 매개변수로 넘겨 받은 클래스가 있을 경우 우리는 이렇게 설명을 할 수 있습니다.

"FolderMonitoring 클래스는 FileSystemEventHandler를 상속받아서 만들어 졌다"고 말입니다. 상속을 FileSystemEventHandler로 부터 받아서 새롭게 FolderMonitoring 클래스가 만들어졌기 때문에 FolderMonitoring 클래스는 FileSystemEventHandler 클래스의 모든 기능을 그대로 가지고 있습니다.

FileSystemEventHandler의 모든 기능을 가지고 있다는 얘기는 FileSystemEventHandler 클래스의 모든 함수들을 가지고 있다는 얘기입니다. 그래서 우리는 이 FileSystemEventHandler의 멤버 함수인 on_created, on_deleted, on_modified 함수를 오버라이딩 할 것입니다.

FileSystemEventHandler가 이미 가지고 있는 on_created, on_deleted, on_modified의 기능은 모르겠으나 이 함수들은 각각 파일이 생성되고, 삭제되고, 수정이 될 경우 자동으로 호출되는 함수입니다. 이렇게 자동으로 이 함수들이 호출이 될 경우에 우리가 원하는 기능을 넣어서 사용하기 위해서 오버라이딩 하는 것입니다.

오버라이딩을 할 때는 원래 FileSystemEventHandler에 있는 함수를 그대로 써주면 됩니다. 다음과 같이 말입니다.

```
def on_created(self, event):
    print(event.src_path, event.event_type, event.is_directory)
```

```
def on_deleted(self, event):
        print(event)

def on_modified(self, event):
        print(event)
```

이 세개의 함수는 FileSystemEventHandler에도 동시에 존재합니다. 그렇기 때문에 상속받은 우리 클래스가 소유권을 가지고 있죠. 소유권을 가지고 있으니 동일한 함수가 존재하면 우리가 상속을 받았기 때문에 상속을 받은 우리의 함수가 실행이 됩니다.

만약에 우리가 만든 클래스에서 FileSystemEventHandler()에 있는 함수도 불러서 사용을 하고 싶다면 우리가 만든 on_created() 함수에서 super().on_created(event)와 같이 호출을 할 수도 있습니다. 이렇게 하면 조상인 FileSystemEventHandler()에 있는 함수를 호출할 수 있습니다. 그 다음에 우리가 원하는 내용을 구현할 수 있기 때문에 사실 오버라이딩은 기능을 확장하는 용도로 많이 사용을 합니다. 하지만 우리는 기존의 기능을 무시하고 새롭게 우리가 원하는 기능을 만들기 위해서 지금까지 설명을 드렸습니다.

프로그램을 실행하고 프로그램을 복사, 삭제해서 나오는 결과를 보겠습니다.

```
Run:    E008_watchdog2 ×
C:\PythonProject\MyRPA\venv\Scripts\python.exe C:\PythonProject\MyRPA\Extra\E008_watchdog2.py
<FileDeletedEvent: event_type=deleted, src_path='.\\E008_watchdog2 - 복사본.py', is_directory=False>
.\E008_watchdog2 - 복사본.py created False
<FileModifiedEvent: event_type=modified, src_path='.\\E008_watchdog2 - 복사본.py', is_directory=False>
<FileModifiedEvent: event_type=modified, src_path='.\\E008_watchdog2 - 복사본.py', is_directory=False>
<FileDeletedEvent: event_type=deleted, src_path='.\\E008_watchdog2 - 복사본.py', is_directory=False>
```

세번째의 메시지는 event_type이 created입니다. on_created() 함수의 print() 함수와 다른 함수들의 print() 함수를 비교해 보면 왜 다른 결과가 나왔는지 쉽게 알 수 있습니다. 다른 함수들은 event를 그대로 출력했지만 created() 함수에서는 event 내의 각 데이터를 별도로 출력하고 있기 때문입니다.

이제는 on_created(), on_modified()와 on_deleted() 함수 내에 원하는 기능을 구현해 넣기만 하면 됩니다.

5. 이미지 배경화면 지우기

파워포인트에 이미지를 넣고 싶은데 불필요한 배경이 있을 때, 급하게 증명사진이 필요한데 뒷 배경을 정리하고 싶을때가 있습니다. 이럴 때 포토샵과 같은 프로그램을 잘 사용할 줄 알면 좋을텐데 그렇지도 못해서 아쉬울 때가 있습니다.

그러던 중에 찾은 패키지가 있습니다.

<code>pip install rembg</code>

이미지의 배경을 지워서 투명하게 만들어주는 패키지 입니다. 일반적인 이미지 형식을 PIL(Python Image Library)를 통해서 열고, 이미지의 배경을 삭제합니다. 배경이 삭제된 이미지는 RGBA를 지원하는 이미지 형식으로 변환을 시킵니다. 일반적으로 많이 사용하는 jpg 파일을 입력으로 넣고, png 파일로 출력을 시킵니다.

컴퓨터 이미지들은 Red, Green, Blue라는 빛의 삼원색으로 표현을 합니다. 각각의 색상들은 0~255까지의 값들을 가지고 있어 이 값들을 합하여 모니터에 색상을 표현합니다. 여기서는 다음의 이미지들의 배경을 rembg 패키지를 써서 지워보도록 하겠습니다.

```
from rembg import remove
from PIL import Image

loaded_img = Image.open(r"..\files\cat.jpg")
out_img = remove(loaded_img)
out_img.save(r"..\files\nobg_cat.png")

loaded_img = Image.open(r"..\files\prague.jpg")
out_img = remove(loaded_img)
out_img.save(r"..\files\nobg_prague.png")

loaded_img = Image.open(r"..\files\lady.jpg")
out_img = remove(loaded_img)
out_img.save(r"..\files\nobg_lady.png")
```

사용 방법이 다음의 사이트에 있긴 합니다만, 이미지에 대해서 어느 정도 전문 지식이 있지 않은 사람에게 는 그다지 줄 수 있는 옵션이 없어 보입니다. 배경색을 지정하거나 혹은 이미지가 아니라 마스크를 설정할 수 있는 정도인데 마스크는 rembg가 인식한 주이미지의 영역입니다.

https://github.com/danielgatis/rembg/blob/main/USAGE.md

따라서 단순히 배경 이미지를 지우는데 사용하면 좋겠습니다. PIL (Python Image Library)를 통해서 파일 을 열고 열려진 이미지에서 remove() 함수의 매개변수로 넘겨주면 배경 이미지가 삭제된 이미지가 반환이 됩 니다. 그리고 반환된 이미지는 save() 함수를 통해서 RGBA와 같이 Alpha 채널이 들어간 이미지로 저장을 하면 됩니다. 가장 널리 쓰이는 Alpha 채널이 들어간 이미지 형식은 png 파일이므로 png로 저장을 합니다.

간단하게 돌려본 결과물을 보면, 배경이 단순한 이미지는 나름 준수한 결과물로 배경을 지워주고 있습니 다. 하지만 맨 우측의 그림을 보면 주이미지라고 판단한 개와 함께 있는 사람은 이미지의 선명도가 떨어져서 인지 결과물에서 머리가 보이지 않습니다. 따라서 단순한 배경을 가진 이미지의 배경을 삭제하는 용도로 사 용하는 것이 좋아 보입니다.

6. 이미지 정보 읽기

    Python에는 PIL 이라는 패키지가 있습니다. 이 패키지는 앞선 배경화면 이미지 지우기에서 이미지 파일을 불러올 때 사용했던 패키지입니다. 이 패키지를 이용해서 읽을 수 있는 정보는 가로세로 픽셀 수, 이미지가 JPEG인지 PNG인지 등과 같은 이미지 포맷, 이미지의 색상이 RGB인지 RGBA인지 또는 CMYK라는 포맷인지의 정보를 알 수가 있습니다. 그리고 DPI라고는 정보도 얻을 수 있습니다. 이 정보는 Dot Per Inch의 약자로 1인치에 몇 개의 점으로 이미지가 이루어져 있는지를 가지고 있는 정보입니다. 1인치는 2.54센티인데 보통은 70개의 점으로 2.54센티를 채우는 크기입니다. 이정보를 이용해서 이미지가 프린트 되었을 때 가로와 세로 길이 cm 정보도 계산해 낼 수 있습니다.

E10_JpgImageInfo.py

```python
import os
from PIL import Image


class ImageInfo():
    def setJpgImage(self, filename):
        _image = Image.open(filename)
        self._filename = filename
        self._format = _image.format
        self._mode = _image.mode
        self._width = _image.width
        self._height = _image.height
        try:
            self._dpi1, self._dpi2 = _image.info.get('dpi')
        except:
            self._dpi1 = 70
            self._dpi2 = 70
        self._widthCm = float(format((self._width / self._dpi1 )
            *2.54, '.2f'))
        self._heightCm = float((self._height / self._dpi1 ) * 2.54)


        self.printImageInformation()


    def setPngImage(self, filename):
        _image = Image.open(filename)
        self._filename = filename
        self._format = _image.format
        self._mode = _image.mode
        self._width = _image.width
        self._height = _image.height
        try:
            self._dpi1, self._dpi2 = _image.info.get('dpi')
        except:
        self._dpi1 = 70
            self._dpi2 = 70
        self._widthCm = round((self._width / self._dpi1)*2.54, 3)
        self._heightCm = round((self._height / self._dpi1)*2.54, 3)


        self.printImageInformation()
```

```python
    def printImageInformation(self):
        print(f"=========================================")
        print(f"이미지 파일 이름 : {self._filename}")
        print(f"이미지 파일 형식(format) : {self._format}")
        print(f"이미지 색상모드 : {self._mode}")
        print(f"이미지 너비(pixel): {self._width}")
        print(f"이미지 높이(pixel) : {self._height}")
        print(f"이미지 DPI : {self._dpi1}")
        print(f"이미지 너비(cm): {self._widthCm}")
        print(f"이미지 높이(cm): {self._heightCm}\n")


    def readImage(self, fname):
        # 파일의 존재 여부 확인
        if False == os.path.isfile(fname):
            print(f"{fname}이 존재하지 않습니다.")
            return


        # 파일명과 확장자 분리
        filename, ext = os.path.splitext(fname)


        if ext == '.png' or ext == '.PNG':
            print(f"=========================================")
            print("PNG 파일이 입력되었습니다")
            self.setPngImage(fname)
        elif ext == '.jpg' or ext == '.JPG':
            print(f"=========================================")
            print("JPG 파일이 입력되었습니다")
            self.setJpgImage(fname)
        else:
            print(f"\n{ext} 형식의 파일은 지원하지 않습니다")


if __name__ == "__main__":
    II = ImageInfo()
    II.readImage(r'..\files\cat.jpg')
    II.readImage(r'..\files\nobg_lady.png')
```

이미지 파일의 정보를 읽어오는 클래스를 만들었습니다. 클래스의 이름은 ImageInfo 입니다. 이 클래스에서는 JPG와 PNG 파일을 읽어서 정보를 읽을 수 있고 이 형식의 파일의 정보를 출력해 주는 기능을 가지고 있습니다. 기능을 이용하기 위해서는 이 클래스 내에서 readImage()라는 함수에 파일의 경로를 매개변수로 넘겨주기만 하면 됩니다. 그러면 다음과 같이 정보를 출력합니다.

```
=========================================
JPG 파일이 입력되었습니다
=========================================
이미지 파일 이름 : ..\files\cat.jpg
이미지 파일 형식(format) : JPEG
이미지 색상모드 : RGB
이미지 너비(pixel): 1280
이미지 높이(pixel) : 964
이미지 DPI : 70
이미지 너비(cm): 46.45
이미지 높이(cm): 34.97942857142857


=========================================
PNG 파일이 입력되었습니다
=========================================
이미지 파일 이름 : ..\files\nobg_lady.png
이미지 파일 형식(format) : PNG
이미지 색상모드 : RGBA
```

```
이미지 너비(pixel): 605
이미지 높이(pixel) : 640
이미지 DPI : 70
이미지 너비(cm): 21.953
이미지 높이(cm): 23.223


Process finished with exit code 0
```

```
if __name__ == "__main__":
    II = ImageInfo()
    II.readImage(r'..\files\cat.jpg')
    II.readImage(r'..\files\nobg_lady.png')
```

ImageInfo() 클래스를 선언하고 넘겨주고자 하는 파일의 정보를 readImage() 함수의 매개변수로 넘깁니다. 그러면 이미지 파일의 정보를 출력하게 됩니다. readImage() 함수를 살펴보겠습니다.

```
def readImage(self, fname):
    # 파일의 존재 여부 확인
    if False == os.path.isfile(fname):
        print(f'{fname}이 존재하지 않습니다.')
        return

    # 파일명과 확장자 분리
    filename, ext = os.path.splitext(fname)

    if ext == '.png' or ext == '.PNG':
        print(f"=========================================")
        print("PNG 파일이 입력되었습니다")
        self.setPngImage(fname)
    elif ext == '.jpg' or ext == '.JPG':
        print(f"=========================================")
        print("JPG 파일이 입력되었습니다")
        self.setJpgImage(fname)
    else:
        print(f"\n{ext} 형식의 파일은 지원하지 않습니다")
```

readImage() 함수는 복잡해 보입니다만, 파일의 확장자에 따라서 파일의 확장자가 .png이거나 .PNG이면 setPngImage() 함수를 호출하고 확장자가 .jpg이거나 .JPG이면 setJpgImage() 함수를 호출하도록 합니다. os.path.isfile() 함수를 이용해서는 주어진 파일이 경로에 존재하는지를 검사합니다. 파일이 없다면 파일이 존재하지 않는다는 메시지를 보여주고 종료합니다. 다음은 os.path.splitext() 함수는 파일의 이름과 확장자를 분리해 줍니다. 확장자에는 '.'이 포함되어 있습니다. 그래서 다음에 나오는 if문에서 '.png'와 같이 '.'을 포함해서 비교를 합니다.

```
def setJpgImage(self, filename):
    _image = Image.open(filename)
    self._filename = filename
    self._format = _image.format
    self._mode = _image.mode
    self._width = _image.width
    self._height = _image.height
    try:
        self._dpi1, self._dpi2 = _image.info.get('dpi')
    except:
        self._dpi1 = 70
```

```
                        self._dpi2 = 70
            self._widthCm = format((self._width / self._dpi1)*2.54, '.2f')
            self._heightCm = (self._height / self._dpi1 ) * 2.54


            self.printImageInformation()
```

사실 setJpgImage()와 setPngImage() 함수는 동일합니다. PIL의 Image.open() 함수를 이용해서 파일 경로가 포함된 파일명을 매개변수로 넘겨줍니다. PIL에서 반환되는 값에는 파일의 형식이 format 안에, 이미지 컬러 형식이 mode에 너비와 높이가 각각 width와 height로 저장이 되어 있습니다. 이 width와 height는 몇 pixel인지를 나타냅니다. 예를 들어 1024의 너비와 768이라는 높이를 가지고 있다고 할때, 각각의 점이므로 이미지는 1024개의 점에 해당하는 너비와 768개의 점으로 된 높이를 가진다고 할 수 있습니다. 이 점을 일반적으로 우리는 픽셀(pixel)이라고 합니다.

각각의 이미지 정보에는 'dpi'라는 값을 가질 수도 있고 없을 수도 있어서 try문을 사용했습니다. 없다면 except문으로 빠져서 70이라는 값을 default 값으로 주었습니다. dpi는 dot per inch로 1인치 즉 2.54cm의 이미지를 만들때, 몇개의 점으로 이루어졌는지를 나타내는 정보입니다. 따라서 높이 및 너비의 pixel 값을 알고 dpi를 알 수 있다면 가로와 세로가 몇 cm인지를 수학적으로 계산해 낼 수 있습니다. dpi는 가로와 세로의 dpi를 갖고 있는데 일반적으로 동일한 값을 가지고 있어 무엇을 사용해도 무방합니다.

_widthCm과 _heightCm은 dpi와 _width 및 _height 정보를 가지고 계산을 하고 있습니다. 먼저 _heightCm을 살펴보면

$$1 \text{ inch} : dpi = \chi \text{ inch} : height$$

입니다. dpi가 1인치에 몇 개의 점으로 이루어졌는지를 나타낸다고 했으므로 식은 위와 같습니다. 그런데 1인치는 2.54cm입니다. 그래서 cm로 위의 식을 변경해 보면

$$2.54 \text{ cm} : dpi = \chi \text{ cm} : height$$

입니다.

$$\chi = 2.54 \times height / dpi$$

가 됩니다. 계산식에 소수점이 들어가 있고 나눗셈이 있기 때문에 _widthCm에서는 format이라는 함수를 사용합니다. format 함수의 첫번째 매개변수는 위의 식이고 두번째는 '2.f' 입니다. f는 float로 부동소수점을 이야기 합니다. 그리고 2.은 소수점 둘째자리까지만 표현하라는 의미입니다. 앞서 보여드린 결과를 보면 다음과 같이 출력에 차이가 나는 것을 볼 수 있습니다.

이미지 너비(cm): 46.45
이미지 높이(cm): 34.97942857142857

사용자에게 값을 보여줄 때, 너무 긴 것은 보기 좋지 않으므로 소수점 둘째 자리까지만 보여주고 있습니다. _heightCm도 format 함수를 사용하면 소수점 셋째자리에서 반올림이 되어 34.98이 됩니다.

```
            self._widthCm = round((self._width / self._dpi1)*2.54, 3)
            self._heightCm = round((self._height / self._dpi1)*2.54, 3)
```

위에서 보는 _widthCm과 _heightCm은 setPngImage내에 있는 내용입니다. format 대신에 round라는 함수를 사용하고 있습니다. 이 함수는 반올림을 하라는 의미입니다. 위의 예에서 두 번째 인자 3은 반올림을 해서 소수점 세째자리까지 표현하라는 의미입니다.

이미지 너비(cm): 21.953
이미지 높이(cm): 23.223

이 함수에 의해서 나온 결과는 위와 같습니다. round() 함수를 사용하지 않았다면 그 결과는 다음과 같이 출력이 됩니다.

이미지 너비(cm): 21.95285714285714
이미지 높이(cm): 23.22285714285714

마지막은 이미지 정보를 출력하는 함수 printImageInformation() 입니다. 얻은 이미지 정보와 계산을 한 너비와 높이를 단순 출력하기 때문에 설명을 별도로 하지 않습니다.

지금까지 PNG와 JPG 파일에 대한 정보를 살펴봤습니다. 이 이외에도 이미지 형식은 다양합니다. PIL로 읽을 수 있는 이미지들도 있지만 별도의 패키지를 사용해야 하는 경우도 있습니다. TIFF, EPS도 있고 pdf에 이미지가 들어가기도 합니다. TIFF는 dpi를 불러오는 방식이 약간 다릅니다. 그리고 여러개의 이미지를 하나의 이미지 파일에 담을 수 있습니다. 일반적으로 레이어드 이미지라고 부릅니다. 또한 컬러모드가 RGB 뿐만 아니라 CMYK라는 형식도 사용이 됩니다. RGB가 빛의 삼원색으로 이루어진 방식이라면 CMYK는 인쇄 또는 사진에서 사용되는 컬러모드로 CMYK 각각은 Cyan, Magenta, Yellow, Black을 의미합니다. 빛은 각각의 빛을 쏴서 색상이 혼합되는 방식이라면 CMYK는 각각의 잉크를 출력한 위에 다른 색을 출력해서 색상을 냅니다. 잉크젯 프린터의 색상을 보면 CMY와 K 잉크가 따로 있음을 볼 수 있습니다. 일반적인 색상은 CMY를 이용해서 출력을 합니다. 이 세가지 색상을 혼합했을 때 완전한 검은색을 낼 수가 없어서 별도로 Black 잉크가 필요한 것입니다.

7. 이미지 밝기 조정 - Numpy(넘파이)

이미지의 밝기를 조절해 보도록 하겠습니다. 일반적인 이미지들이 RGB 포맷을 가지고 있고 각각의 RGB는 0에서 255까지의 값을 가지고 있습니다. 255가 각 색상에서 가장 진한 색입니다. 따라서 이 값들을 조절하면 밝기 이외에도 다양한 작업을 할 수 있습니다.

이미지에 특화된 패키지들이 많습니다. OpenCV가 대표적인 패키지입니다. 설치는 다음과 같습니다.

pip install opencv-python

"python opencv 이미지 밝기" 와 같이 검색을 하면 openCV에서 제공을 하는 다양한 함수들과 사용방법을 알 수 있습니다. 여기에서는 원론적으로 RGB 값을 직접 변경하면서 이미지의 변화를 살펴보도록 하겠습니다. 이미지의 너비와 높이가 각각 100픽셀이라고 하면 100 x 100개 즉, 10,000개의 픽셀로 이루어진 이미지이고 각 이미지의 값을 배열로 읽어온다면 [100][100][3]의 배열로 읽어올 수 있겠습니다. RGB가 각각 하나씩의 배열을 값을 차지하고 있으므로 100 x 100 x 3이 되는 것입니다. 이렇게 읽어오고 나서는 자유롭게 RGB 값을 변경하는 작업을 해 보도록 하겠습니다.

파이썬을 사용하면서 가장 많이 사용하는 패키지는 상당히 많습니다만 그 중에 하나가 Numpy(넘파이)입니다. 넘파이는 배열을 자유자재로 사용할 수 있게 해 주는 패키지로 별도의 책이 나올 정도로 엄청나게 많이 사용하는 패키지 입니다. 이 패키지를 이용도 같이 해 보도록 하겠습니다.

앞에 보이는 이미지는 처음부터 차례대로 원본 이미지, 이미지를 100만큼 밝게 한 이미지 마지막은 이미지를 100만큼 어둡게 한 이미지입니다. 소스코드를 보면서 어떻게 이미지들의 밝기를 변경했는지 확인해 보도록 하겠습니다.

E11_ImageBirghtnessWithNumpy.py

```
from PIL import Image
import numpy as np


img = Image.open(r'..\files\lady.jpg')
img.show()
print(img.width, img.height)
```

```
img_arr1 = np.array(img)
img_arr2 = np.array(img)
print(img_arr1)
print(img_arr1.shape[0], img_arr1.shape[1], img_arr1.shape[2])

for i in range(img_arr1.shape[0]):
    for j in range(img_arr1.shape[1]):
        for k in range(img_arr1.shape[2]):
            l = img_arr1[i][j][k]
            l = l + 100
            if l > 255:
                l = 255
        img_arr1[i][j][k] = l

bright_img = Image.fromarray(img_arr1)
bright_img.show()
bright_img.save(r'..\files\lady_bright.jpg')

for i in range(img_arr2.shape[0]):
    for j in range(img_arr2.shape[1]):
        for k in range(img_arr2.shape[2]):
            l = img_arr2[i][j][k]
            l = l - 100
            if l < 0:
                l = 0
            img_arr2[i][j][k] = l

dark_img = Image.fromarray(img_arr2)
dark_img.show()
dark_img.save(r'..\files\lady_dark.jpg')
```

이 예제에서는 하나의 픽셀값을 가져와서 밝게 또는 어둡게 하고 원래의 위치에 써 넣는 과정이 지루하게 반복이 됩니다. 여기서 사용한 이미지의 크기는 605 x 640의 크기이므로 그렇게 큰 이미지가 아님에도 시간이 꽤 걸리는 것을 볼 수 있습니다. 왜냐하면 RGB 각각의 색상이 있으므로 총 for문의 반복은 605 x 640 x 3 만큼입니다. 1,161,600번 만큼 반복이 되기 때문입니다. 속도에 신경을 쓴 프로그램이 아니고 이미지가 어떻게 동작하는지를 알기 위함이긴 합니다만 속도가 느림을 체감하실 수 있을 것입니다.

```
img = Image.open(r'..\files\lady.jpg')
img.show()
print(img.width, img.height)
```

PIL의 Image 패키지의 open() 함수를 이용해서 이미지를 읽어옵니다. 그리고 img.show()를 이용해서 이미지를 화면에 보여줍니다. 이 함수를 호출하면 각자의 PC에 설치된 이미지를 보는 프로그램으로 보여줍니다. 그리고 이미지 뷰어를 닫을 때까지 다음으로 진행되지 않고 프로그램은 멈춰있게 됩니다. 다음으로 이미지의 너비(width)와 높이(height)를 출력합니다.

```
img_arr1 = np.array(img)
img_arr2 = np.array(img)
print(img_arr1)
print(img_arr1.shape[0], img_arr1.shape[1], img_arr1.shape[2])
```

넘파이 np의 array() 함수로 읽어들인 이미지 img를 배열로 변환을 합니다. 하나는 이미지를 밝게 하기 위해서 또 다른 하나는 이미지를 어둡게 할 용도로 각각 배열로 변환을 해 놓습니다. print() 함수를 이용해서 배열 자체를 출력해 보면 각 배열에 들어 있는 RGB 값들을 볼 수 있습니다.

두번째 print() 문에서는 shape의 0 에서 2번째까지의 요소를 출력해 봅니다. 각각 배열의 크기인데 순서대로 이미지의 높이, 너비, RGB 색상입니다.

```
for i in range(img_arr1.shape[0]):
    for j in range(img_arr1.shape[1]):
        for k in range(img_arr1.shape[2]):
            l = img_arr1[i][j][k]
            l = l + 100
            if l > 255:
                l = 255
            img_arr1[i][j][k] = l
```

높이 x 너비 x 3(RGB) 크기의 배열이므로 3개의 차원이 존재합니다. 1차원은 높이, 2차원은 너비 그리고 마지막은 각각의 색을 담고 있습니다. 그래서 for문이 3개가 각각 높이, 너비 각각의 색상 순입니다.

```
l = img_arr1[i][j][k]
```

각각의 색을 변수 l에 넣습니다. 다음 줄에서 100을 더합니다. 100을 더한 후에는 if문에서 l이 255보다 크다면 255로 변경을 한 후에 img_arr1[i][j][k]에 넣어줍니다. 255와 비교를 해서 255보다 크면 255로 바꿔주는 이유는 RGB 각 색상의 값의 범위가 0에서 255이기 때문입니다. 만약에 if문이 없다면 이미지의 색상은 255가 넘는 값들 때문이 이상한 색으로 바뀝니다. if문을 주석처리하고 실행해 보면 그 결과 값을 알 수 있습니다.

```
bright_img = Image.fromarray(img_arr1)
bright_img.show()
bright_img.save(r'..\files\lady_bright.jpg')
```

배열의 값들에 100을 더하고 255보다 큰 값은 255로 설정을 했습니다. 그런데 이 배열은 이미지가 아니기 때문에 다시 이미지로 변경을 해 줘야 합니다. PIL의 Image에는 배열을 가지고와서 이미지로 변경해 주는 fromarry()라는 함수가 있습니다. 이 함수를 이용해서 img_arr1을 bright_img로 변경을 합니다. 이렇게 변경된 이미지는 show() 함수를 이용해서 볼 수 있고 다음으로는 save() 함수를 이용해 밝게 바뀐 이미지를 저장할 수 있습니다.

```
l = img_arr2[i][j][k]
l = l - 100
if l < 0:
    l = 0
```

이미지를 어둡게 하는 부분은 색상값에서 100을 빼줍니다. 더해줄 때와 달리 빼줄 때에는 0보다 작아질 수 있으므로 0보다 작은 값이 되면 0으로 설정을 해 줘야 합니다.

만약에 예제에 있는 두 개의 if문을 모두 주석처리를 하면 다음과 같은 이미지가 나옵니다.

8. 이미지 위에 그리기

이미지 위에 선을 긋거나 다른 이미지를 추가하고 박스를 그리는 것은 단순하게 이미지를 변경한다는 것 이외에 다른 의미가 있습니다. 바탕이 되는 이미지를 아무것도 없는 흰색 이미지라고 생각을 해 보면 어떨까요? 윈도우 프로그램 그림판이 될 수 있습니다. 그러니까 윈도우용 그림판 같은 프로그램을 만들 수 있는 기본이 되는 것이 이미지 위에 그리는 것이라고 할 수 있습니다.

E12_ImageDrawImage.py

```python
from PIL import Image, ImageDraw

MainImg = Image.open(r'..\files\lady.jpg')
yes_img = Image.open(r'..\res\yes24A.png')
no_img = Image.open(r'..\res\no24A.png')

ex = MainImg.width
ey = MainImg.height

newImg = Image.new(mode='RGB', size=(ex+100, ey+100))
drawNew = ImageDraw.Draw(newImg, 'RGB')
boxColor = (50, 50, 50)
drawNew.rectangle((0, 0, newImg.width, newImg.height), fill=boxColor)

MainImg.paste(yes_img, (100, 100))
MainImg.paste(no_img, (100, ey - 100))

draw = ImageDraw.Draw(MainImg, 'RGB')

lineThick = 10
lineColor = (255, 20, 20)
boxColor = (24, 255, 24)
draw.rectangle((200, 200, ex-200, ey-200),
                        outline=lineColor, width=lineThick)
draw.line((200, 200, ex-200, ey-200), width=lineThick)

newImg.paste(MainImg, (50, 50))

newImg.show()
newImg.save(r'..\files\lady_draw.jpg')
```

MainImg위에 아이콘 yes_img와 no_img를 읽어서 붙여넣기를 합니다. 선과 네모를 이미지 중간에 그려 넣습니다. 이렇게 그린 그림을 MainImg보다 100 픽셀씩 더 큰 이미지 newImg를 만들고 newImg안에 MainImg를 붙여넣기를 하고 새로운 파일명으로 저장을 합니다.

```python
MainImg = Image.open(r'..\files\lady.jpg')
yes_img = Image.open(r'..\res\yes24A.png')
no_img = Image.open(r'..\res\no24A.png')

ex = MainImg.width
ey = MainImg.height
```

세개의 이미지를 각각 읽어옵니다. MainImg의 width와 height를 각각 ex와 ey에 저장을 합니다. ex와 ey는 그림의 너비와 높이지만 좌표계로 생각을 하면 end x와 end y라고도 할 수 있습니다.

```
newImg = Image.new(mode='RGB', size=(ex+100, ey+100))
drawNew = ImageDraw.Draw(newImg, 'RGB')
```

PIL의 new() 함수를 이용하여 새로운 이미지를 만듭니다. 이미지 모드는 'RGB'이고 이미지의 너비는 ex + 100, ey + 100과 같이 MainImg보다 가로와 세로가 각각 100 픽셀씩 큰 이미지 입니다. 이렇게 새로운 이미지 newImg를 만들고 이미지에 그림 그리기를 지원하는 ImageDraw 패키지의 Draw() 함수를 이용하여 그릴 준비를 마칩니다. 이제 우리는 drawNew 변수를 이용해서 newImg 위에 그림을 그려 넣을 수 있게 되었습니다.

```
boxColor = (50, 50, 50)
drawNew.rectangle((0, 0, newImg.width, newImg.height), fill=boxColor)
```

상자를 그릴 배경 색상을 boxColor에 지정을 합니다. 색상은 RGB로 표현이 되는데 가로 안에 각각 R, G, B에 해당하는 값들을 0에서 255 사이에 넣어주면 됩니다. 세가지 색상을 각각 같은 숫자를 넣어주면 회색이 됩니다. 숫자가 커질수록 옅은 회색이 됩니다.

drawNew는 ImageDraw로 만들어준 newImage에 그림을 그릴 수 있는 통로가 됩니다. ImageDraw 클래스에는 네모를 그릴 수 있는 rectangle() 함수가 존재합니다. 이 함수의 첫번째 매개변수에는 박스의 시작점과 끝점을 함께 묶어 입력을 해 줍니다. 그리고 박스를 채울 색상은 fill에 지정을 해서 매개변수로 넘겨주면 됩니다.

여기까지의 결과를 보기 위해서는 drawNew.rectangle() 다음에 newImg.show()를 이용해서 박스가 제대로 그려졌는지를 볼 수 있습니다. drawNew를 이용해서 박스를 그렸지만 이미지는 newImg가 가지고 있습니다.

```
MainImg.paste(yes_img, (100, 100))
MainImg.paste(no_img, (100, ey - 100))

draw = ImageDraw.Draw(MainImg, 'RGB')
```

이미지 위에 이미지를 붙여넣기를 할 때는 별도로 ImageDraw 사용하지 않고 PIL의 Image 패키지에 있는 paste() 함수를 사용하여 붙여 넣기를 할 수 있습니다. PIL에 Image 패키지의 paste() 함수를 이용해서 붙여 넣을 이미지와 해당 위치를 매개변수로 넘겨서 두 개의 이미지를 합치는 작업을 할 수 있습니다.

첫번째는 yes_img를 좌표 (100, 100)에 붙여 넣기를 하고 있고, 두번째는 no_img를 x는 100에 y는 end y, 그러니까 MainImg의 높이에서 100을 뺀 위치에 이미지를 붙여 넣기를 합니다. 여기까지의 이미지를 보기 위해서는 역시 MainImg.show()를 하면 작업된 이미지를 볼 수 있습니다.

다음은 ImageDraw로 MainImg에 그림을 그리기 위한 draw를 생성합니다. 이미지의 색상 모드는 'RGB' 입니다.

```
lineThick = 10
lineColor = (255, 20, 20)
boxColor = (24, 255, 24)
draw.rectangle((200, 200, ex-200, ey-200),
                          outline=lineColor, width=lineThick)
draw.line((200, 200, ex-200, ey-200), width=lineThick)
```

앞의 코드 맨 아래 두 줄을 보면 어떤 것을 그릴지 알 수 있습니다. 우리는 MainImg에 Rectangle과 Line을 그릴 것입니다. Rectangle은 채워 넣기가 아니고 속이 빈 박스를 그릴 것이고, 라인은 두께를 매개변수로 주어서 그리게 됩니다.

이를 위해서 첫 줄에는 라인의 두께를 선언을 해 줬습니다. 다음은 선을 그릴 때의 색상은 lineColor, 박스를 그릴 색상은 가운데 G가 가장 큰 초록색 종류로 선언을 했습니다. 이렇게 선언해 준 변수를 rectangle() 함수를 호출할 때 각각 사용합니다. 이 함수의 첫번째 인자는 (200, 200, ex-200, ey-200)입니다. 박스의 좌측 위쪽 좌표가 200, 200으로 고정을 해 줬고, 우측 아래 좌표가 ex-200, ey-200입니다. ex와 ey가 이미지의 너비와 높이 이므로 높이에서 -200, 너비에서 -200만큼을 빼준 위치이므로 이미지에서 상하좌우 200 픽셀만큼의 안쪽에 박스를 그리게 됩니다. 박스를 그리는 형태는 앞서 본 fill이 아니고 outline 형태이고 outline의 색상은 lineColor로 지정해준 색상입니다. 그리고 라인의 두께는 width로 주고 있습니다.

마지막으로 선을 그릴 때에도 시작점과 끝점을 박스와 동일하게 정해주고 두께를 lineThick 만큼 주라고 되어 있습니다. 여기까지는 MainImg에 아이콘 출력을 한 다음에 박스와 선을 각각 그려 넣은 것입니다.

```
newImg.paste(MainImg, (50, 50))

newImg.show()
newImg.save(r'..₩files₩lady_draw.jpg')
```

이렇게 그려진 MainImg를 paste() 함수를 사용해서 newImg에 붙여넣기를 합니다. newImg는 MainImg 보다 높이와 너비가 각각 100이 큰 이미지를 만들었습니다. 그리고 회색으로 박스를 그려 색칠을 했습니다. 회색 바탕의 newImg가 된 것입니다. 이 바탕에 x, y가 각각 50인 좌표에 MainImg를 붙여 넣기 하고 있습니다. 이것은 결국 상하좌우에 각각 50씩을 띄운 가운데에 이미지를 붙여 넣는 것입니다.

그리고 지금까지 작업된 이미지를 show() 함수를 이용해서 보여주고 마지막으로 새롭게 만들어진 이미지를 save() 함수로 저장을 합니다. 그 결과는 다음과 같습니다.

lineColor와 boxColor가 우리가 생각했던 색이 아닙니다. 그래서 코드를 살펴보니 실수한 부분이 보입니다. 다음과 같이 변경을 하면 우리가 원하는 색상이 적용이 됩니다.

```
draw.rectangle((200, 200, ex-200, ey-200),
        outline=boxColor, width=lineThick)
draw.line((200, 200, ex-200, ey-200), fill=lineColor, width=lineThick)
```

line 함수에 fill로 색상을 정해주면 라인의 색상이 지정이 됩니다.

9. 텍스트 파일 쓰고 읽기

일반 텍스트 파일은 간단한 정보의 저장부터 우리가 코딩하는 파이썬 파일까지 다양한 내용을 담을 수 있습니다. 일반 텍스트 에디터로서는 윈도우에 기본적으로 내장되어 있는 메모장 프로그램을 예로 들 수 있습니다. 메모장 프로그램에서는 워드나 파워포인트 및 엑셀과 같이 다양한 형식의 문서를 만들지는 못하고 간단한 텍스트들만으로 문서를 구성할 수 있습니다. 글꼴 정도는 변경할 수 있으나 그 외의 다른 기능들은 전무하다고 할 수 있겠습니다. 이런 텍스트 파일을 읽고 쓰는 방법에 대해서 알아보도록 하겠습니다.

이러한 텍스트 파일을 열고 읽고 쓰는데는 별도의 패키지가 필요없이 기본 함수만을 가지고서 구현을 할 수 있습니다.

E13_readWriteFile.py

```
read_f = open(r".\E007_watchdog.py", 'r')
write_f = open(r"..\files\copied_watchdog.py', 'w', encoding="utf-8")

txt = """
# 이 파일은 copy를 한 것이 아니고
# 원본 파일을 한줄씩 읽어서 사본파일에 한줄씩 쓴 결과입니다.
"""

write_f.write(txt)

while True:
    line = read_f.readline()
    if not line:
        break
    else:
        write_f.write(line)
        print(line, end="")

read_f.close()
write_f.close()
```

이번 예제는 우리가 이미 코딩을 했었던 파일을 하나 열어서 그 내용을 한줄씩 읽어서 새롭게 다른 파일에 그대로 써 넣는 것을 해 보려고 합니다.

```
read_f = open(r".\E007_watchdog.py", 'r')
write_f = open(r"..\files\copied_watchdog.py', 'w', encoding="utf-8")
```

read_f와 write_f를 각각 open() 함수를 이용해서 열고 있습니다. read_f는 기존에 있던 파일입니다. open() 함수의 첫번째 인자로 존재하는 파일의 이름을 주고, 두번째 인자는 어떤 형식으로 파일을 열 것인지를 지정해 줍니다. 'r'은 read-only 읽기 전용으로 파일을 열겠다는 의미입니다.

write_f는 파일을 여는데 형식이 'w'로 write 형식으로 파일을 열고 있습니다. 이 경우에는 새로운 파일을 만듭니다. open() 하는 파일이 존재하고 있다면 기존 파일을 없애고 새로 만듭니다. 즉, 기존 파일의 내용은 사라지게 됩니다. 마지막으로 encoding="utf-8"은 한글을 지원하기 위한 방식을 지정하는 것입니다. 이 부분은 빼면 한글이 깨져보이게 됩니다. 즉, 한글을 이용하기 위해서 넣어야 하는 옵션입니다.

```
txt = """

# 이 파일은 copy를 한 것이 아니고
# 원본 파일을 한줄씩 읽어서 사본파일에 한줄씩 쓴 결과입니다.
"""
write_f.write(txt)
```

txt라는 변수에 네줄짜리 문단을 넣었습니다. 맨 첫줄과 마지막줄은 아무것도 없이 줄만 바꿨고, 두번째 줄과 세번째 줄에는 한글을 넣었습니다. 이 변수를 open()으로 쓰기 형식으로 연 파일 write_f에 write() 함수를 이용해서 txt를 써 줍니다.

```
while True:
        line = read_f.readline()
        if not line:
                break
        else:
                write_f.write(line)
                print(line, end="")
```

while문의 조건으로 True를 주어 무한반복하는 while문입니다. 그리고 읽기 전용으로 우리가 만들었던 파이썬 파일을 연 read_f를 readline() 함수를 통해서 읽습니다. 함수의 이름에서 보여지듯이 readline() 함수는 텍스트 파일에서 한줄씩 읽어옵니다. 읽어온 내용을 그대로 line 이라는 변수에 넣어주게 됩니다.

if문에서는 읽어온 값이 있으면 else문으로 가고 읽어온 값이 없을 때는 break 문을 통해서 while문을 탈출하게 됩니다. 읽을 것이 없다는 것은 파일의 맨 끝에 다다랐다는 이야기 입니다. 텍스트 파일에서 아무것도 없이 엔터만 쳤다고 한다면 그 줄에는 내용이 없는 것이 아니라 줄바꿈 문자라는 것이 있게 됩니다. 엔터를 치면 우리 눈에는 보이지 않는 줄바꿈 문자가 입력이 되는 것이고 컴퓨터는 줄바꿈 문자를 만나면 다음 줄로 이동을 하게 됩니다.

만약에 readline() 함수를 통해서 읽은 값이 있다면 쓰기 전용으로 연 write_f 파일에 wirte() 함수를 이용해서 line을 써 줍니다. 즉, read_f에서 읽은 한 줄을 그대로 write_f에 써주는 것입니다. read_f가 원본, write_f가 사본이 되겠습니다. 그런데 맨 앞에서 txt의 네 줄을 write_f에 써 줬으므로 원본과 사본은 파일의 앞부분이 조금 다르겠네요.

그리고 print() 함수를 통해서 터미널에 line을 출력합니다. 한가지 일반적인 print() 함수와 다른 점이라면 두번째 인자로 end="" 를 넣었다는 것입니다.

line으로 한 줄을 읽었다는 얘기는 그 한줄의 끝에 줄바꿈 문자가 있다는 얘기입니다. 텍스트 파일에서 한 줄을 입력하고 나면 엔터를 쳐서 다음 줄로 넘어가는데 이 한줄에는 엔터를 친것과 동일한 효과를 내주는 줄바꿈 문자가 있다는 얘기입니다. 그런데 앞서서 사용한 많은 print() 함수를 이용해서 정보를 터미널에 출력했을 때를 생각해 보면 우리가 일부러 줄바꿈 문자를 넣어주지 않았는데도 줄바꿈이 되었습니다. 이 얘기는 print() 함수는 무엇인가를 출력하고 나면 맨 뒤에 자동으로 줄바꿈 문자를 넣어주고 있었던 것입니다. 그래서 자동으로 들어가는 print() 함수의 줄바꿈 문자를 "" 와 같이 아무것도 없음으로 바꿔주라는 것이 end="" 입니다. 참고로 줄바꿈 문자는 \n 입니다. end=""를 빼고 실행을 해 보시면 터미널에는 원래 line에 들어 있던 줄바꿈 문자와 print() 함수에서 넣어주는 줄바꿈 문자가 각각 들어가 줄과 줄 사이에 빈 줄이 하나 더 추가됨을 볼 수 있습니다.

이렇게 while문에서는 원본 파일에서 읽은 한 줄을 그대로 사본 파일에 써 넣고 어떤 내용을 읽었는지 터미널에 print() 함수를 통해서 보여줍니다. 그리고 원본 파일을 읽다가 맨 마지막에 다다르면 break문을 만나서 while문이 종료되게 됩니다.

```
read_f.close()
write_f.close()
```

원본파일 read_f와 사본파일 write_f를 각각 close( ) 함수를 이용해 닫음으로써 프로그램은 종료가 됩니다.

여기서 wirte_f 파일의 형식을 'a'로 바꿔서 테스트 해 보시기 바랍니다. a는 append(추가)의 약자로서 파일을 쓰기 형식이 아니라 추가형식입니다. 이 얘기는 파일이 없으면 새로 만들지만, 파일이 있다면 있는 파일을 열어 맨 뒤에다가 내용을 추가하라는 의미입니다.

그래서 'a' 형식으로 모드를 변경하고 위의 프로그램을 두 번 실행하면 똑같은 내용이 두 번 써지게 됩니다. 처음 실행할 때는 파일이 없었으므로 새로 파일을 만들어서 내용들을 쓸 것이고, 두 번째 실행을 할 때는 사본 파일이 있기 때문에 있는 파일을 열어서 파일의 맨 뒤에서부터 원본 파일의 내용을 써 내려가기 때문에 같은 내용이 두번 나타나는 것입니다.

10. PDF를 워드 문서로

Portable Document Format이라고 합니다. 포토샵을 만든 어도비사에서 처음 만든 형식이라고 합니다. 일반적으로 마이크로소프트 워드나 파워 포인트로 만든 문서를 변환해서 받는 사람이 수정할 수 없게 하기 위해서 많이 사용을 해왔습니다. 저 같은 경우도 고객사에서 받는 문서가 대부분 pdf 파일이나보니 받아서 내부 보고용으로 쓸 때 등, pdf가 아니라 docx, 워드 형식이면 좋겠다는 생각을 했습니다. 그래서 pypi.org에서 검색을 해서 간단한 프로그램을 만들어 사용하고 있는데요. 제가 사용하고 있는 패키지를 소개합니다.

```
pip install pdf2docx
```

이 패키지에 대한 자세한 사항은 바로 다음의 사이트를 방문하시면 됩니다.

```
https://dothinking.github.io/pdf2docx/index.html
```

사이트를 방문하면 Quick start 메뉴에 간단한 샘플 코드가 있습니다. 이 샘플코드가 전부입니다. 코드를 사용해서 pdf를 docx로 변환하는 프로그램을 만드는데 GUI가 있는 프로그램이 아니라 커맨드라인 앱을 만들도록 하겠습니다. 터미널에 다음과 같이 입력을 해서 바로 docx를 만들도록 해 보겠습니다.

```
C:\>pdf2doc.exe pdf파일 docx_출력파일
```

```python
import sys, os
from pdf2docx import parse

usage = """
[pdf2doc usage]
사용법은 다음과 같습니다.
pdf2doc input_pdf.pdf output_docx.docx
"""

if len(sys.argv) != 3:
    print(usage)
    exit(0)

pdf_file = sys.argv[1]
docx_file = sys.argv[2]

if False == os.path.isfile(pdf_file):
    print(f"{pdf_file}이 존재하지 않습니다.")
    exit(0)

# 파일명과 확장자 분리
filename, ext = os.path.splitext(pdf_file)

if ext != '.pdf' and ext != '.PDF':
    print(f"PDF 파일을 입력으로 넣어주세요.")
```

```
        exit(0)

    try:
        # convert pdf to docx
        parse(pdf_file, docx_file)
    except:
        print("알 수 없는 에러가 발생했습니다")
```

이 소스코드는 테스트가 완료 된 후에는 다음과 같이 실행파일을 만들어 사용할 수 있습니다.

pyinstaller -F E14_pdf2doc.py

-F 옵션은 하나의 실행 파일로 만들라는 의미입니다. 앞선 pyinstaller 사용에서는 -w 옵션을 주어 터미널에 나타나는 메시지가 나타나지 않도록 했었으나 이 프로그램은 다음과 같이 터미널에서 실행을 하기 때문에 -w 옵션은 주지 않았습니다.

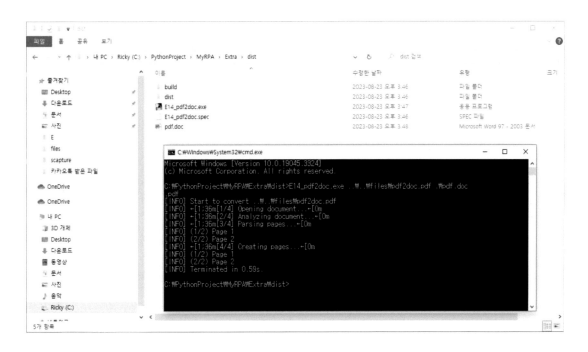

```
    if len(sys.argv) != 3:
        print(usage)
        exit(0)

    pdf_file = sys.argv[1]
    docx_file = sys.argv[2]
```

앞의 그림과 같이 입력을 했을 때, pdf 파일명이 sys.argv[1]에 들어가게 되고 sys.argv[2]에는 출력하고자 하는 docx 파일의 이름이 들어갑니다. 그럼 sys.argv[0]은 무엇일까요? 바로 E14_pdf2doc.py 또는 E14_pdf2doc.exe가 됩니다. 파이참의 터미널에서는 다음과 같이 실행을 합니다.

C:\PythonProject\MyRPA\Extra> python.exe .\E14_pdf2doc.py ..\files\pdf2doc.pdf .\pdf2doc.docx

이 경우에 sys.argv[0]이 E14_pdf2doc.py가 되는 것이고, pyinstaller로 실행 파일을 만든 후에는 다음과 같이 실행을 할 수 있습니다.

C:\PythonProject\MyRPA\Extra\dist>E14_pdf2doc.exe ..\..\files\pdf2doc.pdf .\pdf2doc.docx

이 경우에는 sys.argv[0]이 E14_pdf2doc.exe가 됩니다. 위의 두가지 모두 argv는 0에서 2까지 세개의 정보가 되므로 3일 경우에만 제대로 동작을 할 수 있습니다. 따라서 if문에서 argv의 길이가 3이 아니라면 메시지를 프린트하고 exit(0) 함수를 호출하여 프로그램을 종료합니다. 그렇지 않은 경우에는 각각의 파일 이름을 변수에 저장을 합니다.

```python
if False == os.path.isfile(pdf_file):
    print(f"{pdf_file}이 존재하지 않습니다.")
    exit(0)
```

입력받은 pdf 파일이 존재하는지를 확인하는 과정입니다. 입력은 pdf로 되어 있다고 해도 실제 파일이 존재하지 않는다면 파일을 docx로 변환을 할 수 없기 때문입니다. 만약에 argv[1]로 입력받은 파일이 없다면 역시 파일이 존재하지 않는다는 메시지를 뿌려주고 프로그램을 종료합니다.

```python
filename, ext = os.path.splitext(pdf_file)

if ext != '.pdf' and ext != '.PDF':
    print(f"PDF 파일을 입력으로 넣어주세요.")
    exit(0)
```

이번 루틴은 입력된 파일명의 확장자가 .pdf 또는 .PDF인지 검사하는 과정입니다. 정상적으로 입력되었고 첫번째 인자의 파일이 존재한다고 해도 pdf가 아니면 변환을 할 수 없기 때문입니다. 파일명과 확장자를 분리해주는 splitext() 함수를 사용해서 분리하고, 확장자가 pdf가 아니라면 프로그램을 역시 종료합니다.

```python
try:
    # convert pdf to docx
    parse(pdf_file, docx_file)
except:
    print("알 수 없는 에러가 발생했습니다")
```

이젠 입력된 파일은 분명 pdf 확장자를 가진 파일일 것입니다. 그래서 parser()라는 함수를 이용하여 파일을 최종 변환하게 됩니다. 그런데 try ~ except문으로 예외처리를 해 준 이유는 파일의 확장자가 pdf라고 해도 이상한 파일이라면 에러가 발생할 소지가 있기 때문에 그런 문제를 미연에 방지하고자 예외처리를 해 주었습니다.

```
[INFO] Start to convert ..\files\pdf2doc.pdf
[INFO] [2/4] Analyzing document...
[INFO] [3/4] Parsing pages...
[INFO] (1/2) Page 1
[INFO] [4/4] Creating pages...
[INFO] (1/2) Page 1
[INFO] [1/4] Opening document...
[INFO] [2/4] Analyzing document...
[INFO] [3/4] Parsing pages...
[INFO] (1/2) Page 1
[INFO] (2/2) Page 2
[INFO] [4/4] Creating pages...
[INFO] (1/2) Page 1
[INFO] (2/2) Page 2
[INFO] Terminated in 0.63s.
(venv) PS C:\PythonProject\MyRPA\Extra>
```

pdf2docx 패키지는 스스로 위와 같은 메시지들을 뿌리며 pdf 파일을 docx 파일로 변환을 하게 됩니다.

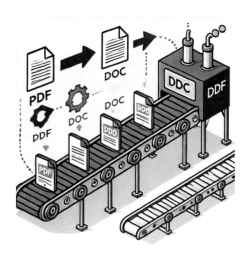

11. 문자인식

문자 인식은 이미지에 있는 텍스트나 또는 주차 차단기에서 차량의 전면 사진을 찍고 번호판을 분리해 내서 번호를 읽을 수도 있는 다양한 곳에 사용이 될 수 있는 분야입니다. 이 중에서 우리는 테서렉트를 사용해 보도록 하겠습니다.

앞서 말씀드린대로 테서렉트는 우리가 무료로 사용할 수 있는 문자인식 엔진 중의 하나입니다. 2006년부터 구글에서 후원을 해서 계속 발전해 오고 있다고 합니다. 테서렉트를 사용하기 위해서는 테서렉트를 다운로드 받아서 설치를 해야 합니다. 다음의 깃헙에서 테서렉 들을 찾을 수 있습니다.

https://github.com/UB-Mannheim/tesseract/wiki

다운로드를 받은 후에 설치시 처음에 언어를 선택하라고 나오는데 안타깝게도 한글은 없습니다. 기본적으로 영어로 되어 있는데 그대로 두고 설치를 계속합니다.

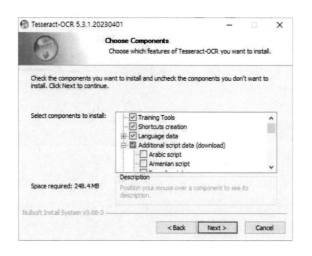

위와 같은 화면을 만나면 "Additional script data (download)"에서 꼭 Hangul script와 Hangul vertical script를 "Additional language data (download)에서 Korean을 꼭 선택해 주시기 바랍니다. 그래야 한글을 인식할 수 있습니다. 설치과정 중에는 인터넷이 연결되어 있어야 한글 관련 스크립트를 설치 중에 자동으로 다운로드 받고 설치까지 합니다. 또한 설치 과정 중에 나오는 경로를 확인해 주시기 바랍니다.

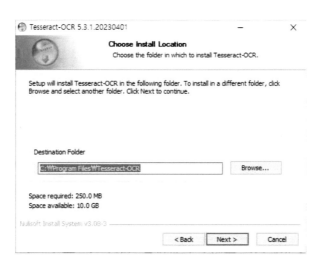

이 경로는 환경변수 중에서 Path에 설정을 해 줘야 하기 때문입니다. 환경변수를 설정하기 위해서는 제어판을 열고 제어판의 검색창에 "환경 변수"를 입력하시기 바랍니다. 그러면 다음 그림의 좌측과 같이 시스템 속성창이 뜹니다. 이 창의 아래쪽에 환경 변수가 있습니다.

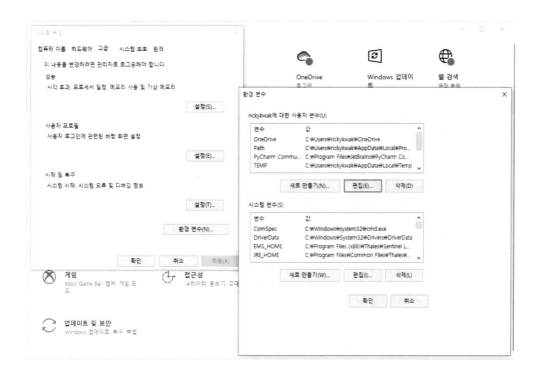

환경 변수를 클릭하면 앞의 우측 그림과 같이 환경 변수 창이 뜹니다. 여기에서 편집을 클릭합니다.

그리고 맨 아래에 우리가 설치한 테서렉트 경로를 넣어주고 확인을 클릭합니다. 확인을 클릭하셨으면 컴퓨터를 다시 껐다가 켜주셔야 환경 변수가 제대로 동작을 합니다. 제대로 동작이 되는지를 확인하기 위해서는 윈도우의 찾기 창에서 cmd를 입력하면 나타나는 명령 프롬프트 창에 tesseract를 입력했을 때, 다음과 같이 나타나면 정상적으로 환경변수가 등록이 된 것입니다.

tesseract를 이용해서 이번에 해 볼일은 다음의 이미지 파일을 문자인식해 보는 것입니다.

This is a lot of 12 point text to test the ocr code and see if it works on all types of file format.
The quick brown dog jumped over the lazy fox. The quick brown dog jumped over the lazy fox. The quick brown dog jumped over the lazy fox. The quick brown dog jumped over the lazy fox.

흰색 배경에 영어 문단이 있습니다. tesseract가 얼마나 문자 인식을 잘 하는지 살펴보도록 하겠습니다. 다음의 예제를 본 다음에는 다른 이미지도 테스트 해 보시기 바랍니다. 파이썬에서 테서렉트를 사용하기 위해서는 다음과 같이 pytesseract를 별도로 설치해 줘야 합니다.

```
pip install pytesseract
```

```python
from PIL import Image
import pytesseract


# English
print(pytesseract.image_to_string(Image.open(r'..\files\test.png')))
print("-------------------------------")
# Kor only
print(pytesseract.image_to_string(Image.open(r'..\files\test_kr.png')
    , lang='kor'))
print("-------------------------------")
print(pytesseract.image_to_string(
    Image.open(r'..\files\test_book_kr.jpg'), lang='kor'))
print("-------------------------------")
print(pytesseract.image_to_string(
    Image.open(r'..\files\test_plate_kr.PNG'), lang='kor'))
```

tesseract를 파이썬에서는 pyteseeract를 통해서 사용을 하도록 되어 있기 때문에 아주 간단하게 이미지에 있는 글자들을 인식할 수 있습니다. image_to_string() 함수에 이미지 파일만 넘겨주면 됩니다. 단, 영어나 숫자일 경우에만 이미지를 넘겨주면 되고 그렇지 않으면 뒤에 언어를 같이 명기를 해 줘야 하는데 한국어의 경우에는 lang='kor' 을 넣어주면 됩니다.

테스트에 사용한 파일들을 다음과 같습니다.
문서 인식율이 얼마나 되는지 특히 한글에 대해서 확인해 보시기 바랍니다.

어떤 주제의 사진을 찍어볼까? 고민을 했던 적이 있다. 사진 찍는 것을 좋아했기 때문이다. 취미로 한다고 해도 어떤 주제가 있어야 할 것 같았다. 캔디드 사진이 마음에 들기도 했지만 사람들과 부대끼는게 싫기도 했다. 길가에서 소위 똑딱이로 불리는 카메라로 사진을 찍고 있어도 자기 얼굴이 나왔을테니 보자고, 지워달라고 하는 사람들도 가끔은 만나는데 짜증이 안 날 수가 없다. 그러면서 위와 같은 숲 사진을 찍고 싶어졌다. 한때는 마을마다 우뚝 서 있는 당산나무를 찍으러 다니면 어떨까? 하는 생각을 하기도 했다. 모두 부지런을 떨어야 할 수 있는 피사체다.

결국 먹고 살기 바빠서 요즘은 카메라를 놓은지 오래다. 하지만 좋아하는 취미는 어쩔 수 없나보다. 요즘은 스마트폰 카메라로 도시의 잡초들을 찍고 있다.

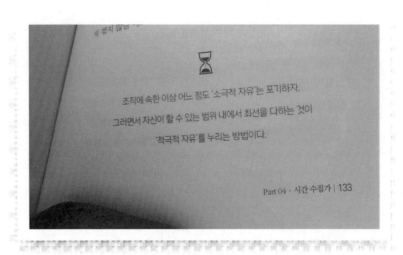

안타깝게도 영문은 잘 인식이 되는 듯 합니다만, 한글은 아직 인식율이 많이 낮아보입니다. 그나마 다행인 것은 번호판 정도는 인식하는 듯 합니다. 당분간은 영어에 대해서만 사용하시는 것을 추천드립니다.

마치며

    지금까지 간단한 프로젝트들과 간단하게 라이브러리, 패키지들을 소개하고 사용하는 방법을 살펴 봤습니다. 이 외에도 파이썬으로 할 수 있는 다양한 기능들이 있습니다. 이 책에서 파이썬에 대한 모든 것을 살펴 보지는 못했지만, 파이썬을 이용해서 어떤 것을 할 수 있는지를 살펴봤습니다.

    파이썬은 여러분이 생각하는 프로그램을 만들어 줄 아주 강력한 도구가 될꺼라고 생각을 합니다.
    직접 생각한 프로그램을 파이썬을 이용해서 만들어 보세요.